Viaje hacia el autoconocimiento

Su Divina Gracia
A.C. Bhaktivedanta Swami Prabhupāda
Fundador-*Ācārya* de la Asociación
Internacional para la Conciencia de Krishna

The Bhaktivedanta Book Trust

Título del original
The Journey of Self-Discovery

A los lectores interesados en el tema de este libro se les invita a dirigirse personalmente, por correo electrónico o por carta a los centros consignados en la última página.

www.bbtlatino.org
www.krishna.com
www.bbt.info

Queda hecho el depósito que marca la ley 11.723

ISBN: 978-987-1386-15-4
2020: 20,000 ejemplares

Impreso en China

Índice

Introducción

Cuando el autor de este libro llegó a Estados Unidos en 1965, a los 69 años de edad, nadie lo esperaba, prácticamente no tenía dinero (apenas 40 rupias, equivalentes a 6 dólares) y, como él decía: «no sabía si debía ir a la izquierda o a la derecha». Sin embargo, traía doscientos juegos de libros que él había traducido y escrito: los tres primeros volúmenes del *Śrīmad Bhāgavatam*, la obra de su vida. Este hecho nos indica algo muy importante para entender el mensaje que encontraremos en este libro. A.C. Bhaktivedanta Swami no estaba trayendo bienes materiales a Occidente (tampoco los buscaba), sino un mensaje espiritual que tenía su origen en la cultura más antigua del mundo, pero que iba más allá de las fronteras y del tiempo. Un mensaje que incumbe a todas las personas, en todos los lugares y en todas las épocas.

En este libro encontraremos ese mensaje como fue presentado por él a través de entrevistas, ensayos y conferencias a personas de diferentes partes del mundo, de una manera clara, simple y directa. Porque, a pesar de que nos encontraremos con un maestro que está hablando acerca de los temas más profundos, veremos que estos difíciles temas están expresados en un lenguaje accesible a todas las personas, y esto es debido a que el autor posee la vívida experiencia de lo que está presentando. Toda su vida fue un ejemplo práctico de lo que se encuentra en las Escrituras sagradas de la India. Eso lo convirtió en alguien especialmente capacitado para enseñarnos, con una frescura y actualidad que nos maravillarán, aquellas verdades que se encuentran en los textos más antiguos, verdades que la sociedad humana ha ido olvidando con el paso del tiempo.

El fuego es un elemento conocido y utilizado por el hombre desde hace miles de años, sin embargo, hoy en día es utilizado de formas mucho más variadas que en la antigüedad, debido a que el hombre le ha encontrado diversos usos. Esto es así porque el hombre ha vivido con el fuego durante generaciones y pudo aprender en forma práctica acerca de sus cualidades y aplicaciones, las cuales trascienden los lugares y las épocas. De la misma manera, el conocimiento védico fue trasmitido a través de generaciones de maestros que lo aplicaron en sus vidas y lo enriquecieron con sus experiencias. Así lo recibió y lo transmitió Śrīla Prabhupāda (como luego llamarían sus discípulos al autor), y hoy llega a nosotros a través de este libro.

Esto es algo sorprendente, no solo porque somos occidentales, sino también porque el conocimiento contenido en las Escrituras védicas (los cuatro *Vedas* y sus apéndices) ni siquiera era algo que estuviera accesible a todas las personas en su época, mucho menos en nuestro tiempo, tan distante de la época védica. Sin embargo, Śrīla Prabhupāda, debido a su experiencia y erudición, presenta este valioso conocimiento acorde a nuestra cultura y a la época en que vivimos. De manera que nos encontraremos con gran cantidad de citas de textos que fueron escritos en sánscrito hace miles de años (por ejemplo, el famoso *Bhagavad-gītā*), aplicadas a situaciones que nos tocan vivir hoy en día a personas de Argentina, Francia, China, Jamaica, Yemen o cualquier parte del mundo. Esto es así porque dichas Escrituras tratan acerca de la esencia de los seres, la cual está más allá de sus identificaciones materiales físicas, culturales o sociales.

Por este motivo, quienes estudien esas Escrituras en forma exclusivamente teórica e intelectual, sin llevar a la práctica sus enseñanzas arguyendo que, visto que son occidentales no les compete hacerlo, nunca podrán entender la verdadera riqueza de su contenido, y por lo tanto tampoco se beneficiarán como podrían hacerlo. Qué decir de beneficiar a otros. Este no es el caso de Śrīla Prabhupāda, que nos muestra en este libro ese tesoro contenido en la filosofía védica de manera que legos y entendidos, orientales y occidentales, jóvenes y viejos, hombres y mujeres, todos puedan beneficiarse de una filosofía tan práctica y trascendente para el ser humano. Trascendente a pesar de haber sido ignorada. Como Śrīla Prabhupāda le dijera al físico Gregory Benford: «Nosotros no decimos que el conocimiento científico sea inútil; la mecánica, la electrónica, también son conocimiento. Pero el tema central es *ātma-jñana*, el autoconocimiento, el conocimiento del alma».

Y después de haber comprendido al alma, la búsqueda de conocimiento continúa. Śrīla Prabhupāda señaló en una conferencia de prensa en Los Ángeles: «Dentro del cuerpo usted encontrará al alma, cuya presencia se percibe por la conciencia. Similarmente, en el cuerpo universal de la manifestación cósmica, uno puede percibir la presencia de la Superconciencia».

Así como nosotros somos individuales y personales, la Superconciencia también es individual y personal. En las Escrituras védicas la identidad del Ser Superconsciente se revela como Kṛṣṇa, la Suprema Personalidad de Dios. Śrīla Prabhupāda describe a Kṛṣṇa como «el artista más grande», la fuente de toda belleza y atracción.

La verdadera clave de la felicidad y de la plenitud —explica Śrīla Prabhupāda— consiste en descubrir nuestro eterno vínculo personal con la Superconciencia. Este estado se denomina conciencia de Kṛṣṇa. Y esta es una conciencia amorosa. En el artículo «Amor absoluto», Śrīla Prabhupāda le dice a su audiencia: «Todos están frustrados —esposos y esposas, muchachos y muchachas—, en todas partes existe frustración porque nuestra inclinación a amar no es utilizada en forma apropiada». Śrīla Prabhupāda continúa explicando que el amor se experimenta más plenamente cuando está dirigido a la Persona Suprema, Kṛṣṇa, quien puede reciprocar perfecta y completamente con todos. Luego, ese amor se difunde hacia todos los seres. Este es el secreto de la felicidad duradera.

En el artículo «Descubriendo a los falsos espiritualistas», Śrīla Prabhupāda critica duramente a los *gurus* engañadores y a los espiritualistas que guían mal a sus seguidores prometiéndoles disfrute material irrestricto.

Śrīla Prabhupāda no creó su propio proceso espiritual en aras de obtener un beneficio personal. Más bien él enseñó liberalmente la técnica de meditación específica que los *Vedas* recomiendan para esta era. En el artículo «Meditación a través del sonido trascendental», Śrīla Prabhupāda les dice a los estudiantes de la Universidad del Noroeste de Boston: «Si ustedes adoptan este simple proceso —cantar Hare Kṛṣṇa, Hare Kṛṣṇa, Kṛṣṇa Kṛṣṇa, Hare Hare/ Hare Rāma, Hare Rāma, Rāma Rāma, Hare Hare— serán inmediatamente elevados a la plataforma trascendental».

Las personas que progresan en este viaje hacia el autoconocimiento pueden hacer una gran contribución a la sociedad ayudando a crear soluciones a los problemas del hombre. En el artículo «Problemas materiales, soluciones espirituales», aprendemos de Śrīla Prabhupāda cómo podemos aplicar en la práctica la conciencia de Kṛṣṇa para aliviar el sufrimiento causado por la violencia y la escasez de alimentos.

A principios de la década del 70, Śrīla Prabhupāda presentó un análisis —notablemente anticipado— de la incapacidad del sistema de gobierno comunista de proporcionarle felicidad a su pueblo. Encontrará esta sorprendente conversación en la sección VII, «Perspectivas sobre ciencia y filosofía».

En el artículo «Evolución real y ficticia», Śrīla Prabhupāda dice: «Nosotros aceptamos la evolución, pero no que las formas de las especies estén cambiando. Los cuerpos ya están ahí, pero el alma evoluciona cambiando de cuerpo y transmigrando de un cuerpo a otro... El defecto de los evolucionistas consiste en que ellos carecen de información acerca del alma».

Finalmente, el viaje hacia el autoconocimiento se extiende desde el mundo material hasta el mundo espiritual. En el artículo «Entrando al mundo espiritual», Śrīla Prabhupāda afirma: «Todo en el mundo espiritual es sustancial y original. El mundo material es solo una imitación... Es como una película, en la que solo vemos la sombra de lo real».

A pesar de que estos temas deben ser leídos paso a paso, ya que no son temas comunes, quisimos darle un pequeño adelanto con esta introducción. Usted recorrerá cada página de este libro enriqueciéndose con la sabiduría de Śrīla Prabhupāda y, cuando lo termine, deseará leerlo otra vez.

Los editores

I
Viaje hacia el autoconocimento

La física del ser

En octubre de 1973, el Dr. Gregory Benford, profesor asociado de física de la Universidad de California en Irvine, visitó a Śrīla Prabhupāda en el jardín del Centro Hare Kṛṣṇa en Los Ángeles. Durante el transcurso de su fascinante conversación acerca de la posibilidad de una comprensión científica del alma, Śrīla Prabhupāda declaró: «Nosotros no decimos que el conocimiento científico sea inútil; la mecánica, la electrónica, también son conocimiento... pero el tema central es ātma-jñāna, *el autoconocimiento, el conocimiento del alma».*

Śrīla Prabhupāda: ¿Cuál es el conocimiento científico actual acerca del alma espiritual?

Dr. Benford: Nosotros prácticamente no tenemos ningún conocimiento científico acerca del alma.

Śrīla Prabhupāda: Por lo tanto, ustedes realmente no han avanzado en el conocimiento científico.

Dr. Benford: Bueno, el conocimiento científico es una clase diferente de conocimiento.

Śrīla Prabhupāda: Quizás. Existen muchas áreas de conocimiento: el estudio médico del cuerpo, el estudio psicológico de la mente y finalmente el espiritual, conocimiento trascendental. El cuerpo y la mente son simplemente las coberturas del alma espiritual, así como esa camisa y ese abrigo son las coberturas de su cuerpo. Si usted simplemente cuida la camisa y el abrigo y descuida a la persona que está cubierta por la camisa y el abrigo, ¿cree usted que eso sea avance en conocimiento?

Dr. Benford: Pienso que no hay un área de conocimiento que sea inútil.

Śrīla Prabhupāda: Nosotros no decimos que el conocimiento científico sea inútil; la mecánica, la electrónica, también son conocimiento. Pero las diferentes áreas del conocimiento difieren comparativamente en importancia. Por ejemplo, cocinar bien también es una ciencia. Existen muchas áreas diferentes de conocimiento, pero el tema central es *ātma-jñāna*: el autoconocimiento, el conocimiento del alma.

Dr. Benford: La única forma comprobable de conocimiento —o sea, en el sentido que todos aceptarán— es la que puede probarse lógica o experimentalmente.

Śrīla Prabhupāda: La ciencia del ser puede ser verificada lógicamente.

Dr. Benford: ¿De qué manera?

Śrīla Prabhupāda: Tan solo considere su cuerpo. Usted alguna vez tuvo un cuerpo de niño, pero ahora ya no tiene ese cuerpo; usted tiene un cuerpo diferente. Sin embargo, cualquiera puede entender que usted, alguna vez, tuvo un cuerpo de niño. Su cuerpo ha cambiado, pero usted todavía sigue siendo el mismo.

Dr. Benford: No estoy seguro de que sea el mismo «yo».

Śrīla Prabhupāda: Sí, usted es el mismo «yo». Del mismo modo, los padres de un niño, después de que haya crecido, dirán: «¡Oh, mira cómo creció nuestro niño!». Él es la misma persona; sus parientes, sus amigos, su familia, todos dicen eso. Esta es la evidencia. Usted tiene que aceptar este punto porque hay muchas evidencias. Su madre negará que usted es una persona diferente, aunque su cuerpo sea distinto.

Dr. Benford: Pero, puede que yo no sea el mismo ser que fui.

Śrīla Prabhupāda: Correcto. «No el mismo» significa, por ejemplo, que un niño quizás ahora hable tonterías, pero cuando él tenga un cuerpo adulto no hablará tontamente. Aunque es la misma persona, junto con su cambio corporal habrá desarrollado una conciencia diferente. Pero el alma espiritual, la persona, es la misma. Ella actúa de acuerdo a su cuerpo, de acuerdo a sus circunstancias, eso es todo. Un perro, por ejemplo, también es un alma espiritual pero, debido a que tiene un cuerpo de perro, vive y actúa como un perro. Análogamente, cuando el alma espiritual tiene un cuerpo de niño, actúa como un niño. Cuando tiene un cuerpo diferente, la misma alma actúa como un hombre. De acuerdo con las circunstancias cambian las actividades, pero el hombre es el mismo. Por ejemplo, ahora usted es un científico; en su niñez, usted no era un científico, por eso, su comportamiento en ese momento no era el de un científico. El comportamiento de uno puede cambiar de acuerdo a las circunstancias, pero la persona es la misma.

Por lo tanto, la conclusión es *tathā dehāntara prāptir dhīras tatra na muhyati* (*Bg.* 2.13): «Cuando este cuerpo perece, el alma lo abandona y acepta otro cuerpo». *Tathā dehāntara. Dehāntara* significa «otro cuerpo». Este es nuestro conocimiento sánscrito del *Bhagavad-gītā*. Cuando el alma espiritual es inyectada en el vientre de una mujer, se forma un cuerpo pequeño. Gradualmente, a través de la emulsión de las secreciones, el cuerpo se desarrolla hasta el tamaño de un chícharo debido a la presencia del alma espiritual. Gradualmente, el cuerpo desarrolla nueve orificios: ojos, oídos, boca, fosas nasales, órganos genitales y recto. De esta manera, el cuerpo se desarrolla completamente en siete meses. Luego aparece la conciencia.

Dr. Benford: ¿A los siete meses?

Śrīla Prabhupāda: Sí. El niño quiere salir. Él se siente incómodo; por lo tanto, le ora a Dios para que, por favor, lo alivie de ese enredo. Él promete que al salir se convertirá en un devoto de Dios. Entonces, después de nueve meses, sale del vientre de la madre. Pero, a menos que sus padres sean devotos, debido a las circunstancias, él olvida a Dios. Solo si el padre y la madre son devotos continúa su conciencia de Dios. Por lo tanto, es una gran fortuna nacer en una familia de *vaiṣṇavas*, quienes son conscientes de Dios. Esta conciencia de Dios es el verdadero conocimiento científico.

Dr. Benford: ¿Es verdad que los hijos de todos esos padres son, desde el punto de vista espiritual, superiores a los hijos de otros padres?

Śrīla Prabhupāda: Generalmente, sí. Ellos tienen la oportunidad de ser entrenados por la madre y el padre. Afortunadamente, mi padre fue un gran devoto, por eso recibí este entrenamiento desde muy temprana edad. De una forma u otra, yo tenía esta chispa de conciencia de Kṛṣṇa y mi padre la detectó. Entonces, acepté a mi maestro espiritual y de esa manera alcancé la orden de *sannyāsa* (la vida monástica renunciante). Yo tengo una gran deuda con mi padre, porque él cuidó de mí de tal forma que me volví completamente consciente de Kṛṣṇa. Mi padre solía recibir a muchas personas santas en nuestra casa, y a todas les decía: «Por favor, bendigan a mi hijo para que pueda convertirse en un sirviente de Rādhārāṇī (la consorte eterna del Señor Kṛṣṇa)». Esta era su única ambición. Él me enseñó a tocar la *mṛdaṅga* a pesar de que, a veces, mi madre no estaba muy conforme. Ella decía: «¿Por qué le enseñas a tocar *mṛdaṅga*?». Pero mi padre respondía: «No, no, él debe aprender un poco de *mṛdaṅga*». Mi padre fue muy afectuoso conmigo. Por lo tanto, si debido a nuestras actividades piadosas pasadas obtenemos un buen padre y madre, esa es una gran oportunidad para avanzar en la conciencia de Kṛṣṇa.

Dr. Benford: ¿Qué ocurrirá con usted y sus estudiantes en el futuro?

Śrīla Prabhupāda: Nosotros estamos regresando a Kṛṣṇa. Hemos obtenido todo: el nombre de Kṛṣṇa, la dirección de Kṛṣṇa, la forma de Kṛṣṇa, las actividades de Kṛṣṇa. Sabemos todo, y nos dirigimos hacia allá. Kṛṣṇa promete esto en el *Bhagavad-gītā* (4.9):

janma karma ca me divyam
evaṁ yo vetti tattvataḥ
tyaktvā dehaṁ punar janma
naiti mām eti so 'rjuna

«Quien Me conoce verdaderamente, científicamente —dice Kṛṣṇa— es elegible para entrar en el reino de Dios. Luego de abandonar su cuerpo, él no volverá a nacer en este mundo material, sino que alcanzará Mi morada eterna».

Dr. Benford: ¿Cómo sabe usted que la gente regresa en alguna otra forma corporal?

Śrīla Prabhupāda: Vemos que existen muchas formas. ¿De dónde provienen esas diferentes formas: la de un perro, la de un gato, la de un árbol, la de un reptil, la de un insecto y la de un pez? ¿Cómo explica usted todas estas formas diferentes? Eso usted no lo sabe.

Dr. Benford: Evolución.

Śrīla Prabhupāda: No exactamente. Las diferentes especies ya existen. «Pez», «tigre», «hombre»; todas estas formas ya existen. Es tal como existen diferentes tipos de departamentos aquí, en Los Ángeles. Usted puede ocupar uno de ellos de acuerdo con su capacidad económica para pagar el alquiler, pero todos los tipos de departamentos existen al mismo tiempo. Similarmente, a la entidad viviente, de acuerdo con su *karma*, se le otorga la facultad para ocupar una de estas formas corporales. Pero también existe la evolución, evolución espiritual. Comenzando desde el pez, el alma evoluciona a la vida de planta. De la forma de planta, la entidad viviente pasa a un cuerpo de insecto. El cuerpo siguiente es el de ave; luego, el de mamífero, y finalmente el alma espiritual puede evolucionar hasta la forma humana de vida. Si uno se cualifica, puede evolucionar mas allá de la forma humana de vida. En caso contrario, uno tiene que ingresar nuevamente al ciclo evolutivo. Por eso, esta forma humana de vida es una coyuntura importante en el desarrollo evolutivo de la entidad viviente.

En el *Bhagavad-gītā* (9.25) Kṛṣṇa dice:

yānti deva-vratā devān
pitṝn yānti pitṛ-vratāḥ
bhūtāni yānti bhūtejyā
yānti mad-yājino 'pi mām

En otras palabras, usted puede conseguir cuanto desee. Existen diferentes *lokas*, o sistemas planetarios, y usted puede ir a los sistemas planetarios más elevados, donde viven los semidioses, y allí tomar un cuerpo, o puede ir donde viven los Pitās, los antepasados. Usted puede tomar un cuerpo aquí, en Bhūloka, el sistema planetario terrestre o puede ir al planeta de Dios, Kṛṣṇaloka. El método de transportarse a la hora de la muerte, a cualquier planeta que se elija, se denomina *yoga*. Existe un proceso físico de *yoga*, un proceso filosófico de *yoga*, y un proceso devocional de *yoga*. Los devotos pueden ir directamente al planeta donde reside Kṛṣṇa.

Dr. Benford: Sin lugar a dudas, usted es consciente de que, tanto en la sociedad oriental como en la occidental, existen algunas personas que, desde el punto de vista intelectual, justifican plenamente el agnosticismo en temas teológicos. Ellos creen, más o menos, que si Dios hubiese querido que sepamos algo más acerca de Él, hubiese hecho eso más fácil de comprender.

Śrīla Prabhupāda: Entonces, ¿usted no cree en Dios?

Dr. Benford: No es que no crea en Dios; solo que no opino hasta no tener alguna evidencia.

Śrīla Prabhupāda: Pero, ¿usted cree que Dios existe, o no?

Dr. Benford: Tengo la sospecha de que quizás exista, pero esta no ha sido verificada.

Śrīla Prabhupāda: Pero, ¿usted piensa a veces que puede haber un Dios, no?

Dr. Benford: Sí.

Śrīla Prabhupāda: De modo que usted duda, sospecha —no está seguro— pero se inclina a pensar que existe un Dios, ¿no es así? Su conocimiento, siendo imperfecto, lo hace dudar, eso es todo. De otro modo usted se inclina a pensar en Dios. Pero, debido a que usted es un científico, a menos que lo perciba científicamente, no lo acepta. Esa es su posición. Pero, en lo que a usted respecta, usted cree en Dios.

Dr. Benford: A veces.

Śrīla Prabhupāda: Sí. A veces o siempre, eso no importa. Esa es la posición de todos. Mientras uno se halle en la forma humana de vida, uno tiene una conciencia de Dios dormida. Esta simplemente tiene que desarrollarse mediante un entrenamiento apropiado. Es como cualquier cosa en la vida. Por ejemplo, usted ha llegado a ser científico mediante un entrenamiento apropiado, una educación adecuada. Del mismo modo, la conciencia de Dios o Kṛṣṇa, aunque dormida, existe en todos. Para despertarla se requiere simplemente de una educación apropiada. Sin embargo, esta educación no se imparte en las universidades. Este es el defecto de la educación moderna. Aunque existe la inclinación a ser consciente de Kṛṣṇa, desdichadamente las autoridades no dan ninguna educación acerca de Dios. En consecuencia, la gente se está volviendo atea y se frustra al querer alcanzar la verdadera felicidad y satisfacción en la vida.

En San Diego, algunos sacerdotes planean un encuentro para investigar por qué la gente está en contra de la religión y deja de ir a las iglesias. Pero la causa es simple. Debido a que su gobierno no sabe que la vida, en especial la vida humana, está destinada a la comprensión de Dios, mantiene muy bien todas las áreas del conocimiento excepto la principal, conciencia de Dios.

Dr. Benford: Entonces, por supuesto, la razón estriba en la separación entre la Iglesia y el Estado.

Śrīla Prabhupāda: Puede que haya muchas razones, pero la principal es que esta es la era de Kali-yuga (la era de riña e hipocresía). Las personas no son muy inteligentes, por lo tanto tratan de eludir esta parte del conocimiento, que es la más importante. Estas personas se ocupan simplemente de la parte del conocimiento de la que también se ocupan los animales. Su avance en el conocimiento se circunscribe a cuatro cosas: comer, dormir, aparearse y defenderse. Por ejemplo, ustedes han descubierto muchas armas mortales y los políticos se han aprovechado de ellas para defenderse. Ustedes descubren tantos productos químicos para controlar la natalidad y la gente los usa para incrementar la vida sexual.

Dr. Benford: ¿Qué piensa usted acerca del viaje a la Luna?

Śrīla Prabhupāda: Eso también es dormir. Ustedes han gastado tanto dinero para llegar allí y dormir, eso es todo. Si no, ¿qué pueden hacer ahí?

Dr. Benford: Usted puede ir ahí y aprender.

Śrīla Prabhupāda: Usted va allí y duerme, eso es todo. Dormir. Ustedes están gastando billones y no obtienen nada a cambio.

Dr. Benford: Hay algo más valioso que eso.

Śrīla Prabhupāda: No, nada más, porque estos cuatro principios —comer, dormir, aparearse y defenderse— son la base. Si usted no tiene un conocimiento que trascienda este cuerpo, no puede superar el ámbito corporal. Usted puede tener un conocimiento magnífico y refinado de su cuerpo, pero el ámbito total de sus actividades se encuentra dentro de estos cuatro principios: comer, dormir, aparearse y defenderse. Este conocimiento también existe entre los animales inferiores. Ellos saben cómo comer, dormir, tener vida sexual y defenderse.

Dr. Benford: ¡Pero ellos no saben nada acerca de física nuclear!

Śrīla Prabhupāda: Eso no significa que usted mejoró respecto a los animales. Es lo mismo solo que refinado. Usted avanzó desde el carro de bueyes hasta el automóvil, eso es todo, simplemente una transformación del conocimiento material.

Dr. Benford: Existe un conocimiento de la estructura del mundo físico.

Śrīla Prabhupāda: Pero es una pérdida de energía, porque en sus actividades usted no puede ir más allá del ámbito corporal de comer, dormir, aparearse y defenderse. El perro puede dormir en el suelo, usted puede hacerlo en un departamento muy hermoso, pero cuando usted duerme, su disfrute y el disfrute del perro son iguales. Usted puede tener muchos artefactos eléctricos y otras facilidades materiales pero, cuando usted duerme, olvida todo. Por lo tanto, estas facilidades que favorecen un sueño espléndido son, simplemente, una pérdida de tiempo.

Dr. Benford: Parece que usted pone énfasis en la utilidad que le reporta el conocimiento. ¿Qué hay acerca de la alegría pura de descubrir cómo trabaja la naturaleza? Por ejemplo, ahora pensamos que comprendemos esta materia (señalando el pasto). Mediante experimentos, teorías y análisis, creemos que está conformado de partículas invisibles, y que podemos analizar sus propiedades a través de experimentos. Sabemos que está formado por moléculas. Entendemos algo acerca de las fuerzas que lo mantienen unido, y esto se sabe por primera vez. Antes no lo sabíamos.

Śrīla Prabhupāda: Pero, ¿cuál es el beneficio? Aun si conociera cada partícula de pasto, ¿cuál sería el beneficio? El pasto está creciendo. Crecerá con o sin su conocimiento. Puede que usted sepa cómo lo hace o no, eso no establecerá ninguna diferencia. Usted puede estudiar cuanto desee, desde un punto de vista material y analítico. Puede estudiar y estudiar cualquier tontería y compilar un gran libro. Pero, ¿qué utilidad tendrá eso?

Dr. Benford: Me parece que ver al mundo como la suma de sus partes componentes.

Śrīla Prabhupāda: Suponga que yo tomo este pasto. Yo puedo escribir volúmenes de libros: cuándo comenzó a existir, cuándo desapareció, cuál es la naturaleza de sus fibras y moléculas. Yo puedo describir este follaje insignificante de muchas maneras. Pero, ¿de qué sirve eso?

Dr. Benford: Si no tiene ninguna utilidad, ¿por qué Dios lo puso ahí? ¿No vale la pena estudiarlo?

Śrīla Prabhupāda: Nuestro punto es que usted prefirió estudiar el pasto insignificante en vez de al Dios que lo creó todo. Si usted pudiera entenderlo a Él, entonces automáticamente entendería al pasto. Pero usted quiere separarlo a Él de Su pasto y estudiarlos por separado. De ese modo, usted puede compilar volúmenes y volúmenes sobre el tema; pero ¿por qué desperdiciar su inteligencia de esa manera? La rama de un árbol es hermosa, mientras esté unida al tronco principal pero, apenas usted la corte, se secará. Por lo tanto, ¿qué sentido tiene estudiar la rama seca? Es un derroche de inteligencia.

Dr. Benford: ¿Pero por qué es un derroche?

Śrīla Prabhupāda: Ciertamente que es un derroche porque el resultado es inútil.

Dr. Benford: Bueno, ¿qué es «útil»?

Śrīla Prabhupāda: Es útil conocerse a sí mismo, lo que usted es.

Dr. Benford: ¿Por qué el conocimiento de mí mismo es mejor que el conocimiento de una planta?

Śrīla Prabhupāda: Si entiende lo que usted es, entonces entenderá otras cosas. Esto se denomina *ātma-tattva, ātma-jñāna*, autoconocimiento. Esto es importante. Yo soy un alma espiritual, y estoy pasando a través de muchas especies de vida. Pero, ¿cuál es mi posición? Yo no deseo morir, porque tengo miedo a cambiar de cuerpos. Por lo tanto, le temo a la muerte. Esta pregunta debería hacerse primero: Yo no quiero estar afligido, pero la aflicción llega. Yo no quiero la muerte, pero la muerte llega. Yo no quiero enfermedades, pero las enfermedades llegan. Yo no quiero convertirme en un hombre viejo, pero la vejez llega de todas maneras. ¿Cuál es la razón por la que estas cosas llegan por la fuerza? ¿Quién está forzando estas cosas? Yo no sé, pero estos son los problemas reales. Yo no quiero calor excesivo, pero el calor excesivo existe. ¿Por qué? ¿Quién impone estas cosas? ¿Por qué están siendo impuestas? Yo no quiero este calor, ¿qué hice yo? Estas son preguntas reales, no estudiar tan solo el follaje y escribir volúmenes de libros. Eso es un derroche de energía. ¡Estúdiese a sí mismo!

Comprendiendo la fuerza vital

En una declaración hecha en una conferencia de prensa en Los Ángeles, en diciembre de 1968, Śrīla Prabhupāda desafió a los líderes intelectuales del mundo para que revisaran su propia concepción de la vida. «Dentro de su cuerpo usted puede encontrar al alma, cuya presencia se percibe por medio de la conciencia. Del mismo modo, en el cuerpo universal de la manifestación cósmica, se puede percibir la presencia del Señor Supremo, o la Verdad Absoluta, mediante la presencia de la Superconciencia».

La Asociación Internacional para la Conciencia de Krishna es un movimiento destinado a reorientar espiritualmente a la humanidad, a través del simple proceso de cantar los santos nombres de Dios. La vida humana está destinada a terminar con las miserias de la existencia material. Nuestra sociedad actual está tratando de ponerle fin a estas miserias mediante el progreso material. Sin embargo, todos pueden observar que, a pesar de un enorme progreso material, la sociedad humana no encuentra paz.

La razón es que el ser humano es, en esencia, un alma espiritual. El alma espiritual constituye la base del desarrollo del cuerpo material. Aunque los científicos materialistas puede que nieguen la existencia espiritual en el trasfondo de la fuerza viviente, no existe mejor comprensión que la de aceptar, en última instancia, esta fuerza viviente como el alma espiritual dentro del cuerpo.

El cuerpo está cambiando —de una forma a otra— pero el alma espiritual existe eternamente sin cambios. Este hecho lo podemos experimentar incluso en nuestra propia vida. Desde el comienzo de nuestro cuerpo material en el vientre de nuestra madre, nuestro cuerpo ha estado cambiando de una forma a otra, a cada segundo y a cada minuto. Este proceso es conocido generalmente como «crecimiento», pero en realidad es un cambio de cuerpo.

En esta Tierra vemos cambios del día y la noche y cambios de estación. Las mentalidades más primitivas atribuyen este fenómeno a cambios que ocurren en el Sol. Por ejemplo, la gente primitiva piensa que durante el invierno el Sol se debilita, y que por la noche, presumen a veces, que el Sol muere. Mediante un conocimiento más avanzado, vemos que el Sol no cambia de esta manera en absoluto. Los cambios de los días y de las estaciones se deben al cambio de las posiciones relativas de la Tierra y del Sol.

De modo similar, experimentamos cambios corporales: desde el embrión hasta la niñez, la juventud, la madurez, la vejez, hasta la muerte. La mentalidad menos inteligente presume que, después de la muerte, la existencia del alma espiritual se acaba para siempre, así como las tribus primitivas creen que el Sol muere al ponerse. Pero, en realidad, el Sol está surgiendo en otra parte del mundo. De igual modo, el alma está aceptando otro tipo de cuerpo. Cuando el cuerpo envejece y no tiene más utilidad, el alma acepta otro cuerpo, así como nosotros aceptamos una nueva ropa luego de desechar la vieja. La civilización moderna prácticamente no tiene conciencia de esta verdad.

La gente no se preocupa por la posición constitucional del alma. Existen diferentes departamentos de conocimiento en diferentes universidades, y muchas instituciones tecnológicas para estudiar y entender las leyes sutiles de la naturaleza material. Y existen laboratorios médicos de investigación para estudiar la condición fisiológica del cuerpo material. Pero no existe ninguna institución que estudie la posición constitucional del alma. Esta es la mayor desventaja de la civilización materialista, la cual es tan solo una manifestación externa del alma.

La gente está enamorada de la brillante manifestación del cuerpo cósmico o del cuerpo individual, pero ellos no tratan de entender el principio básico de esta condición brillante. El cuerpo luce muy hermoso, trabajando con plena energía y exhibiendo grandes muestras de talento y un maravilloso trabajo intelectual. Pero tan pronto como el alma parte del cuerpo, toda esta condición brillante del cuerpo deja de tener utilidad. Incluso los grandes científicos, quienes han aportado muchas contribuciones científicas maravillosas, han sido incapaces de determinar algo acerca del yo personal, el cual es la causa de tales descubrimientos maravillosos.

El movimiento para la conciencia de Kṛṣṇa, por lo tanto, está tratando de enseñar básicamente esta ciencia del alma, no de una forma dogmática, sino a través de una completa comprensión científica y filosófica. En el trasfondo de este cuerpo usted puede encontrar al alma, cuya presencia se percibe por medio de la conciencia. Análogamente, en el cuerpo universal de la manifestación cósmica, uno puede percibir la presencia del Señor Supremo, o la Verdad Absoluta, gracias a la presencia de la Superalma y la Superconciencia.

La Verdad Absoluta se explica en forma sistemática en el *Vedānta-sūtra* (generalmente conocido como la filosofía *Vedānta*), que a su vez se explica elaboradamente en el *Śrīmad-Bhāgavatam*, un comentario del mismo autor. El *Bhagavad-gītā* es el estudio preliminar del *Śrīmad-Bhāgavatam* para entender la posición constitucional del Señor Supremo, o la Verdad Absoluta.

Al alma individual se la entiende en tres aspectos: primero, como la conciencia difundida por todo el cuerpo; luego, como un alma espiritual dentro del corazón; y por último, como una persona. En forma similar, la Verdad Absoluta se comprende primero como el Brahman impersonal, luego como la Superalma localizada (Paramātmā), y por último como la Suprema Personalidad de Dios, Kṛṣṇa. Kṛṣṇa es quien incluye a todos. En otras palabras, Kṛṣṇa es al mismo tiempo Brahman, Paramātmā y la Personalidad de Dios, así como cada uno de nosotros es, simultáneamente, conciencia, alma y persona.

La persona individual y la Persona Suprema son cualitativamente una, pero cuantitativamente diferentes. Tal como una gota de agua de mar y la gran masa de agua del mar, ambas son cualitativamente una. La composición química de la gota de agua de mar y la de la masa de agua del mar son una y lo mismo. Pero la cantidad de sal y otros minerales de todo el océano es muchas, muchas veces más grande que la cantidad de sal y otros minerales contenidos en la gota de agua de mar.

El movimiento para la conciencia de Kṛṣṇa sostiene la individualidad del alma y del Alma Suprema. De los *Upaniṣads* védicos podemos entender que ambos, la Persona Suprema, o Dios, y la persona individual son entidades vivientes eternas. La diferencia es que la entidad viviente Suprema, o la Persona Suprema, mantiene a todas las otras innumerables entidades vivientes. Según el entendimiento cristiano, se admite el mismo principio, porque en la Biblia se enseña que las entidades subordinadas deben orar al Padre Supremo para que Él pueda proveerles los medios de manutención y pueda perdonarlos por sus actividades pecaminosas.

De esta manera a partir de todas las fuentes de preceptos sagrados, se comprende que el Señor Supremo, o Kṛṣṇa, es el mantenedor de las entidades subordinadas, y que el deber de la entidad subordinada es sentirse agradecida hacia Él. Esta es toda la base de los principios religiosos. Sin este reconocimiento hay caos, como lo vemos actualmente en nuestra experiencia diaria.

Todos están tratando de ser el Señor Supremo, ya sea en el ámbito social, político o individual. Por lo tanto, existe competencia por este falso enseñoreamiento, y hay caos en todo el mundo: individual, nacional, social y colectivamente. El movimiento para la conciencia de Kṛṣṇa está tratando de establecer la supremacía de la Absoluta Personalidad de Dios. El que ha obtenido un cuerpo y una inteligencia humanos está destinado a esta comprensión, porque esta conciencia hace que su vida sea exitosa.

Este movimiento para la conciencia de Kṛṣṇa no es una nueva presentación de especuladores mentales. En realidad, este movimiento fue iniciado por el propio Kṛṣṇa. El movimiento fue presentado por Kṛṣṇa en el *Bhagavad-gītā*, por lo menos hace cinco mil años, en el campo de batalla de Kurukṣetra. Del *Bhagavad-gītā* también podemos entender que Él habló este sistema de conciencia hace mucho, mucho tiempo, por lo menos hace cien millones de años, cuando Él se lo impartió al dios del Sol, Vivasvān.

Por lo tanto, este movimiento no es nuevo en absoluto. Desciende en sucesión discipular y por medio de todos los grandes líderes de la civilización védica de la India, incluyendo a Śaṅkarācārya, Rāmānujācārya, Madhvācārya, Viṣṇusvāmī, Nimbārka, y más tarde, alrededor de 480 años atrás, el Señor Caitanya. El sistema discipular aún se sigue hoy en día. Este *Bhagavad-gītā* también está siendo utilizado profusamente por grandes eruditos, filósofos y religiosos en todas partes del mundo. Pero, en la mayoría de los casos, los principios no se siguen tal como son. El movimiento para la conciencia de Kṛṣṇa presenta los principios del *Bhagavad-gītā* tal como son, sin ningún error de interpretación.

Del *Bhagavad-gītā* podemos entender cinco principios básicos, a saber: Dios, la entidad viviente, la naturaleza material y espiritual, el tiempo y las actividades. De estos cinco principios, Dios, la entidad viviente, la naturaleza (material o espiritual) y el tiempo son eternos; pero las actividades no son eternas.

Las actividades en la naturaleza material son diferentes de las actividades en la naturaleza espiritual. Aunque el alma espiritual es eterna (como hemos explicado), las actividades ejecutadas bajo la influencia de la naturaleza material son temporales. El movimiento para la conciencia de Kṛṣṇa se propone ocupar al alma espiritual en sus actividades eternas. Nosotros podemos practicar actividades eternas incluso cuando ejecutamos actividades materiales. Actuar espiritualmente simplemente requiere de una guía, solo es posible hacerlo bajo las reglas y regulaciones prescritas.

El movimiento para la conciencia de Kṛṣṇa enseña estas actividades espirituales, y si uno es entrenado en tales actividades espirituales, será conducido al mundo espiritual, del que obtenemos amplia evidencia en la literatura védica, incluyendo el *Bhagavad-gītā*. La persona entrenada en la vida espiritual puede ser transferida fácilmente al mundo espiritual, mediante un cambio de conciencia.

La conciencia está siempre presente, porque es el síntoma del alma espiritual viviente, pero en la actualidad nuestra conciencia está contaminada materialmente. Por ejemplo, el agua que cae de una nube es pura, pero apenas el agua se pone en contacto con la tierra, se enturbia inmediatamente. Sin embargo, si filtramos esa misma agua, puede recuperarse su claridad original. Similarmente, la conciencia de Kṛṣṇa es el proceso para limpiar nuestra conciencia. Y tan pronto como nuestra conciencia se aclara y se purifica, somos elegibles para ser transferidos al mundo espiritual, a nuestra vida eterna, plena de conocimiento y bienaventuranza. Por eso estamos ansiosos en este mundo material; pero nos frustramos a cada paso, a causa de la contaminación material. Por lo tanto, este movimiento para la conciencia de Kṛṣṇa debe ser tomado muy seriamente por los líderes de la sociedad humana.

La ciencia de la vida espiritual

¿Qué le sucede al yo consciente en el momento de la muerte? El 10 de octubre de 1975, en Westville, Sudáfrica, Śrīla Prabhupāda le explica la ciencia de la reencarnación al Dr. S.P. Oliver, rector de la Universidad de Durban.

Dr. Oliver: Nosotros estamos en el siglo veinte, en la última parte del siglo, con una nueva búsqueda integral de la verdad acerca de lo espiritual. En el mundo occidental, por supuesto, no estamos familiarizados con el *Bhagavad-gītā*. Pienso que nuestro problema es, básicamente, el que usted mencionó en su conferencia: ¿Cómo hacer de lo espiritual una realidad científica? Yo pienso que usted estuvo acertado, pero creo que pocas personas entendieron realmente lo que trató de señalar al decir que este es un asunto científico.

Śrīla Prabhupāda: Ese es el comienzo del *Bhagavad-gītā*: la presentación científica del conocimiento espiritual. Cuando yo formulé la pregunta «¿Qué es la transmigración del alma?», nadie pudo contestarla apropiadamente. Nosotros estamos mudando de cuerpos. Existen muchas clases de cuerpos, y después de la muerte podemos entrar en cualquiera de ellos. Este es el verdadero problema de la vida. *Prakṛteḥ kriyamāṇāni guṇaiḥ karmāṇi sarvaśaḥ (Bg.* 3.27*):* La naturaleza trabaja, proveyéndonos cuerpos materiales. Este cuerpo es una máquina. Por orden de Dios, Kṛṣṇa, esta máquina, tal como un automóvil, nos ha sido ofrecida por la naturaleza material. Por lo tanto, el verdadero propósito de la vida es detener esta transmigración perpetua de un cuerpo a otro y a otro, y revivir nuestra posición espiritual original, a fin de poder vivir una vida de conocimiento eterna y bienaventurada. Esta es la meta de la vida.

Dr. Oliver: Por supuesto, el concepto de la transmigración no existe en la religión cristiana.

Śrīla Prabhupāda: No es cuestión de religión. Religión es una clase de fe, que se desarrolla de acuerdo con el tiempo y las circunstancias. La realidad es que somos almas espirituales. Por las leyes de la naturaleza material, somos conducidos de un cuerpo a otro. A veces estamos alegres, a veces afligidos; a veces en los planetas celestiales, a veces en los planetas inferiores. La vida humana está destinada a detener este proceso de transmigración y a revivir nuestra conciencia original. Nosotros tenemos que ir de regreso a casa, de vuelta a Dios, y vivir eternamente. Este es todo el plan de la literatura védica.

El *Bhagavad-gītā* da un resumen que nos enseña cómo actuar en esta vida. Por lo tanto, a través de las enseñanzas del *Bhagavad-gītā*, podemos comenzar a comprender la posición constitucional del alma.

Primero que todo, tenemos que comprender lo que somos. ¿Soy este cuerpo o algo más? Esta es la primera pregunta. Yo traté de explicar esto, pero algunos oyentes creyeron que era un tipo de cultura hindú. Es un concepto científico. Usted es un niño por algún tiempo, luego usted llega a ser un muchacho, luego llega a ser un hombre joven y luego, se transforma en un anciano. De esta manera, usted siempre está cambiando de cuerpo. Esto es una realidad. No es un concepto religioso hindú. Se aplica a todos.

dehino 'smin yathā dehe
kaumāraṁ yauvanaṁ jarā
tathā dehāntara-prāptir
dhīras tatra na muhyati

(Dirigiéndose a un devoto) Busca ese verso.

Devoto: (lee) «Así como en este cuerpo el alma encarnada pasa continuamente de la niñez a la juventud y luego a la vejez, de la misma manera el alma pasa a otro cuerpo en el momento de la muerte. A la persona sensata no la confunde ese cambio» (*Bg.* 2.13).

Śrīla Prabhupāda: En el *Bhagavad-gītā* se explica todo muy lógica y científicamente; no es una explicación sentimental.

Dr. Oliver: El problema, por lo que veo, radica en cómo lograr que el hombre moderno estudie detenidamente lo que está contenido o resumido en este libro, especialmente cuando se halla atrapado en un sistema educativo que niega un lugar para este concepto, o inclusive la filosofía del mismo. Existe ya sea una total neutralidad, o solo un simple rechazo de estas verdades.

Śrīla Prabhupāda: ¿Ellos no aceptan el alma?

Dr. Oliver: Ellos aceptan el alma. Creo que sí. Pero no se preocupan por analizar lo que significa.

Śrīla Prabhupāda: ¿En qué situación están si no analizan esto? Antes que nada, deben analizar la diferencia entre un cuerpo vivo y un cuerpo muerto. El cuerpo está siempre muerto, tal como un automóvil sin conductor. El automóvil es siempre un montón de materia. Análogamente, este cuerpo, con o sin el alma, es un montón de materia.

Dr. Oliver: No tiene mucho valor. Creo que alrededor de cincuenta y seis centavos de dólar.

Śrīla Prabhupāda: Pero si uno no puede distinguir entre el automóvil y el conductor del mismo, entonces uno es tan solo como un niño. Un niño piensa que el auto funciona automáticamente. Pero esto es una tontería. Existe un conductor. Puede que el niño no lo sepa, pero si al haber crecido y estudiado, aún continúa sin saberlo, entonces, ¿qué valor tiene su educación?

Dr. Oliver: En el mundo occidental todo el rango educativo abarca solo educación primaria, secundaria y superior. No hay lugar para un estudio profundo del alma.

Śrīla Prabhupāda: Yo hablé con un profesor en Moscú. Quizás usted lo conozca; es el profesor Kotovsky. Él enseña en la Academia Soviética de Ciencias. Con él mantuve una conversación de casi una hora, en la cual dijo: «Después de que el cuerpo muere, se acaba todo». Yo me sorprendí cuando me dijo eso. Él es conocido como un muy buen erudito, sin embargo no sabe nada acerca del alma.

Dr. Oliver: Aquí tenemos un curso de Indología, dictado por un erudito de Viena. Pero, ¿qué enseña?, ¿qué clase de filosofía básica? Yo no sabría decirlo. Hay cerca de cuarenta estudiantes. Ellos en esencia deberían comenzar estudiando detalladamente el *Bhagavad-gītā*, y usarlo como fundamento de toda su filosofía.

Śrīla Prabhupāda: Entonces, ¿por qué no designar a alguien para enseñar el *Bhagavad-gītā tal como es*? Eso es esencial.

Dr. Oliver: Nuestra universidad tiene casi la obligación de estudiar profundamente esos puntos.

Śrīla Prabhupāda: Estudiando profundamente el *Bhagavad-gītā*, uno comienza su educación espiritual.

Dr. Oliver: Bueno, al parecer, eso es lo que necesitamos. Nuestra comunidad hindú aquí, en Sudáfrica, parece carecer de ideas concretas sobre el hinduismo. En especial la gente joven vive en un vacío completo. Por diversas razones, no quieren aceptar la religión, ya que eso es lo que ven alrededor de sí mismos. Ellos no se identifican con la religión cristiana, la religión islámica o la religión hindú. Son muy ignorantes.

Śrīla Prabhupāda: Se les debe mostrar el camino correcto. Este es el camino original, auténtico.

Dr. Oliver: No hubo muchos grandes eruditos en Sudáfrica en nuestra comunidad hindú. Los hindúes llegaron para trabajar en las plantaciones de azúcar como campesinos. Unos pocos eran joyeros, sastres o algo por el estilo. Durante los últimos cien años hubo una lucha política, y ellos se negaron a volver a la India. Ellos lucharon para establecerse y encontrar su propio lugar en este país. Según creo, ellos deben darle importancia a la esencia de su propia fe y creencias. Yo les dije que nosotros somos privilegiados al tenerlos aquí en este país, con sus tradiciones, y que no deben apartarse de ellas y perderse en el vacío. Pero ellos no saben a quién deben dirigirse. Básicamente, ellos, yo mismo y otros, queremos saber cómo obtuvimos este espíritu dentro de nuestros corazones, y cómo se aplica esto en nuestra vida cotidiana.

Śrīla Prabhupāda: Todo esto se explica en el *Bhagavad-gītā*: cómo vivir pacíficamente en este mundo y cómo regresar a casa, de vuelta a Dios.

Dr. Oliver: Pero, ¿cómo hacer para que el hombre moderno lleve esto a la práctica voluntariamente? La verdadera tragedia consiste en que nos hemos apartado tanto del espíritu, que no sabemos por dónde comenzar. Nosotros no podemos conseguir unas cuantas docenas de seguidores honestos para que, con tranquilidad, tratemos de descubrir en qué medida Dios quiere entregar Su mente a nuestras mentes.

Śrīla Prabhupāda: Dios se entrega por Sí mismo. Nosotros solo tenemos que aceptarlo. Esto requiere un pequeño avance. De otra manera, todo está allí. Dios dice que el alma es eterna y que el cuerpo es mutable. Es un ejemplo muy simple. Un niño llega a ser un hombre joven, y un hombre joven llega a ser un hombre viejo. No se puede negar este hecho. Yo puedo entenderlo y usted puede entenderlo. Es muy simple. Recuerdo que cuando era niño saltaba, y ahora no puedo hacer eso porque tengo un cuerpo diferente. Soy consciente de que tuve un cuerpo semejante. Ahora no lo tengo. El cuerpo está cambiando, pero yo soy la misma persona eternamente. Se requiere un poco de inteligencia para observar esto, eso es todo. Yo soy el propietario del cuerpo, y soy un alma eterna. El cuerpo está cambiando.

Dr. Oliver: Ahora, habiendo aceptando eso, surge un problema adicional: ¿Cuáles son las implicancias?

Śrīla Prabhupāda: Sí. Si yo entiendo que no soy este cuerpo, pero en el momento actual solo me ocupo en mantener mi cuerpo en forma confortable, sin cuidar de mi yo, eso es un error. Por ejemplo, si yo limpio esta camisa y este traje tres veces al día, pero tengo hambre eso es impráctico. Similarmente, esta civilización está equivocada en este aspecto básico. Si yo cuido su camisa y su traje, pero no le doy a usted nada para comer, ¿por cuánto tiempo estará satisfecho? Esta es mi observación. Este es el error básico. Civilización material significa cuidar del cuerpo y de las comodidades corporales. Pero el propietario del cuerpo, el alma espiritual, no recibe atención. Por lo tanto, todos están inquietos. Ellos cambian el «ismo», desde capitalismo a comunismo, pero no saben cuál es el error.

Dr. Oliver: Existe muy poca diferencia. Ambos son materiales.

Śrīla Prabhupāda: Los comunistas piensan que si toman el control del gobierno, todo se arreglará. Pero el error está allí, tanto los comunistas como los capitalistas cuidan el cuerpo externo, no la identidad eterna, el alma. El alma debe estar en paz. Entonces todo estará en paz.

bhoktāraṁ yajña-tapasāṁ
sarva-loka-maheśvaram
suhṛdaṁ sarva-bhūtānāṁ
jñātvā māṁ śantim ṛcchati

(Dirigiéndose a un devoto) Lee ese verso.

Devoto: «Una persona que tiene plena conciencia de Mí, que Me conoce como el beneficiario último de todos los sacrificios y austeridades, como el Señor Supremo de todos los planetas y semidioses, y como el benefactor y bienqueriente de todas las entidades vivientes, se libra de los tormentos de los sufrimientos materiales y encuentra la paz» (*Bg.* 5.29).

Śrīla Prabhupāda: Esto significa que uno debe saber quién es Dios. Debido a que usted es una parte integral de Dios, usted ya tiene una relación muy íntima con Él. Nuestro propósito es conocer a Dios. En el momento actual, no hay ninguna información. La gente no tiene la menor idea.

Dr. Oliver: Bueno, yo creo que si un satélite en el cielo puede revelar lo que está sucediendo entre los dos polos, entonces seguramente Dios puede revelar su espíritu y su mente a quienquiera que desee obedecerlo, que quiera conocerlo y quiera seguirlo con toda sinceridad.

Śrīla Prabhupāda: Sí, sí. Aquí, en el *Bhagavad-gītā,* Dios Se explica a Sí mismo. Debemos aceptarlo mediante la lógica y la razón. Así habrá una clara comprensión de Dios.

Dr. Oliver: Sí, pero, ¿cómo llegar a eso?

Śrīla Prabhupāda: La enseñanza está allí. Nosotros tenemos que comprenderla mediante una deliberación autorizada.

Dr. Oliver: Yo pienso lo mismo. Quizás es por allí por donde uno tiene que comenzar. Debemos sentarnos y deliberar esto, como algunos profesores deliberarían acerca de cualquier experimento científico.

Śrīla Prabhupāda: El proceso para comprenderlo se describe aquí:

tad viddhi praṇipātena
paripraśnena sevayā
upadekṣyanti te jñānaṁ
jñāninas tattva-darśinaḥ

(Dirigiéndose a un devoto) Busca ese verso.

Devoto: «Tan solo trata de aprender la verdad acudiendo a un maestro espiritual. Hazle preguntas de un modo sumiso y préstale servicio. Las almas autorrealizadas pueden impartirte conocimiento, porque han visto la verdad» (*Bg.* 4.34).

Śrīla Prabhupāda: Lee el significado.

Devoto: «El sendero de la iluminación espiritual es indudablemente difícil. El Señor nos aconseja, por ello, que acudamos a un maestro espiritual genuino que forme parte de la línea de sucesión discipular proveniente del propio Señor. Nadie puede ser un maestro espiritual genuino si no sigue este principio de sucesión discipular. El Señor es el maestro espiritual original, y una persona que forme parte de la sucesión discipular puede comunicarle a su discípulo el mensaje del Señor tal como es.

»Nadie puede llegar a la iluminación espiritual mediante un proceso que él mismo haya manufacturado, como lo estilan los farsantes necios. El *Śrīmad-Bhāgavatam* (6.3.19) dice: *dharmaṁ tu sākṣād-bhagavat-praṇītam*, el sendero de la religión lo enuncia directamente el Señor. De manera que la especulación mental o los argumentos áridos no pueden ayudarlo a uno a encontrar la senda correcta. Ni puede uno progresar en la vida espiritual mediante el estudio independiente de libros de conocimiento.

»Para recibir el conocimiento, uno tiene que acudir a un maestro espiritual genuino. Tal maestro espiritual debe ser aceptado con total entrega, y uno debe servir al maestro espiritual como un sirviente común, sin vanidad. Satisfacer al maestro espiritual autorrealizado es el secreto del avance en la vida espiritual. Las preguntas y la sumisión constituyen la combinación idónea para lograr la comprensión espiritual. A menos que haya sumisión y servicio, las preguntas que se le hagan al maestro espiritual versado no serán eficaces. Uno debe ser capaz de pasar la prueba del maestro espiritual y cuando el maestro ve el deseo genuino del discípulo, automáticamente lo bendice con genuina comprensión espiritual.

»En este verso se condenan tanto la adhesión ciega como las preguntas absurdas. No solo debe uno oír sumisamente al maestro espiritual, sino que uno también debe llegar a una clara comprensión, con sumisión, servicio y preguntas. Un maestro espiritual genuino es, por naturaleza, muy bondadoso con el discípulo. Por lo tanto, cuando el estudiante es sumiso y está siempre dispuesto a prestar servicio, la correspondencia del conocimiento y las preguntas se vuelven perfectas».

Śrīla Prabhupāda: Aquí está el ejemplo práctico. Estos jóvenes europeos y americanos provienen de familias acaudaladas. ¿Por qué están sirviéndome? Yo soy hindú, provengo de un país pobre. Yo no puedo pagarles. Cuando llegué a occidente, no tenía dinero. Solo traía cuarenta rupias. Eso se gasta en una hora en los Estados Unidos. La vida de ellos consiste en ejecutar mis instrucciones, y de ese modo progresan. *Praṇipātena paripraśnena,* ellos formulan preguntas, yo trato de responderles y todos han alcanzado una fe completa. Ellos sirven como sirvientes comunes. Este es el proceso. Si el maestro espiritual es fidedigno y el discípulo es muy sincero, surgirá el conocimiento. Este es el secreto. *Yasya deve parā bhaktir yathā deve tathā gurau (Śvetāśvatara Upaniṣad* 6.23*)*, el conocimiento védico se les revela a quienes tienen fe tanto en el Señor como en el maestro espiritual. Por eso, en la sociedad védica, a los estudiantes se los envía automáticamente al *gurukula* (la casa del maestro espiritual), sin considerar si es el hijo de un rey o si tiene otra procedencia. El propio Kṛṣṇa fue al *gurukula.*

Existe una historia en la que Kṛṣṇa fue al bosque con un compañero de escuela a recoger madera seca para su maestro espiritual. De pronto se produjo una fuerte tormenta y no pudieron salir del bosque. Ellos permanecieron toda la noche en el bosque con grandes dificultades. A la mañana siguiente, el *guru*, su maestro, junto con otros estudiantes, fueron al bosque y los encontraron. De manera que inclusive Kṛṣṇa, a quien aceptamos como el Señor Supremo, tuvo que ir al *gurukula* y servir al maestro espiritual como un sirviente común.

De este modo, todos los estudiantes del *gurukula* aprenden a ser muy sumisos y a vivir solo para el beneficio del *guru*. Desde el principio, ellos son entrenados para ser estudiantes sumisos de primera clase. Entonces el *guru*, por afecto y con un corazón generoso, les enseña a los niños todo cuanto sabe. No es cuestión de dinero. Todo se hace sobre la base del amor y de la educación.

Dr. Oliver: Yo podría tener dificultades en aceptar partes de lo que usted ha indicado aquí, simplemente porque desconozco el tema. Pero básicamente acepto que Dios vive en nosotros, y que cuando le dejamos cosas a Él, Él sabe cómo cuidarlas. El desafío es vivir de tal manera que Él esté satisfecho. Aquí es donde surge la dificultad: uno necesita la inspiración para ser disciplinado. Esto solo se volverá una realidad en la vida propia si uno mismo lo practica y lo practica con otros que comparten este compromiso.

Śrīla Prabhupāda: En consecuencia, tenemos esta Asociación Internacional para la Conciencia de Krishna para mostrar cómo vivir una vida dedicada a Dios. Esto es necesario. Sin una vida práctica en conciencia de Dios, todo es teórico. Eso puede ayudar, pero toma más tiempo. Mis estudiantes están siendo entrenados en la vida espiritual práctica y se encuentran establecidos en ella.

Dr. Oliver: Quiero agradecerle mucho, y orar para que Dios bendiga su visita a nuestro país y a nuestra gente.

Śrīla Prabhupāda: Hare Kṛṣṇa.

Explicando la reencarnación

Los recuerdos de vidas pasadas pueden ser fascinantes, pero la verdadera meta de entender la reencarnación es liberarse del doloroso ciclo de nacimientos y muertes. En una conferencia dictada en Londres, en agosto de 1973, Śrīla Prabhupāda advierte: «No es una muy buena inversión morir y nacer de nuevo. Nosotros sabemos que al morir tendremos que ingresar otra vez en el vientre de una madre y hoy en día las madres matan a los niños dentro de sus vientres».

dehino 'smin yathā dehe
kaumāraṁ yauvanaṁ jarā
tathā dehāntara-prāptir
dhīras tatra na muhyati

«Así como en este cuerpo el alma encarnada pasa continuamente de la niñez a la juventud y luego a la vejez, de la misma manera el alma pasa a otro cuerpo en el momento de la muerte. A la persona sensata no la confunde ese cambio» (*Bg.* 2.13).

Por lo general, la gente no puede entender este simple verso. Por lo tanto Kṛṣṇa dice: *dhīras tatra na muhyati*: «Solo un hombre sensato puede entender». Pero, ¿cuál es la dificultad? ¡Cuán sencillamente ha explicado Kṛṣṇa las cosas! Existen tres estados de vida. El primero, *kaumāram*, dura hasta que cumplimos quince años; luego, a los dieciséis años, comienza la juventud, *yauvanam*. Después de los cuarenta o cincuenta años, nos volvemos viejos, *jarā*. De manera que quienes son *dhīra* —serios, de cabeza fría— pueden entender: «Yo he cambiado mi cuerpo. Recuerdo cómo jugaba y saltaba cuando era niño. Luego me convertí en joven y disfruté de mi vida con amigos y familiares. Ahora soy un hombre viejo, y cuando este cuerpo muera ingresaré otra vez en un nuevo cuerpo».

En el verso anterior, Kṛṣṇa le dijo a Arjuna: «Todos nosotros, tú, Yo y todos los soldados y reyes aquí presentes, existimos en el pasado, existimos ahora y continuaremos existiendo en el futuro». Esto es lo que declara Kṛṣṇa. Pero los sinvergüenzas dirán: «¿Cómo es eso de que yo existí en el pasado? Yo nací en tal y tal año. Antes de eso, yo no existía. Yo existo en el momento presente. Esto está bien, pero apenas muera ya no existiré». Pero Kṛṣṇa dice: «Tú, Yo, todos nosotros existíamos, todavía existimos, y continuaremos existiendo». ¿Está esto equivocado? No, es un hecho. Antes de nuestro nacimiento existíamos en un cuerpo diferente, y después de nuestra muerte continuaremos existiendo en un cuerpo diferente. Esto tiene que entenderse.

Por ejemplo, hace setenta años yo era un niño; luego llegué a ser un joven y ahora he llegado a ser un anciano. Mi cuerpo ha cambiado, pero yo, el propietario del cuerpo, continúo existiendo sin cambios. De manera que, ¿cuál es la dificultad para entender esto? *Dehino 'smin yathā dehe* (*Bg.* 2.13*). Dehinaḥ* significa «el propietario del cuerpo», y *dehe* significa «en el cuerpo». El cuerpo está cambiando, pero el alma, el propietario del cuerpo, permanece inmutable.

Cualquiera puede entender que este cuerpo ha cambiado. De modo que en la próxima vida el cuerpo también cambiará. Puede que no lo recordemos; eso es otra cosa. ¿Cuál fue mi cuerpo en mi última vida? No lo recuerdo. Así que nuestra naturaleza es el olvido, pero el hecho de que olvidemos algo no quiere decir que eso no ocurrió. No. En mi niñez, yo hice muchas cosas que no recuerdo, pero mi padre y mi madre sí las recuerdan. Por lo tanto, olvidar no significa que las cosas no hayan ocurrido.

Similarmente, la muerte solo significa que he olvidado lo que fui en mi vida pasada. Eso es la muerte. De otro modo yo, como alma espiritual, no muero. Supóngase que me cambio de ropa. En mi niñez, yo usé ciertas ropas; en mi juventud, usé ropas diferentes. Ahora, en mi vejez, como *sannyāsī* (un renunciante), uso otra ropa. Es posible que la ropa cambie, pero eso no significa que el propietario de la ropa esté muerto o se haya ido. No. Esta es una explicación simple de la transmigración del alma.

De igual manera, todos nosotros somos individuos. No hay cuestión de fundirnos en uno. Cada uno de nosotros es un individuo. Dios es un individuo y nosotros también somos individuos. *Nityo nityānāṁ cetanaś cetanānām* (*Kaṭha Upaniṣad* 2.2.13): «Entre todas las personas eternas, conscientes e individuales, una es la suprema». La diferencia es que Dios nunca cambia Su cuerpo, pero en el mundo material nosotros cambiamos nuestros cuerpos. Cuando vayamos al mundo espiritual, no habrá más cambios de cuerpo. Así como Kṛṣṇa tiene Su *sac-cid-ānanda-vigraha (Bs.* 5.1*)*, una forma eterna de conocimiento y bienaventuranza, cuando usted vaya de regreso a casa, de vuelta a Dios, también obtendrá un cuerpo similar. La diferencia es que, incluso cuando Kṛṣṇa viene al mundo material, no cambia Su cuerpo. Por lo tanto, uno de Sus nombres es Acyuta, «el que nunca cae».

Kṛṣṇa nunca cambia. Él nunca cae, porque es el controlador de *māyā,* la energía material. Nosotros estamos controlados por la energía material, y Kṛṣṇa es su controlador. Esa es la diferencia entre Kṛṣṇa y nosotros. Y Él no solamente controla la energía material, sino que también controla la energía espiritual, todas las energías. Todo lo que vemos, todo lo que se manifiesta, eso es la energía de Kṛṣṇa. Así como el calor y la luz son energías del Sol, todo lo que se manifiesta está hecho sobre la base de las energías de Kṛṣṇa.

Existen muchas energías, pero estas se dividen en tres principales: la energía externa, la energía interna y la energía marginal. Nosotros, las entidades vivientes, somos la energía marginal. Marginal significa que podemos permanecer bajo la influencia de la energía externa o bajo la influencia de la energía interna, dependiendo de nuestro deseo. La independencia consiste en eso. Después de hablar el *Bhagavad-gītā*, Kṛṣṇa le dijo a Arjuna: *yathecchasi tathā kuru (Bg.* 18.63*)*: «Puedes hacer lo que quieras». Kṛṣṇa le concede esta independencia a Arjuna. Él no nos obliga a rendirnos. Eso no es bueno. Algo forzado no durará. Por ejemplo, nosotros aconsejamos a nuestros estudiantes a que se levanten temprano. Ese es nuestro consejo, pero no forzamos a nadie. Por supuesto, podemos obligar a alguien una o dos veces, pero si no lo pone en práctica, es inútil forzarlo.

De modo similar, Kṛṣṇa no obliga a nadie a abandonar este mundo material. Todas las almas condicionadas se encuentran bajo la influencia de la energía externa o material. Kṛṣṇa viene aquí para liberarnos de las garras de la energía material. Debido a que somos partes integrales de Kṛṣṇa, todos somos hijos directos de Kṛṣṇa. Si un hijo tiene dificultades, el padre también sufre, indirectamente. Supongan que el hijo se ha vuelto loco, u hoy en día, un hippie. El padre se siente muy dolido: «¡Oh, mi hijo está viviendo como un desgraciado!». El padre no es feliz. Del mismo modo, en este mundo material, las almas condicionadas sufren mucho, viviendo como desgraciados y sinvergüenzas. Por eso, Kṛṣṇa no está contento y viene personalmente para enseñarnos cómo regresar a Él *(yadā yadā hi dharmasya glānir bhavati... tad-ātmānaṁ sṛjāmy aham [Bg. 4.7])*.

Cuando Kṛṣṇa viene, lo hace en Su forma original. Pero, desgraciadamente creemos que Kṛṣṇa es uno de nosotros. En cierto sentido, Él es uno de nosotros, ya que es nuestro padre y nosotros somos sus hijos. Pero Él es el jefe: *nityo nityānāṁ cetanaś cetanānām* (*Kaṭha Upaniṣad* 2.2.13). Él es más poderoso que todos nosotros. Él es el más poderoso, el Supremo Poderoso. Nosotros tenemos un poco de poder, pero Kṛṣṇa tiene poder infinito. Esta es la diferencia entre Kṛṣṇa y nosotros. Nosotros no podemos ser iguales a Dios. Nadie puede ser igual a Kṛṣṇa o más grande que Él. Todos estamos debajo de Kṛṣṇa. *Ekale īśvara kṛṣṇa, āra saba bhṛtya* (*Cc. Ādi* 5.142): Todos somos sirvientes de Kṛṣṇa; Kṛṣṇa es el único amo. Él dijo: *bhoktāraṁ yajña-tapasāṁ sarva-loka-maheśvaram* (*Bg.* 5.29): «Yo soy el único disfrutador; Yo soy el propietario». Y esto es un hecho.

Entonces, nosotros estamos cambiando nuestro cuerpo, pero Kṛṣṇa no cambia el Suyo. Debemos entender esto. La prueba es que Kṛṣṇa recuerda el pasado, el presente y el futuro. En el cuarto capítulo del *Bhagavad-gītā*, encontrarán que Kṛṣṇa dice que hace unos 120 000 000 de años, Él le habló la filosofía del *Bhagavad-gītā* al dios del Sol. ¿Cómo es que Kṛṣṇa lo recuerda? Él puede hacerlo porque no cambia Su cuerpo. Nosotros olvidamos cosas porque nuestro cuerpo cambia a cada momento. Este es un hecho médico. Los corpúsculos de nuestra sangre están cambiando a cada segundo, pero el cuerpo está cambiando imperceptiblemente. Esta es la razón por la que el padre y la madre de un niño en edad de crecimiento no notan cómo su cuerpo está cambiando. Si después de algún tiempo viene una tercera persona y ve que el niño ha crecido, dirá: «¡Oh, cuánto creció el niño!». Pero el padre y la madre no han notado que él creció tanto, porque siempre lo están viendo y los cambios ocurren imperceptiblemente, a cada momento. De manera que nuestro cuerpo siempre está cambiando, pero yo, el alma, el propietario del cuerpo, no cambia. Esto tiene que comprenderse.

Todos nosotros somos almas individuales y somos eternos; pero debido a que nuestro cuerpo está cambiando, estamos sufriendo el nacimiento, la muerte, la vejez y las enfermedades. El movimiento para la conciencia de Kṛṣṇa está destinado a sacarnos de esta situación fluctuante. «Ya que soy eterno, ¿cómo puedo alcanzar una posición permanente?». Esta debe ser nuestra pregunta. Todos quieren vivir eternamente, nadie quiere morir. Si yo me acerco a usted con un revólver y le digo: «Voy a matarlo», usted inmediatamente gritará, porque usted no quiere morir. Morir y nacer de nuevo no es una buena inversión. Es muy problemático. Todos sabemos esto subconscientemente. Nosotros sabemos que al morir tendremos que ingresar otra vez en el vientre de una madre y, actualmente, las madres matan a los niños dentro de sus vientres. Entonces, otra vez otra madre... El proceso de aceptar un cuerpo una y otra vez es muy largo y muy problemático. En nuestro subconsciente recordamos todo este problema, por eso no queremos morir.

Así pues, nuestra pregunta debe ser la siguiente: «Yo soy eterno, entonces ¿por qué he sido colocado en esta vida temporal?». Esta es una pregunta inteligente y este es nuestro verdadero problema. Pero los sinvergüenzas dejan de lado este verdadero problema. Ellos piensan cómo comer, cómo dormir, cómo tener relaciones sexuales y cómo defenderse. Incluso si usted come bien y duerme bien, finalmente tiene que morir. El problema de la muerte está presente, pero ellos no se preocupan por este verdadero problema. Ellos están muy ocupados en resolver los problemas temporales, que en realidad no son problemas en absoluto. Los pájaros y los mamíferos también comen, duermen, tienen vida sexual y se defienden. Ellos saben cómo hacer todo eso, inclusive sin la educación y la supuesta civilización de los seres humanos. De manera que estas cosas no son nuestros verdaderos problemas. El verdadero problema es que no queremos morir pero la muerte llega. Este es nuestro verdadero problema.

Pero los sinvergüenzas no lo saben. Ellos siempre están ocupados con problemas temporales. Supongan, por ejemplo, que hace mucho frío. Eso es un problema. Nosotros tenemos que buscar un buen abrigo o un lugar con fuego, y si estas cosas no están disponibles, nos vemos en dificultades. De modo que el frío intenso es un problema; pero es un problema temporal. El frío intenso y el invierno han llegado y se irán. No son un problema permanente.

Mi problema permanente consiste en que, debido a la ignorancia, nazco, acepto las enfermedades, la vejez, y la muerte. Estos son mis verdaderos problemas. Por lo tanto Kṛṣṇa dice: *janma-mṛtyu-jarā-vyādhi-duḥkha-doṣanudarśanam*: Quienes tienen verdadero conocimiento consideran estos cuatro problemas: nacimiento, muerte, vejez y enfermedades.

Ahora bien, Kṛṣṇa dice: *dhīras tatra na muhyati* (*Bg.* 2.13): «Un hombre sensato no se confunde a la hora de la muerte». Si usted se prepara para la muerte, ¿por qué tendría que confundirse? Por ejemplo, si en su niñez y en su juventud se prepara bien y se educa, obtendrá un buen trabajo, una buena situación y será feliz. Similarmente, si en esta vida usted se prepara para ir de regreso a casa, de vuelta a Dios, entonces ¿qué confusión habrá a la hora de la muerte? No habrá ninguna confusión. Usted sabrá: «Yo estoy yendo hacia Kṛṣṇa. Estoy regresando a casa, de vuelta a Dios. Ya no tendré que cambiar de cuerpos materiales; tendré mi cuerpo espiritual. Jugaré con Kṛṣṇa, bailaré con Kṛṣṇa y comeré con Kṛṣṇa». Esto es conciencia de Kṛṣṇa: prepararse para la próxima vida.

A veces, un hombre que está muriendo grita, porque de acuerdo al *karma*, quienes son muy, muy pecaminosos ven escenas horribles a la hora de la muerte. El hombre pecaminoso sabe que va a aceptar algún tipo de cuerpo abominable. Pero quienes son piadosos, los devotos, mueren sin ninguna ansiedad. La gente tonta dice: «Ustedes los devotos mueren y los no devotos también mueren, de manera que, ¿cuál es la diferencia?». Existe una diferencia. Una gata lleva a sus gatitos en su boca, y en su boca también lleva al ratón. Pero existen diferencias en el acto de llevar. Los gatitos sienten placer: «¡Oh, mi madre me está cargando!». Y el ratón siente la muerte: «¡Oh, ahora moriré!». Esta es la diferencia. Entonces aunque tanto los devotos como los no devotos mueren, existe una diferencia de sentimiento a la hora de la muerte, tal como entre los gatitos y el ratón. No piensen que ambos mueren de la misma forma. El proceso corporal puede que sea el mismo, pero la situación mental es diferente. En el *Bhagavad-gītā* (4.11), Kṛṣṇa dice:

janma karma ca me divyam
evaṁ yo vetti tattvataḥ

tyaktvā dehaṁ punar janma
naiti mām eti so 'rjuna
(*Bg.* 4.9)

Si usted simplemente trata de entender a Kṛṣṇa, puede llegar a Él a la hora de la muerte. Todo lo relacionado con Kṛṣṇa es divino, trascendental. Las actividades de Kṛṣṇa, la aparición de Kṛṣṇa, la adoración de Kṛṣṇa, el templo de Kṛṣṇa, las glorias de Kṛṣṇa: todo es trascendental. De modo que si uno comprende estas cosas, o solo trata de comprenderlas, entonces se libera del proceso de nacimientos y muertes. Esto es lo que Kṛṣṇa dice. De manera que vuélvanse muy serios en entender a Kṛṣṇa, y permanezcan en la conciencia de Kṛṣṇa. Entonces estos problemas —nacimiento, muerte, vejez, y enfermedades— serán resueltos automáticamente, muy fácilmente.

Un *dhīra*, un hombre serio, pensará: «Yo quiero vivir eternamente. ¿Por qué ocurre la muerte? Yo quiero vivir una vida muy saludable. ¿Por qué vienen las enfermedades? Yo no quiero envejecer. ¿Por qué llega la vejez?». *Janma-mṛtyu-jarā-vyādhi* (*Bg.* 13.9); estos son los verdaderos problemas. Uno puede resolver estos problemas simplemente aceptando la conciencia de Kṛṣṇa, simplemente comprendiendo a Kṛṣṇa. Y para comprender a Kṛṣṇa, el *Bhagavad-gītā* está allí, muy bien explicado. Por lo tanto, hagan de sus vidas un éxito. Comprendan que ustedes no son sus cuerpos. Ustedes están corporificados dentro del cuerpo, pero ustedes no son el cuerpo. Por ejemplo, un pájaro puede estar dentro de la jaula, pero la jaula no es el pájaro. Las personas tontas cuidan de la jaula, no del pájaro, y el pájaro sufre de hambre. Del mismo modo, nosotros estamos sufriendo hambre espiritual. Por lo tanto, nadie es feliz en el mundo material. Hambre espiritual. Esta es la razón de por qué usted ve que en un país rico como los Estados Unidos —con suficiente alimento, suficientes viviendas, suficiente disfrute material— aun así existen hippies. La gente joven no está satisfecha, debido al hambre espiritual. Usted puede ser muy rico materialmente, pero si sufre de hambre espiritual, usted no puede ser feliz.

Se requiere de un rejuvenecimiento espiritual. Usted debe comprender, *ahaṁ brahmāsmi*: «Yo no soy este cuerpo; yo soy *brahman*, alma espiritual». Entonces usted será feliz. *Brahma-bhūtaḥ prasannātmā na śocati na kāṅkṣati samaḥ sarveṣu bhūteṣu* (*Bg.* 18.54). Entonces habrá igualdad, fraternidad, hermandad. De otro modo es todo falso, simplemente palabras que suenan muy bien. No puede haber igualdad, fraternidad, etc., sin conciencia de Kṛṣṇa. Llegue a la plataforma espiritual, entonces verá a todos igualmente. De otro modo usted pensará: «Yo soy un ser humano con manos y piernas, y la vaca no tiene manos ni piernas. Por lo tanto voy a matar a la vaca y voy a comérmela». ¿Por qué? ¿Qué derecho tiene usted para matar a un animal? Usted no tiene visión de igualdad, por falta de conciencia de Kṛṣṇa. Por lo tanto, en este mundo material, las supuestas educación, cultura y fraternidad son todas falsas. La conciencia de Kṛṣṇa es el tema apropiado para ser estudiado. Así será feliz la sociedad. No de otra manera.

Muchas gracias.

El ser y sus cuerpos

«Ustedes están sufriendo porque en sus vidas pasadas se dedicaron a la complacencia sensorial y obtuvieron un cuerpo de acuerdo al karma*», Śrīla Prabhupāda le dice a la audiencia en una conferencia dada en el centro Hare Kṛṣṇa en Detroit, Michigan, en junio de 1976. Él entonces continúa explicando el secreto de cómo liberarse del* karma *para disfrutar una felicidad perfecta.*

yathājñas tamasā yukta
upāste vyaktam eva hi
na veda pūrvam aparaṁ
naṣṭa-janma-smṛtis tathā

«Una persona que duerme, actúa conforme al cuerpo manifestado en sus sueños y se identifica con él; del mismo modo, sin poder conocer las vidas pasadas y futuras, nos identificamos con nuestro cuerpo actual, que hemos adquirido debido a las acciones religiosas o irreligiosas que hayamos llevado a cabo en el pasado» (*Bhāg.* 6.1.49).

Aquí hay un muy buen ejemplo de la ignorancia que cubre a la entidad viviente en el mundo material. Cuando soñamos, olvidamos todo acerca de nosotros mismos; que somos el señor tal y tal, habitantes de tal y tal lugar, con tal y tal cuenta bancaria. Todo se olvida. Y cuando nos despertamos, olvidamos el sueño. Pero ya sea que estemos en la condición despierta o en la soñolienta, nosotros observamos nuestras propias actividades. En el sueño, somos los observadores, y en la supuesta condición despierta también somos los observadores. De manera que nosotros, las almas espirituales, quienes estamos experimentando, permanecemos sin cambios; pero las circunstancias cambian y las olvidamos.

Análogamente, nosotros no podemos recordar lo que fuimos en nuestra vida previa. Ni sabemos lo que seremos en nuestra próxima vida. Pero es un hecho que, como almas espirituales, somos eternos. Nosotros existimos en el pasado, existimos en el momento presente, y continuaremos existiendo en el futuro. Kṛṣṇa explica esto en el *Bhagavad-gītā* (2.12): «¡Oh, Arjuna!, tú, Yo, y todas estas personas que están reunidas en este campo de batalla hemos existido antes y continuaremos existiendo en el futuro». Esta es la comprensión preliminar en la vida espiritual: saber que «yo soy eterno».

Como almas espirituales, nosotros no nacemos ni morimos *(na jāyate mriyate vā kadācit)*. La destrucción del cuerpo material no es nuestro fin *(na hanyate hanyamāne śarīre [Bg. 2.20])*. La destrucción ya está ocurriendo. Nuestro cuerpo infantil está ahora destruido; usted no puede encontrar aquel cuerpo. Nuestro cuerpo juvenil también está destruido; nosotros no podemos encontrarlo ya más. De la misma manera, nuestro cuerpo actual también será destruido, y nosotros obtendremos otro cuerpo *(tathā dehāntara-prāptiḥ [Bg. 2.13])*.

Cuando el alma transmigra, el cuerpo burdo se pierde. El cuerpo burdo está hecho de materia, y cualquier cosa material se terminará eventualmente. Esa es la naturaleza de la materia. Pero el alma espiritual nunca se termina.

De ese modo cambiamos de cuerpo, uno tras otro. ¿Por qué existen diferentes clases de cuerpo? Porque la entidad viviente, el alma espiritual, está en contacto con las diferentes modalidades de la naturaleza material. Y de acuerdo a qué modalidades estén influyéndola, la entidad viviente desarrolla un cuerpo burdo.

De esta manera, hemos adquirido nuestro cuerpo actual debido a nuestras actividades pasadas. *Karmaṇā daiva-netreṇa jantur dehopapattaye* (*Bhāg.* 3.31.1): Uno obtiene un tipo particular de cuerpo de acuerdo a su *karma* pasado, o actividades materiales. La naturaleza actúa automáticamente de acuerdo a nuestro *karma*. Suponga que usted contrae alguna enfermedad. La naturaleza actuará: usted tendrá que desarrollar esa enfermedad y padecer algún sufrimiento. Análogamente, cuando quedamos bajo la influencia de las modalidades de la naturaleza material y ejecutamos actividades kármicas, debemos transmigrar de un cuerpo a otro. Las leyes de la naturaleza son así de perfectas.

Ahora bien, cuando alcanzamos la vida humana civilizada debemos preguntarnos: «¿Por qué estoy sufriendo?». El problema es que debido a que estamos bajo el hechizo de *māyā*, la ilusión, tomamos el sufrimiento por disfrute. *Māyā* significa «aquello que no es».

Nosotros pensamos que estamos disfrutando, pero realmente estamos sufriendo. En este cuerpo material tenemos que sufrir. Nosotros sufrimos debido al cuerpo. Frío penetrante, calor abrasador; sentimos estas cosas debido al cuerpo. Bajo ciertas circunstancias, sentimos placer. Pero en el *Bhagavad-gītā* (2.14) Kṛṣṇa aconseja:

mātrā-sparśās tu kaunteya
śitoṣṇa-sukha-duḥkha-dāḥ
āgamāpāyino 'nityās
tāṁs titikṣasva bhārata

«La felicidad y la aflicción materiales son originadas por el cuerpo. Ellas vienen y van así como cambian las estaciones. Trata de tolerarlas sin perturbarte».

Mientras estemos en este mundo material, la felicidad y la aflicción vienen y van. Por lo tanto no debemos ser perturbados por ellas. Nuestro verdadero propósito es tratar de lograr la autorrealización. Esto debe continuar, no debe detenerse. La autorrealización es la meta de la vida humana. El sufrimiento y la supuesta felicidad continuarán mientras tengamos un cuerpo material, pero debemos llegar al entendimiento de que «yo no soy el cuerpo; yo soy un alma espiritual. Yo he obtenido este cuerpo debido a mis actividades pasadas». Eso es conocimiento.

Ahora bien, un hombre sensato debería considerar: «Ya que soy un alma espiritual y mi cuerpo es simplemente una cobertura, ¿no es posible detener este proceso de transmigración de un cuerpo a otro?». Esto es vida humana: inquirir acerca de cómo detener la contaminación del cuerpo material.

Desdichadamente, la gente en la supuesta civilización moderna no se hace esta pregunta. Ellos están locos detrás de la complacencia de los sentidos del cuerpo, de esa manera ellos actúan irresponsablemente. Como se explica en el *Śrīmad-Bhāgavatam* (5.5.4):

nūnaṁ pramattaḥ kurute vikarma
yad indriya-prītaya āpṛṇoti
na sādhu manye yata ātmano 'yam
asann api kleśada āsa dehaḥ

«Las personas que actúan solamente para la complacencia de los sentidos están ciertamente locas, y ellas ejecutan todo tipo de actividades abominables. De esta forma ellos aseguran su transmigración de un cuerpo a otro perpetuamente, y de ese modo experimentan todo tipo de miserias».

Nosotros no entendemos que el cuerpo es siempre *kleśada*, siempre nos da sufrimiento. Por el momento puede que experimentemos algún placer, pero realmente el cuerpo es una fuente de dolor. Aquí hay una buena analogía en relación con esto: Antiguamente, cuando los agentes del gobierno querían castigar a un criminal, ellos ataban sus manos, lo llevaban en medio de un río y lo tiraban al agua. Cuando estaba casi ahogándose, lo sacaban del agua por sus cabellos y le daban un pequeño descanso. Luego lo sumergían otra vez en el agua. Este era un sistema de castigo.

Análogamente, cualquier pequeño placer que estemos experimentando en este mundo material es exactamente como el placer que el criminal experimentaba cuando era sacado del agua. Un sufrimiento intenso con unos pocos momentos de alivio, así es la vida en el mundo material.

Debido a esto, Sanātana Gosvāmī, quien había sido un rico ministro del gobierno musulmán en India, se presentó ante Śrī Caitanya Mahāprabhu y le preguntó: *ke āmi, kene āmāya jāre tāpa-traya:* «¿Quién soy yo?, y ¿por qué estoy sufriendo las triples miserias?». Esto es inteligencia. Nosotros estamos padeciendo constantemente algún tipo de sufrimiento, ya sea causado por el cuerpo y la mente, impuesto por otras entidades vivientes, u ocasionado por disturbios naturales. Nosotros no queremos todas estas miserias, pero ellas nos son impuestas. De manera que cuando uno acepta un maestro espiritual, la primer pregunta debe ser: «¿Por qué estoy sufriendo?».

Pero nos hemos vuelto tan torpes, como animales, que nunca nos hacemos esta pregunta. Los animales están sufriendo (todos saben eso), pero ellos no pueden preguntarse por qué. Cuando un animal es llevado al matadero, él no puede preguntarse: ¿Por qué me llevan al matadero por la fuerza? Pero si usted lleva a un ser humano, hará un escándalo: «¡Este hombre me va a matar! ¿Por qué me van a matar?». De manera que una distinción importante entre vida humana y vida animal es que solamente los seres humanos pueden preguntarse: «¿Por qué estoy sufriendo?».

Sea usted el presidente Nixon o un hombre de la calle, usted está sufriendo. Esto es un hecho. Usted está sufriendo debido a su cuerpo, y usted está haciendo algo que lo obligará a aceptar otro cuerpo material. Usted está sufriendo porque en su vida pasada se dedicó a la complacencia de los sentidos y obtuvo un cuerpo de acuerdo al *karma*, y si usted se ocupa en la complacencia de los sentidos en esta vida y no trata de elevarse a sí mismo, usted obtendrá nuevamente un cuerpo y sufrirá. De acuerdo a la naturaleza, usted obtendrá otro cuerpo según la mentalidad que tenga en el momento de la muerte. Y apenas obtenga otro cuerpo, su sufrimiento comenzará otra vez. Incluso en el vientre de su madre usted sufrirá. Permanecer en semejante bolsa compacta durante tantos meses, con las manos y las piernas paralizadas, siendo incapaz de moverse; eso es sufrimiento. Hoy en día también existe el riesgo de ser matado en el vientre. Y cuando usted sale, más sufrimiento. De manera que debemos ser lo suficientemente inteligentes como para preguntarnos: «¿Por qué estoy sufriendo? y, ¿cómo puedo detener este sufrimiento?». Hasta que no nos preguntemos: «¿Por qué estoy sufriendo?», nuestra vida humana no habrá comenzado. Seguimos siendo animales.

Indagar acerca de la causa original de nuestro sufrimiento se denomina *brahma-jijñāsā*: inquirir acerca de la Verdad Absoluta. Como se dice al comienzo del *Vedānta-sūtra: athāto brahma-jijñāsā*. «Habiendo obtenido la forma de vida humana, uno debe inquirir acerca del Brahman, la Verdad Absoluta». De manera que debemos tomar ventaja de la forma de vida humana. No debemos vivir como animales, sin hacernos preguntas acerca de la Verdad Absoluta, sin tratar de descubrir cómo detener nuestra miserable vida material.

Por supuesto, nosotros estamos tratando de detener realmente nuestras propias miserias, trabajando duramente en la lucha por la existencia. ¿Por qué tratamos de obtener dinero? Porque pensamos: «Si yo consigo dinero, mi aflicción será mitigada». De ese modo la lucha por la existencia continúa, y todos están tratando de ser felices mediante la complacencia de los sentidos. Pero la complacencia de los sentidos no es la verdadera felicidad. Verdadera felicidad es la felicidad espiritual, la cual se logra al servir a Kṛṣṇa. Esto es felicidad. La felicidad material es simplemente una felicidad pervertida.

La felicidad material es como el espejismo de agua en el desierto. En el desierto no hay agua, pero cuando un animal sediento ve el espejismo de agua en el desierto, corre detrás de él y muere. Nosotros sabemos que no hay agua en el desierto —que el «agua» es solo un reflejo de la luz del Sol— pero los animales no saben esto. Análogamente, vida humana significa abandonar la búsqueda de la felicidad a través de la complacencia de los sentidos, lo cual es como un espejismo en el desierto, e intentar conseguir la felicidad espiritual.

Nosotros podemos despertar a esta felicidad más elevada simplemente cantando el *mahā-mantra* Hare Kṛṣṇa: Hare Kṛṣṇa, Hare Kṛṣṇa, Kṛṣṇa Kṛṣṇa, Hare Hare/ Hare Rāma, Hare Rāma, Rāma Rāma, Hare Hare. Cantar Hare Kṛṣṇa es una cosa tan simple, sin embargo puede mitigar todo nuestro sufrimiento en el mundo material.

Nuestro sufrimiento es causado por las tantas cosas sucias dentro de nuestro corazón. Nosotros somos como un criminal que tiene cosas sucias dentro de su corazón. Él piensa: «Si yo obtengo tal y tal cosa, seré feliz». Y arriesgando su vida él comete un crimen. Un ladrón, un rufián, sabe que si es capturado por la policía será castigado, pero aun así él roba. ¿Por qué? *Nūnaṁ pramattaḥ:* Él se volvió loco detrás de la complacencia de los sentidos. Eso es todo.

Nosotros tenemos que purificar nuestros corazones de nuestros deseos sucios, los cuales nos están forzando a actuar tras la complacencia de los sentidos y a sufrir. Y en esta era la purificación es muy, muy fácil: Solo canten Hare Kṛṣṇa; eso es todo. Esta es la contribución de Caitanya Mahāprabhu. *Ceto-darpaṇa-mārjanaṁ bhava-mahā-dāvāgni-nirvāpaṇam (Cc. Antya* 20.12*)*. Si usted canta el *mantra* Hare Kṛṣṇa, será liberado del sufrimiento originado por la perpetua transmigración de un cuerpo a otro. Cantar es algo muy simple. No es cuestión de castas, credo, nacionalidad, color o posición social. No. Por la gracia de Dios, todos tienen una lengua y oídos. De manera que todos pueden cantar Hare Kṛṣṇa, Hare Kṛṣṇa, Kṛṣṇa Kṛṣṇa, Hare Hare/ Hare Rāma, Hare Rāma, Rāma Rāma, Hare Hare. Tan solo canten Hare Kṛṣṇa y sean felices.

Muchas gracias.

II
Superconciencia

Todos pueden ver a Dios

La literatura védica es singular entre todas las Escrituras del mundo porque describe un proceso práctico por medio del cual cualquier persona puede purificar su conciencia y ver a Dios cara a cara. En esta conferencia, dada en Los Ángeles el 15 de agosto de 1972, Śrīla Prabhupāda explica: «Uno debe estar realmente muy ansioso por ver a Dios... Uno debe ser muy serio y pensar: "Sí, yo he sido informado acerca de Dios. De manera que si Dios existe, tengo que verlo"».

tac chraddadhānā munayo
jñāna-vairāgya-yuktayā
paśyanty ātmani cātmānaṁ
bhaktyā śruta-gṛhītayā

«El estudiante o el sabio serio e inquisitivo, bien equipado con conocimiento y desapego, comprende la Verdad Absoluta rindiendo servicio devocional de acuerdo con lo que ha escuchado de la literatura védica, *Vedānta-śruti*» (*Bhāg.* 1.2.12).

La gente a veces pregunta: «¿Ha visto usted a Dios?» o «¿puede mostrarme a Dios?». A veces nos encontramos con estas preguntas. Entonces la respuesta es: «Sí, yo veo a Dios. Usted también puede ver a Dios; todos pueden ver a Dios. Pero usted debe cualificarse». Suponga que en un automóvil hay algo roto, no funciona. Todos lo ven, pero un mecánico lo ve de manera diferente. Él está cualificado para ver con un entendimiento mayor. Él reemplaza entonces la parte dañada e inmediatamente el auto funciona. Pero aunque para ver una máquina requerimos de tanta cualificación, queremos ver a Dios sin ninguna cualificación. ¡Vean qué locura! La gente es tan sinvergüenza, tan tonta, que quiere ver a Dios con sus cualificaciones imaginarias.

Kṛṣṇa dice en el *Bhagavad-gītā*: *nāhaṁ prakāśaḥ sarvasya yoga-māyā-samāvṛtaḥ* (*Bg*. 7.25). «Yo no Me revelo a cualquiera. Mi energía *yogamāyā* les cubre su visión». Entonces, ¿cómo puede usted ver a Dios? Sin embargo esta tontería continúa; «¿Puede mostrarme a Dios?», «¿ha visto usted a Dios?». Dios se ha vuelto como un juguete, de tal forma que los engañadores presentan a algún hombre común y dicen: «Aquí está Dios. Esta es una encarnación de Dios».

Na māṁ duṣkṛtino mūḍhāḥ prapadyante narādhamāḥ (*Bg*. 7.15). Los sinvergüenzas pecaminosos, los tontos, los más bajos de la humanidad, preguntan de este modo: «¿Puede usted mostrarme a Dios?». ¿Qué cualificación ha logrado usted como para ver a Dios? Esta es la cualificación: *tac chraddadhānā munayaḥ*. Antes que nada, uno debe tener plena fe *(śraddadhāna)*. Uno debe estar realmente muy ansioso por ver a Dios. Uno no debe tomarlo de una manera frívola, «¿puede usted mostrarme a Dios?», o como algo mágico. Ellos piensan que Dios es mágico. No. Uno debe ser muy serio y pensar: «Sí, yo he sido informado acerca de la existencia de Dios. De modo que si Dios existe, yo debo verlo».

Hay una historia en relación con esto. Es muy instructiva, por lo tanto, traten de escuchar. Un recitador profesional estaba recitando públicamente el *Śrīmad-Bhāgavatam*, y estaba describiendo que Kṛṣṇa está extremadamente decorado con toda clase de joyas cuando cuida a las vacas en el bosque. También había un ladrón en esa reunión, y él pensó lo siguiente: «¿Por qué no ir a Vṛndāvana y robarle a ese niño? Él está en el bosque con tantas joyas valiosas. Yo puedo ir ahí, capturarlo y quitarle todas las joyas». Esta era su intención. Entonces él se determinó. «Yo debo encontrar a ese niño —pensó—, de ese modo, en una noche me haré millonario».

La cualificación del ladrón fue su sentimiento: «¡Yo debo ver a Kṛṣṇa! ¡Yo debo ver a Kṛṣṇa!». Tal ansiedad, tal anhelo, hizo que él viera realmente a Kṛṣṇa en Vṛndāvana. Él vio a Kṛṣṇa de la misma manera que el lector del *Bhāgavatam* lo había descrito. Luego el ladrón dijo: «¡Oh, Kṛṣṇa!, Tú eres un niño tan bello». Él comenzó a halagarlo; pensó que halagándolo podría tomar fácilmente todas las joyas. Entonces, le expuso su verdadero propósito: «¿Puedo quedarme con alguno de esos adornos? ¡Tú eres tan rico!».

«No, no, no —dijo Kṛṣṇa— ¡mi madre se enojará! Yo no puedo dártelos». Kṛṣṇa jugaba como un niño.

De ese modo el ladrón incrementó más y más su ansiedad para que Kṛṣṇa le diese las joyas, pero debido a la asociación con Kṛṣṇa él se estaba purificando. Luego, por último, Kṛṣṇa dijo: «Está bien, puedes quedártelas». Entonces el ladrón se convirtió inmediatamente en un devoto, porque debido a la asociación con Kṛṣṇa, se había purificado completamente. Por lo tanto, de una manera u otra, ustedes deben ponerse en contacto con Kṛṣṇa. Entonces se purificarán.

Las *gopīs* son otro ejemplo de gran ansiedad por ver a Kṛṣṇa. Las *gopīs* se acercaron a Kṛṣṇa cautivadas por Sus bellos rasgos. Ellas eran muchachas jóvenes, y Kṛṣṇa era muy hermoso. En realidad ellas estaban lujuriosas cuando se acercaron a Kṛṣṇa, pero Kṛṣṇa es tan puro que se volvieron devotas de primera clase. No existe comparación con la devoción de las *gopīs*, porque ellas amaban a Kṛṣṇa de corazón y alma. Esa es la cualificación. Ellas amaban tanto a Kṛṣṇa que no se preocuparon por sus familias o por su reputación cuando salieron a medianoche. La flauta de Kṛṣṇa sonaba, y todas ellas abandonaron sus hogares. Sus padres, sus hermanos, sus esposos, todos dijeron: «¿Adónde van? ¿Adónde van a medianoche?». Pero a las *gopīs* no les importó. Ellas dejaron de cuidar a sus niños, a sus familias, todo. Su única preocupación era: «Nosotras debemos ir donde está Kṛṣṇa».

Esta ansiedad se requiere. Nosotros debemos estar muy, muy ansiosos por ver a Kṛṣṇa. Muchas *gopīs*, quienes fueron detenidas por la fuerza, para ir donde estaba Kṛṣṇa perdieron sus vidas debido a sus grandes sentimientos de separación. Por eso esta ansiedad es deseable, de ese modo usted puede ver a Dios. Ya sea que usted esté lujurioso, sea un ladrón, un asesino, o cualquier otra cosa, de una forma u otra usted debe desarrollar esta ansiedad, este deseo: «Yo debo ver a Kṛṣṇa». Entonces Kṛṣṇa será visto.

La primer cosa que Kṛṣṇa busca es cuán ansioso está uno por verle. Kṛṣṇa responderá si usted está realmente ansioso por ver a Kṛṣṇa —ya sea que usted esté lujurioso, que quiera robar sus ornamentos, o que por uno u otro motivo esté atraído a Kṛṣṇa— entonces es seguro que sus esfuerzos serán exitosos.

Pero usted debe desear a Kṛṣṇa solamente. Con relación a esto, Rūpa Gosvāmī ha escrito un verso:

smerāṁ bhaṅgī-traya-paricitāṁ sāci-vistīrṇa-dṛṣṭiṁ
vaṁśī-nyastādhara-kiśalayām ujjvalāṁ candrakeṇa
govindākhyāṁ hari-tanum itaḥ keśi-tīrthopakaṇṭhe
mā prekṣiṣṭhās tava yadi sakhe bandhu-saṅge 'sti raṅgaḥ

La idea es que una *gopī* le advierte a otra *gopī*: «Mi querida amiga, hay un muchacho, Su nombre es Govinda. Él está parado en la ribera del Yamunā, cerca del Keśi-ghāṭa, y está tocando Su flauta. Él es tan hermoso, especialmente durante esta noche de Luna llena. Si tú tienes alguna intención de disfrutar en este mundo material con tus niños, esposo u otros miembros familiares, entonces, por favor, no vayas ahí». *Bhaṅgī-traya*: Kṛṣṇa siempre está parado con Su flauta de tal manera que Su cuerpo muestra tres curvaturas. Esta es la forma *tribhaṅga* de Kṛṣṇa, curvatura en tres lugares. De ese modo una *gopī* le dijo a otra: «Si piensas que aún disfrutarás de tu vida en este mundo material, entonces no vayas a ver a Kṛṣṇa. No vayas allá». La idea es que si usted ve una sola vez a Kṛṣṇa, entonces usted olvidará todo este disfrute material carente de sentido. Eso sucede al ver a Kṛṣṇa.

Cuando Dhruva Mahārāja vio a Kṛṣṇa, le dijo: *svāmin kṛtārtho 'smi varaṁ na yāce (Cc. Madhya* 2.2.42*)*: «Mi querido Señor, yo no quiero más nada». Dhruva Mahārāja fue a ver a Kṛṣṇa para obtener el reino de su padre, y cuando él vio a Kṛṣṇa, Kṛṣṇa le dijo: «Ahora tú puedes recibir cualquier bendición que desees». Dhruva respondió: «Mi querido Señor, ya no tengo ningún deseo más». Eso significa ver a Kṛṣṇa.

De manera que, si usted está ansioso por ver a Kṛṣṇa, sin importar el motivo, de una forma u otra, debido a su ansiedad, usted verá a Kṛṣṇa. Esta es la única cualificación.

En otro verso, Rūpa Gosvāmī dice: *kṛṣṇa-bhakti-rasa-bhāvitā matiḥ krīyatām yadi kuto 'pi labhyate* (yo traduje las palabras Conciencia de Kṛṣṇa de *kṛṣṇa-bhakti-rasa-bhāvitā*). Aquí Rūpa Gosvāmī aconseja: «Si la conciencia de Kṛṣṇa es asequible, por favor cómprenla inmediatamente. No demoren. Es algo muy bueno».

Sí. La conciencia de Kṛṣṇa está disponible. Usted puede adquirirla por medio de este movimiento para la conciencia de Kṛṣṇa. Pero, ¿cuál es el precio? Es algo muy bueno, pero usted tiene que pagar el precio. ¿Cuál es? *Tatra laulyam api mūlyam ekalam*: Simplemente su anhelo. Ese es el precio. Usted tiene que pagar este precio. Entonces usted obtendrá a Kṛṣṇa inmediatamente. Kṛṣṇa no es pobre, y el que vende a Kṛṣṇa —el devoto de Kṛṣṇa— tampoco es pobre. Él puede dar a Kṛṣṇa libremente. Y lo está haciendo. Usted simplemente tiene que adquirirlo a través de su anhelo.

Alguien puede decir: «Oh, ¿anhelo? Yo tengo el anhelo». Ah... pero no es tan fácil. *Janma-koṭi-sukṛtair na labhyate*: Este anhelo no puede conseguirse ni siquiera por ejecutar actividades piadosas durante millones de nacimientos. Si simplemente usted continúa ejecutando actividades piadosas, aun así no va a conseguir este anhelo. Este anhelo es algo muy importante, sin embargo puede ser despertado solo en asociación con los devotos. Por lo tanto, le estamos dando a todos una oportunidad para invocar este anhelo, de ese modo usted verá a Dios cara a cara.

Esta vida está destinada para ver a Kṛṣṇa. No está destinada para volverse un perro o un cerdo. Desafortunadamente, toda la civilización moderna entrena a la gente a volverse perros y cerdos. Es solamente esta institución —este movimiento para la conciencia de Kṛṣṇa— el que enseña a la gente cómo ver a Kṛṣṇa. Es algo tan importante.

Tac chraddadhānā munayo jñāna-vairāgya-yuktayā (*Bhāg.* 1.2.12). Por medio del anhelo, usted será dotado automáticamente de conocimiento y desapego. Conocimiento no significa: «Ahora hemos descubierto esta bomba atómica». Eso no es conocimiento. ¿Qué conocimiento es ese? La gente ya está muriendo, y ustedes han descubierto algo que acelerará la muerte. Pero nosotros estamos dando el conocimiento que detiene la muerte. Eso es conciencia de Kṛṣṇa; eso es conocimiento. *Jñāna-vairāgya-yuktayā*. Y tan pronto como obtiene este conocimiento, usted se desapega automáticamente de toda esta tonta felicidad materialista.

Muchas gracias.

Más allá de la religión

En junio de 1976, Śrīla Prabhupāda respondió preguntas enviadas por los editores del Bhavan Journal, *uno de los principales periódicos culturales y religiosos de Bombay.*

Devoto: Esta es la primera pregunta: «Se dice que la mayor fuerza del hinduismo es su universalidad, o amplitud de perspectivas, pero esto es también su gran debilidad, ya que existen muy pocas prácticas religiosas que son obligatorias para todos, como en otras religiones. ¿Es necesario y posible delinear ciertas prácticas religiosas básicas mínimas para todos los hindúes?».

Śrīla Prabhupāda: En lo que respecta a la religión védica, esta no es para los hindúes, es para todas las entidades vivientes. Esto es lo primero que se debe comprender. La religión védica se denomina *sanātana-dharma*, «la ocupación eterna de la entidad viviente». La entidad viviente es *sanātana* (eterna), Dios es *sanātana*, y existe el *sanātana-dharma*. *Sanātana-dharma* está destinado a todas las entidades vivientes, no solo para los así llamados hindúes. Hinduismo, este «ismo», aquel «ismo», todos esos son conceptos erróneos. Históricamente, el *sanātana-dharma* era seguido regularmente en India, y los hindúes eran llamados «hindúes» por los musulmanes. Los musulmanes vieron que los hindúes vivían del otro lado del río Sindu, y los musulmanes pronunciaban sindu como hindu. Por lo tanto ellos llamaron a la India «Indostán» y a la gente que vivía ahí «hindúes». Pero no hay referencia a la palabra hindú en la literatura védica, ni tampoco al que se ha dado en llamar *dharma* hindú. Ahora que el *sanātana-dharma*, el *dharma* védico, está tergiversándose y no está obedeciéndose ni llevándose a cabo apropiadamente, se lo conoce como Hinduismo. Pero ese es un entendimiento caprichoso; ese no es el verdadero entendimiento. Nosotros tenemos que estudiar el *sanātana-dharma* como es descrito en el *Bhagavad-gītā* y en otros libros védicos; entonces entenderemos la religión védica. (Dirigiéndose a un devoto) Lee del undécimo capítulo del *Bhagavad-gītā*, el verso dieciocho.

Devoto (lee):

tvam akṣaraṁ paramaṁ veditavyaṁ
tvam asya viśvasya paraṁ nidhānam
tvam avyayaḥ śāśvata-dharma-goptā
sanātanas tvaṁ puruṣo mato me

«¡Oh, Señor Kṛṣṇa! Tú eres el objetivo supremo primario, el supremo lugar de soporte de todo este universo. Tú eres inagotable y lo más antiguo que existe. Tú eres el sustentador de la religión eterna, la Personalidad de Dios. Esa es mi opinión».

Śrīla Prabhupāda: Se requiere este entendimiento. Kṛṣṇa es eterno, nosotros somos eternos y es eterno el lugar donde podemos vivir e intercambiar nuestros sentimientos con Kṛṣṇa. Y el sistema que enseña este eterno proceso de reciprocación es el *sanātana-dharma*, el cual está dirigido a todos.

Devoto: Entonces, ¿cuáles serían las prácticas religiosas prescritas a seguir diariamente por alguien que está aspirando a este *sanātana-dharma*? ¿Qué haría él? La queja consiste en que dentro del hinduismo, o digamos del *sanātana-dharma*, existe mucha amplitud, existe una mezcla de diferentes tipos.

Śrīla Prabhupāda: ¿Por qué haces alusión a la variedad? ¿Por qué no aceptas el verdadero propósito de la religión de Kṛṣṇa? Kṛṣṇa dice (*Bg.* 18.66): *sarva-dharmān parityajya mām ekaṁ śaraṇaṁ vraja*. «Abandona todos los así llamados *dharmas* y solo ríndete a Mí». ¿Por qué no aceptas eso? ¿Por qué aceptas diferentes prácticas bajo el nombre del supuesto hinduismo? ¿Por qué no tomas el consejo del *sanātana*, Kṛṣṇa? Tú te rehúsas a aceptar *sanātana-dharma*, Dios dice qué es *sanātana*, pero dices: «¿Cómo podemos evitar tantas variedades y llegar a lo correcto?». ¿Por qué aceptar variedades? Acepta esta única conciencia: *sarva-dharmān parityajya mām ekaṁ śaraṇaṁ vraja*. ¿Por qué no lo haces?

Devoto: ¿Cómo puede la gente hacer esto prácticamente, en su vida diaria?

Śrīla Prabhupāda: ¿Cómo es que nosotros estamos haciéndolo? ¿No es práctico lo que hacemos? La gente fabricará su propio camino impráctico de religión, pero no tomará nuestro sistema práctico. ¿Qué es eso? *Man-manā bhava mad-bhakto mad-yājī māṁ namaskuru* (*Bg.* 18.65): Simplemente piensa en Kṛṣṇa, vuélvete Su devoto, adóralo, y ofrécele reverencias. ¿Cuál es la dificultad? ¿Qué es lo impráctico? Kṛṣṇa dice: «Este es tu deber. Si tú haces eso, vendrás a Mí sin ninguna duda». ¿Por qué no haces eso? ¿Por qué seguir siendo hindú? ¿Por qué seguir siendo musulmán? ¿Por qué seguir siendo cristiano? Abandona todo este disparate. Solo ríndete a Kṛṣṇa y comprende: «Yo soy un devoto de Kṛṣṇa, un sirviente de Kṛṣṇa». Entonces todo será resuelto inmediatamente.

Devoto: Pero los hindúes dirán: «Existen muchos otros aspectos del *dharma* hindú».

Śrīla Prabhupāda: El verdadero *dharma* se define en el *Śrīmad-Bhāgavatam*: *dharmaṁ tu sākṣād bhagavat-praṇītam* (*Bhāg.* 6.3.19). «Lo que Dios dice, eso es *dharma*». Ahora Dios dice: «Abandona todos los otros *dharmas* y solo ríndete a Mí». Por lo tanto tomen ese *dharma*. ¿Por qué quieren seguir siendo hindúes? Y además de eso, ¿qué hindú no acepta la autoridad de Kṛṣṇa? Incluso hoy en día, si cualquier hindú dice: «A mí no me importa Kṛṣṇa ni el *Bhagavad-gītā*», será rechazado inmediatamente como un loco. ¿Por qué no toman la instrucción de Kṛṣṇa? ¿Por qué ir a otro lugar? El problema es que ustedes no saben lo que es religión y no saben lo que es *sanātana-dharma*. En nuestra Asociación para la Conciencia de Krishna hay muchos que anteriormente se denominaban hindúes, musulmanes y cristianos, pero ahora no se preocupan por ser «hindúes», «musulmanes» o «cristianos». A ellos les preocupa solamente Kṛṣṇa. Eso es todo. Si usted sigue un sistema religioso falso, sufre; pero si usted sigue un verdadero sistema religioso, será feliz.

Por desdicha, los hindúes abandonaron el verdadero sistema religioso —*sanātana-dharma* o *varṇāśrama-dharma*— y aceptaron una mescolanza llamada «hinduismo». Por lo tanto, hay problemas. La religión védica significa *varṇāśrama-dharma*, la división de la sociedad en cuatro clases sociales y cuatro órdenes espirituales de vida. Las cuatro órdenes sociales son los *brāhmaṇas* (sacerdotes e intelectuales), los *kṣatriyas* (líderes políticos y militares), los *vaiśyas* (comerciantes y granjeros) y los *śūdras* (trabajadores manuales).

Las cuatro órdenes espirituales son los *brahmacārīs* (estudiantes célibes), los *gṛhasthas* (casados), los *vānaprasthas* (personas retiradas) y los *sannyāsīs* (renunciantes). Cuando todas estas clases y órdenes trabajan armónicamente para satisfacer al Señor, eso es verdadera religión o verdadero *dharma*.

Devoto: La siguiente pregunta es esta: «En Kali-yuga, la presente era de riña, *bhakti* (el servicio devocional a Dios) ha sido descrito como el sendero más apropiado para la comprensión de Dios. Sin embargo, ¿cómo es que las enseñanzas védicas, las cuales enfatizan *jñāna* (conocimiento o especulación intelectual), son destacadas por renombrados eruditos?».

Śrīla Prabhupāda: Los supuestos vedantistas son engañadores, ellos no saben lo que es el *vedānta*. Pero la gente quiere ser engañada, y los engañadores se aprovechan de ellos. La palabra *veda* significa «conocimiento» y *anta* significa «fin». De manera que el significado de *vedānta* es «el conocimiento último» y el *Vedānta-sūtra* enseña esto (un *sūtra* es un aforismo: en pocas palabras se da una gran filosofía). El primer aforismo del *Vedānta-sūtra* es *athāto brahma-jijñāsā*: «Ahora, en la forma humana de vida, uno debe inquirir acerca del Brahman, la Verdad Absoluta». De modo que el estudio del *Vedānta-sūtra* comienza cuando uno es inquisitivo acerca de la Verdad Absoluta. Y ¿cuál es esa Verdad Absoluta? Eso se responde en pocas palabras en el segundo aforismo. *Janmādy asya yataḥ (Bhāg.* 1.1.1*)*: «El Brahman es el origen de todo». Por lo tanto, Brahman es Dios, el origen de todo. Y todo *veda* o conocimiento, culmina en Él. Kṛṣṇa confirma esto en el *Bhagavad-gītā* (15.15): *vedaiś ca sarvair aham eva vedyaḥ*. «El propósito de todos los *Vedas*, de todos los libros de conocimiento, es el de conocerme».

Entonces, todo el *Vedānta-sūtra* es una descripción de la Suprema Personalidad de Dios. Pero debido a que en este Kali-yuga la gente no será capaz de estudiar bien el *Vedānta-sūtra* por falta de educación, Śrīla Vyāsadeva escribió personalmente un comentario sobre el *Vedānta-sūtra*. Tal comentario es el *Śrīmad-Bhāgavatam (bhāṣyāṁ brahma-sūtrāṇām)*. El *Śrīmad-Bhāgavatam* es el verdadero comentario al *Vedānta-sūtra*, escrito por el propio autor, Vyāsadeva, bajo la instrucción de Nārada, su maestro espiritual.

El *Śrīmad-Bhāgavatam* comienza con el mismo aforismo que el *Vedānta-sūtra: janmādy asya yataḥ* (*Bhāg.* 1.1.1), y luego continúa, *anvayad itarataś cārtheṣv abhijñaḥ svarāṭ*.

De manera que en el *Śrīmad-Bhāgavatam*, el *Vedānta-sūtra* es explicado por el autor del *Vedānta-sūtra*. Pero algunos sinvergüenzas, sin entender el *Vedānta-sūtra*, sin leer el comentario natural del *Vedānta-sūtra*, se hacen pasar por vedantistas y desorientan a la gente. Y debido a que la gente no está educada, acepta a estos sinvergüenzas como vedantistas. Ellos no saben nada acerca del *vedānta*. El *Vedānta-sūtra* se explica en el *Śrīmad-Bhāgavatam*, y si tomamos el *Śrīmad-Bhāgavatam* como la verdadera explicación del *Vedānta-sūtra*, podremos entender lo que es el *vedānta*. Pero si tomamos refugio en esos fanfarrones, entonces no aprenderemos el *vedānta*. La gente no sabe nada, de ese modo puede ser disuadida y engañada por cualquiera. Pero ahora ellos deben aprender del movimiento para la conciencia de Kṛṣṇa lo que es el *vedānta* y cuál es la explicación del *vedānta*. Entonces se beneficiarán.

Devoto: Generalmente, aquellos que siguen el comentario impersonalista del *Vedānta-sūtra* están interesados en la liberación de las miserias del mundo material. ¿El *Śrīmad-Bhāgavatam* también describe la liberación?

Śrīla Prabhupāda: Sí. Ya que el *Śrīmad-Bhāgavatam* es el verdadero comentario del *Vedānta-sūtra*, en él encontramos este verso que describe la liberación en esta era.

kaler doṣa-nidhe rājann
asti hy eko mahān guṇaḥ
kīrtanād eva kṛṣṇasya
mukta-saṅgaḥ paraṁ vrajet

En esta Kali-yuga, que es un océano de faltas, existe una bendición. ¿Cuál es? Uno puede liberarse simplemente al cantar el *mantra* Hare Kṛṣṇa. Esto es verdadero *vedānta*, y realmente esto está sucediendo.

Devoto: ¿Usted está diciendo que la conclusión del *Vedānta-sūtra* y la conclusión del *Śrīmad-Bhāgavatam* son iguales: *bhakti*?

Śrīla Prabhupāda: Sí.

Devoto: Pero, ¿cómo se liga *bhakti* a la conclusión del conocimiento o la sabiduría védica? Aquí se dice que *bhakti* es el sendero más fácil y apropiado para la comprensión de Dios, pero también se dice que las enseñanzas védicas enfatizan *jñāna* o conocimiento, ¿es así?

Śrīla Prabhupāda: ¿Qué es *jñāna*? El Señor Kṛṣṇa explica esto en el *Bhagavad-gītā* (7.19): *bahūnāṁ janmanām ante jñānavān māṁ prapadyate*. «Después de muchos, muchos nacimientos, aquel que verdaderamente tiene conocimiento se entrega a Mí». De modo que a menos que uno se rinda a Kṛṣṇa, no existe *jñāna*. Todo este *jñāna* impersonalista es un disparate. Los impersonalistas se hacen pasar por *jñānīs*, pero ellos no tienen ningún conocimiento. *Vedānta* significa «el conocimiento último». Por lo tanto, el tema del conocimiento último es Kṛṣṇa, Dios. Si uno no sabe quién es Dios, quién es Kṛṣṇa, entonces ¿dónde está su conocimiento? Pero si un sinvergüenza declara: «Yo soy un hombre de conocimiento», entonces ¿qué se puede hacer?

En el mismo verso que mencionamos, Kṛṣṇa concluye: *vāsudevaḥ sarvam iti sa mahātmā su-durlabhaḥ* (*Bg*. 7.19). «Cuando uno comprende que Vāsudeva, Kṛṣṇa, lo es todo, uno tiene conocimiento». Antes de eso, no existe conocimiento. Es simplemente un malentendido. *Brahmeti paramātmeti bhagavān iti śabdyate (Bhāg*. 1.2.11). Uno puede comenzar descubriendo al Brahman impersonal por el método especulativo, y luego uno puede progresar a la comprensión de Paramātmā, el aspecto localizado del Supremo. Esta es la etapa secundaria de comprensión. Pero el estado final es la comprensión de la Suprema Personalidad de Dios, Kṛṣṇa. De manera que si usted no comprende a Kṛṣṇa, ¿donde está su conocimiento? Conocimiento a medias no es conocimiento. Nosotros queremos conocimiento completo, y tal conocimiento completo es posible debido a la misericordia de Kṛṣṇa, a través del *Bhagavad-gītā*.

Devoto: ¿Puedo formular la siguiente pregunta, Śrīla Prabhupāda? «¿Es esencial tener un *guru* para que uno pueda entrar en el sendero espiritual y alcanzar la meta? Y, ¿cómo reconoce uno a su propio *guru*?

Śrīla Prabhupāda: Sí, es necesario un *guru*. Esto se explica en el *Bhagavad-gītā*. Cuando Kṛṣṇa y Arjuna dialogaban como amigos no hubo conclusión. Por lo tanto Arjuna decidió aceptar a

Kṛṣṇa como su *guru*. (Dirigiéndose a un devoto) Busca este verso: *kārpaṇya-doṣopahata-svabhāvaḥ...*

Devoto (lee):

kārpaṇya-doṣopahata-svabhāvaḥ
pṛcchāmi tvāṁ dharma-sammūḍha-cetāḥ
yac chreyaḥ syān niścitaṁ brūhi tan me
śiṣyas te 'haṁ śādhi māṁ tvāṁ prapannam

«Ahora estoy confundido en cuanto a mi deber, y he perdido toda compostura a causa de una mezquina flaqueza. En esta condición te pido que me digas claramente qué es lo mejor para mí. Ahora soy tu discípulo y un alma entregada a Ti. Por favor, instrúyeme» (*Bg.* 2.7).

Śrīla Prabhupāda: No solo Arjuna, sino todos están perplejos acerca de sus deberes. Nadie puede decidir por sí mismo. Cuando un médico está gravemente enfermo, él no prescribe su propio tratamiento. Él sabe que su cerebro no está funcionando bien, y por eso él llama a otro médico. Análogamente, cuando estamos perplejos, confundidos, cuando no podemos encontrar ninguna solución; en ese momento la persona indicada que uno debe encontrar es un *guru*. Es esencial, usted no puede negarlo.

De modo que en nuestro actual estado de existencia, todos estamos perplejos. En esas circunstancias, se requiere un *guru* para que nos dé la dirección apropiada. Arjuna representa a la persona materialista perpleja que se rinde a un *guru*. Y para sentar el ejemplo, Arjuna decidió tener a Kṛṣṇa como su *guru*. Él no se dirigió a nadie más. Por lo tanto, el verdadero *guru* es Kṛṣṇa. Kṛṣṇa es el *guru* no solo para Arjuna sino para todos. Si aceptamos la instrucción de Kṛṣṇa y nos atenemos a tal instrucción, nuestra vida será exitosa. La misión del movimiento para la conciencia de Kṛṣṇa es que todos acepten a Kṛṣṇa como su *guru*. Esa es nuestra misión. Nosotros no decimos: «Yo soy Kṛṣṇa». Nunca decimos eso. Nosotros simplemente le pedimos a la gente: «Por favor, aténganse a las órdenes de Kṛṣṇa».

Devoto: Algunos de estos supuestos *gurus* dirán algunas de las cosas que dice Kṛṣṇa, pero ellos también darán otras instrucciones. ¿Cuál es la posición de tales personas?

Śrīla Prabhupāda: Ellos son los más peligrosos. Los más peligrosos. Ellos son oportunistas. De acuerdo al cliente, ellos dan alguna enseñanza para que él quede satisfecho. Tal persona no es un *guru*, es un sirviente. Él quiere servir a sus supuestos discípulos para que de ese modo ellos queden satisfechos y le paguen algo. Un verdadero *guru* no es un sirviente de sus discípulos, él es su amo. Si él se vuelve un sirviente, si él quiere satisfacer a sus discípulos halagándolos para sacarles su dinero, entonces no es un *guru*. Un *guru* también debe ser un sirviente, sí, pero un sirviente del Supremo. El significado literal de la palabra *guru* es «pesado», pesado con conocimiento y autoridad, porque su conocimiento y autoridad vienen de Kṛṣṇa. Usted no puede utilizar al *guru* para satisfacer sus caprichos.

Kṛṣṇa dice: *sarva-dharmān parityajya mām ekaṁ śaraṇaṁ vraja (Bg.* 18.66*):* «Abandona todo tipo de religión y solo ríndete a Mí». Y nosotros decimos lo mismo: «Ríndanse a Kṛṣṇa. Abandonen todas las otras ideas del mal llamado *dharma* o religiosidad». Nosotros no decimos: «Yo soy la autoridad». No. Nosotros decimos: «Kṛṣṇa es la autoridad, y usted debe tratar de entender a Kṛṣṇa». Este es el movimiento para la conciencia de Kṛṣṇa.

El controlador invisible

«Incluso las computadoras más complicadas necesitan hombres entrenados para ser operadas. Similarmente, debemos saber que esta gran máquina, la cual se conoce como la manifestación cósmica, es manipulada por un espíritu supremo. Ese es Kṛṣṇa». En un pasaje de su libro La Conciencia de Kṛṣṇa: el regalo inigualable, *Śrīla Prabhupāda ofrece explicaciones fascinantes acerca de cómo Dios crea y controla el universo.*

El propósito de este movimiento Hare Kṛṣṇa es el de llevar al hombre nuevamente a su conciencia original, la cual es conciencia de Kṛṣṇa, conciencia clara. Cuando el agua cae de las nubes, no está contaminada, como el agua destilada; pero apenas toca el suelo, se enturbia. Similarmente, nosotros somos originalmente almas espirituales puras, partes integrales de Kṛṣṇa, por lo tanto nuestra posición constitucional original es tan pura como la de Dios. En el *Bhagavad-gītā* (15.7) Śrī Kṛṣṇa dice:

mamaivaṁśo jīva-loke
jīva-bhūtaḥ sanātanaḥ
manaḥ ṣaṣṭhānīndriyāṇi
prakṛti-sthāni karṣati

«Las entidades vivientes en este mundo condicionado son Mis partes fragmentarias eternas. Debido a la vida condicionada, luchan muy afanosamente con los seis sentidos, entre los cuales se incluye la mente».

De ese modo todas las entidades vivientes son partes integrales de Kṛṣṇa. Siempre debemos recordar que cuando hablamos de Kṛṣṇa, hablamos de Dios, porque el nombre de Kṛṣṇa denota a la todo atrayente Suprema Personalidad de Dios. Así como un fragmento de oro es cualitativamente igual a la mina de oro, en forma similar las diminutas partículas del cuerpo de Kṛṣṇa son, por lo tanto, cualitativamente tan buenas como Kṛṣṇa. La composición química del cuerpo de Dios y del eterno cuerpo espiritual de la entidad viviente es la misma: espiritual.

Por lo tanto, originalmente, en nuestra condición pura, nosotros tuvimos una forma tan buena como la de Dios, pero así como la lluvia cae al suelo, nos pusimos en contacto con este mundo material, el cual está manipulado por la energía externa, o la naturaleza material.

Cuando hablamos de la energía externa o la naturaleza material, pueden formularse las siguientes preguntas: «¿La energía de quién?, ¿la naturaleza de quién?». La energía material o la naturaleza no es independientemente activa. Tal concepto es ridículo. En el *Bhagavad-gītā* se afirma claramente que la naturaleza material no funciona independientemente. Cuando un hombre tonto ve una máquina, él puede pensar que funciona automáticamente pero realmente no es así, existe un conductor, alguien que está controlando, aunque a veces no podamos verlo detrás de la máquina debido a nuestra visión defectuosa. Hay muchos mecanismos electrónicos que funcionan maravillosamente, pero detrás de esos sistemas intrincados hay un científico que opera los controles. Esto es muy simple de entender: ya que una máquina es materia, no puede trabajar por sí sola, sino que debe funcionar bajo una guía espiritual. Un grabador funciona, pero lo hace de acuerdo a los planes y bajo la dirección de una entidad viviente, un ser humano. La máquina es completa, pero a menos que sea manipulada por un alma espiritual, no puede funcionar. Análogamente, debemos comprender que esta manifestación cósmica a la cual llamamos naturaleza es una gran máquina, y que detrás de esta máquina está Dios, Kṛṣṇa. Esto también se afirma en el *Bhagavad-gītā*, donde Kṛṣṇa dice:

mayādhyakṣeṇa prakṛtiḥ
sūyate sa-carācaram
hetunānena kaunteya
jagad viparivartate

«Esta naturaleza material, que es una de Mis energías, funciona bajo Mi dirección, ¡oh, hijo de Kuntī!, y produce a todos los seres móviles e inmóviles. Por orden suya, esta manifestación es creada y aniquilada una y otra vez» (*Bg.* 9.10).

Por lo tanto, Kṛṣṇa dice que la naturaleza material actúa bajo Su dirección. Entonces, detrás de todo, existe un controlador supremo. La civilización moderna no comprende esto debido a la falta de conocimiento. El propósito de esta Asociación para la Conciencia de Krishna es, por lo tanto, iluminar a toda la gente que quedó enloquecida por la influencia de las tres modalidades de la naturaleza material. En otras palabras, nuestra meta es despertar a la humanidad a su condición normal.

Existen muchas universidades, especialmente en los Estados Unidos, y muchos departamentos de conocimiento, pero ellos no tratan estos temas. ¿Dónde está el departamento del conocimiento que encontramos en el *Bhagavad-gītā* dado por Śrī Kṛṣṇa? Cuando yo le hablé a algunos estudiantes y miembros de la facultad en el Instituto de Tecnología de Massachusetts, la primer pregunta que les hice fue: «¿Dónde está el departamento tecnológico que investiga la diferencia entre un hombre muerto y un hombre vivo?». Cuando un hombre muere, algo se pierde. ¿Dónde está la tecnología que reemplaza eso? ¿Por qué los científicos no tratan de resolver este problema? Debido a que es un tema muy difícil lo dejan de lado y se ocupan afanosamente en la tecnología de comer, dormir, aparearse y defenderse. Sin embargo, la literatura védica nos informa que esto es tecnología animal. Los animales también están tratando de comer bien, de tener una vida sexual placentera, de dormir pacíficamente y de defenderse de la mejor manera posible. Entonces, ¿cuál es la diferencia entre el conocimiento del hombre y el conocimiento de los animales? El hecho es que el conocimiento del hombre debe ser desarrollado para investigar la diferencia entre un cuerpo vivo y un cuerpo muerto.

Ese conocimiento espiritual fue impartido por Kṛṣṇa a Arjuna al comienzo del *Bhagavad-gītā*. Siendo un amigo de Kṛṣṇa, Arjuna era un hombre muy inteligente, pero su conocimiento, como el de cualquier hombre, era limitado. Sin embargo, Kṛṣṇa habló sobre temas que estaban más allá del conocimiento limitado de Arjuna. Estos temas se denominan *adhokṣaja* porque nuestra percepción directa, por medio de la cual adquirimos conocimiento, falla al abordarlos. Por ejemplo, tenemos muchos microscopios poderosos para ver lo que no podemos ver con nuestra visión limitada, pero no existe ningún microscopio que pueda mostrarnos el alma dentro del cuerpo. Sin embargo, el alma está ahí.

El *Bhagavad-gītā* nos informa que en este cuerpo existe un propietario: el alma espiritual. Yo soy el propietario de mi cuerpo, y otras almas son los propietarios de sus cuerpos. Yo digo «mi mano», pero no «yo, mano». Ya que es «mi mano», yo soy diferente de la mano, siendo su propietario. Similarmente, nosotros hablamos de «mi ojo», «mi pierna», «mi» esto, «mi» aquello. En medio de todos estos objetos que me pertenecen, ¿dónde estoy yo? La búsqueda de la respuesta a esa pregunta es el proceso de meditación. En la verdadera meditación nos preguntamos: «¿Dónde estoy yo?, ¿qué soy yo?». No podemos encontrar las respuestas a estas preguntas mediante ningún esfuerzo material, y debido a esto todas las universidades dejan de lado estas preguntas. Ellos dicen: «Es un tema muy difícil» o lo descartan: «Es irrelevante».

De esa manera, los ingenieros dirigen su atención a crear, e intentan perfeccionar los carruajes desprovistos de caballos y los pájaros sin alas. Anteriormente los caballos tiraban de los carruajes, y el aire no estaba contaminado, pero ahora existen automóviles y aviones, y los científicos están muy orgullosos. «Nosotros hemos inventado carruajes sin caballos y pájaros sin alas» se jactan. Aunque ellos inventaron alas de imitación para los aviones, no pueden inventar un cuerpo sin alma. Cuando sean capaces de hacer esto merecerán crédito. Pero tal intento será necesariamente frustrado, porque sabemos que no existe ninguna máquina que pueda funcionar sin un alma espiritual detrás de ella. Incluso las computadoras más complicadas necesitan hombres entrenados para operarlas. Análogamente, debemos saber que esta gran máquina conocida como la manifestación cósmica es manipulada por un espíritu supremo. Ese es Kṛṣṇa.

Los científicos están buscando la causa original o el controlador primario de este universo material, y postulan diferentes teorías y propósitos, pero la verdadera forma de obtener conocimiento es muy fácil y perfecta: solo necesitamos escuchar de la persona perfecta, Kṛṣṇa. Al aceptar el conocimiento impartido en el *Bhagavad-gītā,* cualquiera puede saber inmediatamente que esta gran máquina cósmica, de la cual la Tierra es parte, está trabajando tan maravillosamente debido a que hay un controlador detrás de ella, Kṛṣṇa.

Nuestro proceso para obtener conocimiento es muy sencillo. La instrucción de Kṛṣṇa, el *Bhagavad-gītā,* es el principal libro de conocimiento dado por el propio *ādi-puruṣa*, la Suprema Persona Original, la Suprema Personalidad de Dios. Él es verdaderamente la persona perfecta. Puede argüirse que aunque lo hemos aceptado como una persona perfecta, hay muchos otros que no lo han hecho. Pero uno no debe pensar que esta aceptación es caprichosa: Él es aceptado como la persona perfecta de acuerdo a la evidencia de muchas autoridades. Nosotros no aceptamos a Kṛṣṇa como perfecto basándonos simplemente en nuestros caprichos o sentimientos. No, Kṛṣṇa es aceptado como Dios por muchas autoridades védicas como Vyāsadeva, el autor de toda la literatura védica. El tesoro del conocimiento está contenido en los *Vedas*, y su autor, Vyāsadeva, acepta a Kṛṣṇa como la Suprema Personalidad de Dios, y el maestro espiritual de Vyāsadeva, Nārada, también acepta a Kṛṣṇa como tal. El maestro espiritual de Nārada, Brahmā, acepta a Kṛṣṇa no solo como la Persona Suprema sino también como el Controlador Supremo: *īśvaraḥ paramaḥ kṛṣṇaḥ*: «El controlador supremo es Kṛṣṇa».

No hay nadie en toda la creación que pueda decir que no esté controlado. Todos, sin tener en cuenta cuán importantes o poderosos sean, tienen un controlador sobre sus cabezas. Kṛṣṇa, sin embargo, no tiene controlador; por lo tanto Él es Dios. Él es el controlador de todos, no hay nadie superior a Él, no hay nadie que lo controle; no hay nadie igual a Él, ni nadie que comparta Su plataforma de control absoluto. Esto puede que suene muy extraño, porque hay muchos supuestos dioses hoy en día. Verdaderamente, los dioses se han vuelto muy baratos, siendo especialmente importados de India. La gente en otros países es muy afortunada al no tener dioses fabricados localmente, pero en India los dioses son fabricados prácticamente a diario. Nosotros escuchamos a menudo que Dios está llegando a Los Ángeles o a Nueva York y que la gente se reúne para recibirlo, etc. Pero Kṛṣṇa no es el tipo de Dios creado en una fábrica mística. No. Él no fue hecho Dios: Él es Dios.

Debemos saber entonces, basándonos en la autoridad, que detrás de esta gigantesca naturaleza material, la manifestación cósmica, está Dios, Kṛṣṇa, y que Él es aceptado por todas las autoridades védicas. La aceptación de una autoridad no es algo nuevo para nosotros; todos aceptan alguna autoridad, de una manera u otra. Para educarnos aceptamos a un maestro o vamos a una escuela o simplemente aprendemos de nuestro padre y madre. Todos ellos son autoridades, y nuestra naturaleza es aprender de ellos. En nuestra niñez preguntamos: «Padre, ¿qué es esto?» y nuestro padre decía:

«Esto es un bolígrafo», «esto es un par de anteojos» o «esto es una mesa». De esta manera, desde el comienzo de la vida, un niño aprende de su padre y madre. Unos buenos padres nunca mienten cuando su hijo les hace preguntas, ellos le dan la información exacta y correcta. Similarmente, si obtenemos información espiritual de una autoridad, y si la autoridad no es un engañador, entonces nuestro conocimiento es perfecto. Sin embargo, si intentamos llegar a conclusiones por medio de nuestros propios poderes especulativos, estaremos sujetos a cometer errores. El método inductivo, por el cual uno razona acerca de hechos particulares o casos individuales y llega a una conclusión general, nunca es un método perfecto. Debido a que somos limitados y a que nuestra experiencia es limitada, el método inductivo para adquirir conocimiento siempre será imperfecto.

Pero si recibimos información de la fuente perfecta, Kṛṣṇa, y si repetimos tal información, entonces lo que nosotros hablemos también puede ser aceptado como perfecto y autoritativo. Este método de *paramparā*, o sucesión discipular, significa escuchar de Kṛṣṇa, o de autoridades que han aceptado a Kṛṣṇa, y repetir exactamente lo que ellos dijeron. En el *Bhagavad-gītā,* Kṛṣṇa recomienda este método: *evaṁ paramparā-prāptam imaṁ rājarṣayo viduḥ*. «Esta ciencia suprema se recibió así a través de la cadena de sucesión discipular, y los reyes santos la entendieron de ese modo» (*Bg.* 4.2).

Anteriormente, el conocimiento era trasmitido por grandes reyes santos, quienes eran las autoridades. Sin embargo, en eras anteriores estos reyes eran *ṛṣis*, grandes eruditos versados y devotos, y debido a que ellos no eran hombres comunes, el gobierno que encabezaban funcionaba muy bien. En la civilización védica hay muchos casos de reyes que alcanzaron la perfección como devotos de Dios. Por ejemplo, Dhruva Mahārāja fue al bosque en busca de Dios, y por la práctica de severas penitencias y austeridades él encontró a Dios en seis meses.

El proceso para la conciencia de Kṛṣṇa también está basado en austeridad, pero no es muy difícil. Existen restricciones que regulan el comer y la vida sexual (solo se come *prasādam*, alimentos ofrecidos primero a Kṛṣṇa, y las relaciones sexuales están restringidas solo a la vida de casado). Existen otras regulaciones, las que facilitan y nutren la realización espiritual. En la actualidad no es posible imitar a

Dhruva Mahārāja, pero por seguir ciertos principios védicos básicos, podemos avanzar en la conciencia espiritual, la conciencia de Kṛṣṇa. Mientras avanzamos, llegamos a ser perfectos en conocimiento. ¿Qué sentido tiene convertirse en un científico o en un filósofo si no podemos decir cuál será nuestra próxima vida? Un estudiante realizado de la conciencia de Kṛṣṇa puede decir muy fácilmente cuál será su próxima vida, qué es Dios, qué es la entidad viviente, y cuál es su relación con Dios. Su conocimiento es perfecto porque proviene de libros de conocimiento perfectos, tales como el *Bhagavad-gītā* y el *Śrīmad-Bhāgavatam*.

Entonces este es el proceso de la conciencia de Kṛṣṇa. Es muy fácil, cualquiera puede adoptarlo y perfeccionar su vida. Si alguien dice: «Yo no tengo ninguna educación, y no puedo leer libros», aun así no está descualificado. Él aún puede perfeccionar su vida cantando el *mahā-mantra:* Hare Kṛṣṇa, Hare Kṛṣṇa, Kṛṣṇa Kṛṣṇa, Hare Hare/ Hare Rāma, Hare Rāma, Rāma Rāma, Hare Hare. Kṛṣṇa nos ha dado una lengua y dos oídos, y podemos sorprendernos al saber que Kṛṣṇa se comprende a través de los oídos y de la lengua, no a través de los ojos. Por escuchar este mensaje, aprendemos a controlar la lengua, y después que la lengua está controlada siguen los otros sentidos. De todos los sentidos, la lengua es el más voraz y difícil de controlar, pero puede ser controlada simplemente cantando Hare Kṛṣṇa y saboreando *kṛṣṇa-prasādam,* alimentos ofrecidos a Kṛṣṇa.

Nosotros no podemos entender a Kṛṣṇa por medio de la percepción sensorial o por la especulación. No es posible, porque Kṛṣṇa es tan grande que está más allá de nuestra capacidad sensorial. Pero Él puede ser comprendido a través de la rendición. Por lo tanto Kṛṣṇa recomienda este proceso:

sarva-dharmān parityajya
mām ekaṁ śaraṇaṁ vraja
ahaṁ tvāṁ sarva-pāpebhyo
mokṣayiṣyāmi mā śucaḥ

«Abandona todas las variedades de religiosidad y solo ríndete a Mí, yo te protegeré de todas las reacciones pecaminosas. No temas» (*Bg.* 18.66).

Desgraciadamente, nuestra enfermedad es la rebeldía, nos resistimos automáticamente a una autoridad. Sin embargo, aunque decimos que no queremos autoridades, la naturaleza es tan fuerte que nos impone alguna autoridad por la fuerza. Estamos forzados a aceptar la autoridad de la naturaleza. ¿Puede haber algo más patético que un hombre que declara no responder a ninguna autoridad pero que sigue ciegamente a sus sentidos dondequiera que estos lo lleven? Nuestra falsa declaración de independencia es simplemente una tontería. Todos nosotros estamos bajo una autoridad, sin embargo decimos que no queremos autoridades. Esto se denomina *māyā,* o ilusión. Sin embargo, nosotros tenemos cierta independencia; podemos elegir estar bajo la autoridad de nuestros sentidos o bajo la autoridad de Kṛṣṇa. La mejor y suprema autoridad es Kṛṣṇa, porque Él es nuestro eterno bienqueriente, y Él siempre habla para nuestro beneficio. Ya que tenemos que aceptar alguna autoridad, ¿por qué no aceptar la Suya? Simplemente por escuchar sobre Sus glorias en el *Bhagavad-gītā* y en el *Śrīmad-Bhāgavatam*, y por cantar Su nombre, Hare Kṛṣṇa, podemos perfeccionar nuestras vidas rápidamente.

¿Quién es Kṛṣṇa?

Agosto de 1973, Bhaktivedanta Manor, en las afueras de Londres. Varios miles de invitados (incluyendo al alto comisionado hindú) escucharon a Śrīla Prabhupāda exponer acerca de la identidad confidencial de la Suprema Personalidad de Dios, quien se revela en las intemporales Escrituras védicas de la India, no como un hombre viejo de barba blanca, sino como un joven eterno sublimemente atractivo.

Su excelencia, el alto comisionado, damas y caballeros, les agradezco mucho haber venido aquí y participar en esta ceremonia, Janmāṣṭamī, el advenimiento del Señor Kṛṣṇa.

En el *Bhagavad-gītā* (4.9) Kṛṣṇa dice:

janma karma ca me divyam
evaṁ yo vetti tattvataḥ
tyaktvā dehaṁ punar janma
naiti mām eti so 'rjuna

«¡Oh, Arjuna!, aquel que conoce la naturaleza trascendental de Mi aparición y actividades, al abandonar este cuerpo no vuelve a nacer en este mundo material, sino que alcanza Mi morada eterna».

Es un hecho que podemos detener nuestros repetidos nacimientos y muertes, y alcanzar el estado de inmortalidad. Pero la civilización moderna —nuestros grandes filósofos, grandes políticos y grandes científicos— no tienen idea de que es posible alcanzar el estado de *amṛtatvam*, inmortalidad. Todos nosotros somos *amṛta*, imperecederos, inmortales. En el *Bhagavad-gītā* (2.20) se dice: *na jāyate mriyate vā kadācit*: Nosotros, las entidades vivientes, nunca morimos y nunca nacemos. *Ajo nityaḥ śāśvato 'yaṁ purāṇo na hanyate hanyamāne śarīre*. Cada uno de nosotros somos primordiales y eternos, sin comienzo y sin final. Y después de la aniquilación de este cuerpo, no morimos. Pero cuando este cuerpo se termine, tendremos que aceptar otro cuerpo:

dehino 'smin yathā dehe
kaumāraṁ yauvanaṁ jarā
tathā dehāntara-prāptir
dhīras tatra na muhyati

«Así como en este cuerpo el alma corporificada pasa continuamente de la niñez a la juventud y luego a la vejez, similarmente el alma pasa a otro cuerpo en el momento de la muerte. Una persona sensata no se confunde por tal cambio» (*Bg.* 2.13).

En el momento actual, en todo el mundo, a la gente le falta conocimiento acerca de este simple hecho: que todos nosotros, las entidades vivientes, somos partes integrales del Señor Kṛṣṇa y como Kṛṣṇa, nosotros somos eternos, somos bienaventurados y somos conscientes. A Kṛṣṇa se le describe en la literatura védica de la siguiente manera:

īsvaraḥ paramaḥ kṛṣṇaḥ
sac-cid-ānanda-vigrahaḥ
anādir ādir govindaḥ
sarva-kāraṇa-kāraṇam

«Kṛṣṇa, a quien se le conoce como Govinda, es la Suprema Personalidad de Dios. Él tiene un cuerpo eterno, bienaventurado y espiritual. Él es el origen de todo, pero Él no tiene origen, porque Él es la causa primaria de todas las causas» (*Brahma-saṁhitā* 5.1).

Cuando yo digo Kṛṣṇa eso significa «Dios». A veces se dice «Dios no tiene nombre». Esto es un hecho. Pero el nombre de Dios le es dado por sus actividades. Por ejemplo, Kṛṣṇa aceptó ser el hijo de Mahārāja Nanda y Yaśodāmāyī, y también de Vasudeva y Devakī. Por supuesto, nadie es en realidad el padre o la madre de Kṛṣṇa, porque Kṛṣṇa es el padre original de todos. Pero cuando Kṛṣṇa viene aquí, cuando Él adviene, acepta a ciertos devotos exaltados como Su padre y Su madre.

Sin embargo, Kṛṣṇa es *ādi-puruṣam*, la persona original. Entonces, ¿es muy viejo Kṛṣṇa? No. *Nava-yauvanaṁ ca*: Siempre un joven lozano. Ese es Kṛṣṇa. Cuando Kṛṣṇa estuvo en el campo de batalla de Kurukṣetra, Él tenía el aspecto de un muchacho de veinte años, o a lo sumo, de veinticuatro años. Pero en ese momento tenía bisnietos.

Así que Kṛṣṇa siempre es un joven. Estas son las afirmaciones de la literatura védica.

Pero si simplemente leemos la literatura védica de una manera formal, será muy difícil entender lo que es Kṛṣṇa, aunque todos los *Vedas* tienen como propósito que comprendamos a Kṛṣṇa. En el *Bhagavad-gītā* (15.15) Kṛṣṇa dice: *vedaiś ca sarvair aham eva vedyaḥ*: «A través de todos los *Vedas* Yo he de ser conocido». ¿Qué sentido tiene estudiar los *Vedas* si usted no comprende a Kṛṣṇa? La última meta de la educación es comprender al Señor Supremo, el padre supremo, la causa suprema. Como se dice en el *Vedānta-sūtra*: *athāto brahma-jijñāsā:* «Ahora, en la forma humana de vida, hay que indagar acerca de la Suprema Verdad Absoluta, el Brahman».

Y, ¿qué es ese Brahman? *Janmādy asya yataḥ* (*Bhāg.* 1.1.1). Brahman es de quien todo emana. De manera que ciencia y filosofía significa descubrir la causa original de todo. Y esto lo estamos obteniendo de la literatura védica, que Kṛṣṇa es *sarva-kāraṇa-kāraṇam*, la causa de todas las causas.

Solo traten de comprender. Por ejemplo, yo fui originado por mi padre; mi padre fue originado por su padre; él fue originado por su padre, quien a su vez fue originado por su padre... De esta manera, si usted continúa investigando, al final, llegará a quien es la causa sin causa. *Anādir ādir govindaḥ*: La causa de todas las causas es Govinda, Kṛṣṇa. Yo puedo ser la causa de mi hijo, pero al mismo tiempo yo soy el resultado de otra causa (mi padre). Pero la literatura védica dice que Kṛṣṇa es la persona original, Él no tiene causa. Ese es Kṛṣṇa.

Por lo tanto, Kṛṣṇa dice: «Solo trata de aprender acerca de la naturaleza trascendental de Mi aparición y actividades». La aparición de Kṛṣṇa, esto es algo muy importante. Nosotros debemos tratar de entender a Kṛṣṇa, por qué Él aparece, por qué Él desciende a este mundo material, cuál es Su propósito, cuáles son Sus actividades. Si simplemente tratamos de entender a Kṛṣṇa entonces, ¿cuál será el resultado? El resultado será: *tyaktvā dehaṁ punar janma naiti mām eti so 'rjuna (Bg.* 4.9*):* alcanzaremos la inmortalidad.

La meta de la vida es *amṛtatvāya kalpate*, alcanzar la inmortalidad. De modo que hoy, el día de la aparición de Kṛṣṇa, trataremos de entender la filosofía de Kṛṣṇa.

Su excelencia estaba hablando de paz. La fórmula de la paz es hablada por Kṛṣṇa aquí en el *Bhagavad-gītā*. ¿Cuál es?

bhoktāraṁ yajña-tapasāṁ
sarva-loka-maheśvaram
suhṛdaṁ sarva-bhūtānāṁ
jñātvā māṁ śāntim ṛcchati

«Una persona que tiene plena conciencia de Mí, que Me conoce como el beneficiario último de todos los sacrificios y austeridades, como el Señor Supremo de todos los planetas y semidioses, y como el benefactor y bienqueriente de todas las entidades vivientes, se libra de los tormentos de los sufrimientos materiales y encuentra la paz» (*Bg.* 5.29).

Los políticos y diplomáticos están tratando de establecer la paz en el mundo. Tenemos a las Naciones Unidas y a muchas otras organizaciones. Ellas están trabajando para establecer una paz y tranquilidad verdaderas, para eliminar malos entendidos entre los hombres y entre las naciones. Pero esto no sucede. El error está en la raíz. Todos piensan: «Es mi país», «es mi familia», «es mi sociedad», «es mi propiedad». Este «mi» es ilusión. En la literatura védica se dice: *janasya moho 'yam ahaṁ mameti (Bhāg.* 5.5.8*)*. Esta filosofía de «yo y lo mío» es *māyā*, ilusión.

Por eso, si usted quiere salir de esta *māyā*, de esta ilusión, entonces tiene que aceptar la fórmula de Kṛṣṇa. *Mām eva ye prapadyante māyām etāṁ taranti te* (*Bg.* 7.14): Quienquiera que se rinda a Kṛṣṇa puede cruzar fácilmente toda la ilusión. Todo está ahí en el *Bhagavad-gītā*, para nuestra guía. Si nosotros aceptamos la filosofía del *Bhagavad-gītā* —tal como es— allí encontraremos todo. La paz está ahí, la prosperidad está ahí.

Por desdicha, nosotros no la aceptamos, o la malinterpretamos. Esa es nuestra mala fortuna. En el *Bhagavad-gītā* (9.34) Kṛṣṇa dice: *man-manā bhava mad-bhakto mad-yājī māṁ namaskuru*. «Siempre piensa en Mí, vuélvete Mi devoto, adórame y ofréceme reverencias». ¿Es algo difícil? Aquí está la Deidad de Kṛṣṇa. ¿Pensar en esa Deidad es algo difícil? Usted viene al templo y, tal como haría un devoto, ofrece sus respetos a la Deidad. Tanto como le sea posible trate de adorar a la Deidad.

Kṛṣṇa no quiere sus bienes. Kṛṣṇa está dispuesto a ser adorado por un hombre pobre. ¿Qué es lo que Él pide? Él dice *patraṁ puṣpaṁ phalaṁ toyaṁ yo me bhaktyā prayacchati*: «Si una persona Me ofrece con devoción una hoja, una fruta, o un poco de agua, Yo lo aceptaré» (*Bg*. 9.26). Kṛṣṇa no está hambriento, sino que Kṛṣṇa quiere que usted se vuelva un devoto. Este es el punto principal. *Yo me bhaktyā prayacchati*: «Ofréceme algo con devoción». Este es el principio fundamental. Ofrezca a Kṛṣṇa alguna cosa pequeña. Kṛṣṇa no está hambriento; Kṛṣṇa está proveyéndoles alimentos a todos. Kṛṣṇa quiere su amor, su devoción. Por lo tanto, Él pide un poco de agua, una fruta o una flor. De esta manera: *man-manā bhava mad-bhakta*: Usted puede pensar en Kṛṣṇa y volverse Su devoto.

No hay dificultad en entender a Kṛṣṇa y aceptar la conciencia de Kṛṣṇa. Pero no lo haremos, esa es nuestra enfermedad. Fuera de eso, no es difícil en absoluto. Y tan pronto como nos volvemos devotos de Kṛṣṇa, comprendemos la situación universal completa. Nuestra filosofía *bhāgavata*, nuestra filosofía consciente de Dios, también es una clase de comunismo espiritual, porque consideramos a Kṛṣṇa como el padre supremo, y a todas las entidades vivientes como hijos de Kṛṣṇa.

Y Kṛṣṇa dice: *sarva-loka-maheśvaram (Bg*. 5.29*)*. Él es el propietario de todos los planetas. Por lo tanto todo lo que existe, ya sea en cielo, en el agua o sobre la tierra, todo es propiedad de Kṛṣṇa. Y debido a que todos nosotros somos hijos de Kṛṣṇa, todos tenemos derecho a usar la propiedad de nuestro padre. Pero no debemos abusar de otros. Esta es la fórmula de la paz. *Īśāvāsyam idaṁ sarvam... mā gṛdhaḥ kasyasvid dhanam*: «Todo pertenece a Dios, y ya que ustedes son los hijos de Dios, tienen el derecho de usar la propiedad de Su padre. Pero no tomen más de lo que necesitan. Esto es punible» (*Īśopaniṣad* 1). Si alguien toma más de lo que necesita, entonces es un ladrón. *Yajñārthāt karmaṇo 'nyatra loko 'yaṁ karma-bandhanaḥ* (*Bg*. 3.9): Cualquier cosa que hagamos debemos hacerla para la satisfacción de Kṛṣṇa. Nosotros debemos actuar para Kṛṣṇa, debemos hacer todo para Kṛṣṇa.

Eso es lo que estamos enseñando aquí. En este templo todos vivimos felices —americanos, hindúes, ingleses, canadienses, africanos— gente de diferentes partes del mundo. Ustedes saben eso. No solo en este templo, sino dondequiera que la gente sea consciente de Kṛṣṇa, alrededor del mundo. Kṛṣṇa aparece para enseñar esta lección.

Cuando olvidamos esta filosofía —que Kṛṣṇa es el padre supremo, que Kṛṣṇa es el propietario supremo, que Kṛṣṇa es el disfrutador supremo y que Kṛṣṇa es el amigo supremo de todos— cuando olvidamos esto, entonces venimos a este mundo material y luchamos por la existencia, luchamos uno contra el otro. Eso es vida material.

Tampoco podemos obtener ningún alivio a través de nuestros políticos, diplomáticos y filósofos. Ellos han tratado por todos los medios, pero realmente nada de lo que intentaron fue fructífero. Tomemos por ejemplo las Naciones Unidas. Fueron organizadas después de la Segunda Guerra Mundial, y la propuesta de ellas fue: «Ahora nosotros haremos que todo esté en paz». Pero nada de eso ocurre. La lucha continúa, entre India y Paquistán, entre Vietnam y Estados Unidos, o entre este y aquel. Política, diplomacia y filosofía mundanas, esto no es el proceso. El proceso es la conciencia de Kṛṣṇa. Todos tienen que entender este punto, que no somos los propietarios. El verdadero propietario es Kṛṣṇa. Eso es un hecho. Tomemos por ejemplo los Estados Unidos. Doscientos años atrás, los inmigrantes europeos no eran los propietarios. Algún otro era el propietario, y antes que eso otro era el propietario, o era una tierra vacía. Pero el verdadero propietario es Kṛṣṇa. Artificialmente estamos diciendo: «Es mi propiedad». Esto se denomina *māyā,* ilusión. De manera que Kṛṣṇa aparece para darnos esta lección. Kṛṣṇa dice: *yadā yadā hi dharmasya glānir bhavati bhārata (Bg.* 4.7*):* «Mi querido Arjuna, Yo aparezco cuando hay discrepancias en el proceso de la vida religiosa».

Y, ¿qué es verdadero *dharma*, verdadera vida religiosa? La simple definición de *dharma es dharmaṁ tu sākṣād bhagavat-praṇītam* (*Bhāg.* 6.3.19): «Verdadera vida religiosa es la que enuncia directamente la Suprema Personalidad de Dios». Por ejemplo, ¿A qué se refiere usted cuando dice «ley civil»? Ley civil significa la palabra dada por el Estado. Usted no puede hacer una ley civil en su casa. Eso no es posible. Cualquier cosa que el gobierno le indique «usted debe actuar así» eso es una ley. Similarmente, *dharma*, vida religiosa, significa la directriz dada por Dios. Esto es *dharma*. Definición simple. Si usted crea algún *dharma* o yo creo algún *dharma*, u otro hombre crea otro *dharma*, ninguno de ellos es *dharma*.

Por lo tanto, Kṛṣṇa finaliza el *Bhagavad-gītā* diciendo *sarva-dharmān parityajya mam ekaṁ śaraṇaṁ vraja* (*Bg.* 18.66): «Abandona tus ideas inventadas acerca del *dharma* y ríndete a Mí». Esto es *dharma*: rendirse a Kṛṣṇa. Cualquier otro *dharma* no es *dharma*. De otro modo, ¿por qué Kṛṣṇa pide *sarva-dharmān parityajya*, abandonar todo? Él ya ha dicho: «En cada era Yo desciendo para establecer los principios de la religión». Y al final Él dice que debemos abandonar todos los supuestos principios religiosos que hemos inventado. Todos estos principios hechos por el hombre no son realmente principios religiosos. Verdadero *dharma*, verdadera vida religiosa, significa aquello que es indicado por Dios. Pero no tenemos ningún entendimiento de lo que es Dios y cuál es Su palabra. Este es el defecto de la civilización moderna.

Pero la orden está ahí. Dios está ahí, simplemente no queremos aceptarlo. De modo que ¿dónde está la posibilidad de paz? Todo está ahí, preparado. Pero no lo aceptamos. Entonces ¿cuál es el remedio para nuestra enfermedad? Nosotros estamos en busca de paz, pero no aceptamos lo que realmente nos traerá la paz. Esta es nuestra enfermedad. Por lo tanto, este movimiento para la conciencia de Kṛṣṇa está tratando de revivir la conciencia de Kṛṣṇa dormida en el corazón de todos. Tan solo consideren esto: hace cuatro o cinco años atrás estos europeos y americanos no habían escuchado nada acerca de Kṛṣṇa; entonces ¿cómo es que ellos ahora están aceptando la conciencia de Kṛṣṇa tan seriamente? La conciencia de Kṛṣṇa ya está ahí en el corazón de todos. Simplemente tiene que ser revivida. Y este proceso de despertar es descrito en el *Caitanya-caritāmṛta* (*Madhya* 22.107):

nitya siddha kṛṣṇa-prema 'sādhya' kabhu naya
śravaṇādi-śuddha-citte karaye udaya

El amor por Kṛṣṇa, la devoción por Kṛṣṇa, está en el corazón de todos, pero lo hemos olvidado. Por eso este movimiento para la conciencia de Kṛṣṇa está destinado simplemente a revivir ese amor dormido, dándoles a todos la oportunidad de escuchar acerca de Kṛṣṇa. Este es el proceso.

Por ejemplo, cuando usted duerme yo tengo que llamarlo en voz alta: «¡Sr. Fulano! ¡Sr. Fulano! ¡Levántese!, tiene que atender este asunto». Ningún otro sentido trabajará cuando usted duerme. Pero el oído sí. Por lo tanto, en esta era, en la cual la gente es tan caída y no escucha nada, si cantamos este *mahā-mantra* Hare Kṛṣṇa haremos que ellos despierten a la conciencia de Kṛṣṇa. Esto es práctico. De manera que si estamos realmente ansiosos por la paz y la tranquilidad de la sociedad, entonces debemos ser muy serios acerca de comprender a Kṛṣṇa. Ese es mi pedido. No tomen el movimiento para la conciencia de Kṛṣṇa superficialmente.

Este movimiento puede resolver todos los problemas de la vida, todos los problemas del mundo. Sociales, políticos, filosóficos, religiosos, económicos; todos pueden ser resueltos por medio de la conciencia de Kṛṣṇa. Por lo tanto, les pedimos a aquellos que son líderes —como a Su Excelencia, quien está presente aquí— que traten de entender este movimiento para la conciencia de Kṛṣṇa. Es muy científico y autorizado. No es una imposición mental o un movimiento sentimental. Es un movimiento de lo más científico. De modo que estamos invitando a todos los líderes de todos los países a que traten de comprender. Si usted es serio, si usted realmente es sensato, usted comprenderá que este movimiento para la conciencia de Kṛṣṇa es el movimiento más sublime para beneficiar a toda la sociedad humana.

Cualquiera puede venir, estamos preparados para hablar sobre este tema. La última meta de la vida humana es alcanzar la inmortalidad. *Tyaktvā dehaṁ punar janma naiti (Bg.* 4.9*).* Esa es nuestra misión, pero hemos olvidado esto. Simplemente estamos llevando una vida de perros y gatos, sin ningún conocimiento de que podemos alcanzar tal perfección en la vida donde no habrá más nacimiento ni más muerte. Nosotros ni siquiera comprendemos que existe la posibilidad de *amṛtatvam*, la inmortalidad. Pero es totalmente posible. Nadie quiere morir. Nadie quiere envejecer. Nadie quiere enfermarse. Esa es nuestra inclinación natural. ¿Por qué? Porque originalmente, en nuestra forma original, no existe nacimiento, ni muerte, ni vejez, ni enfermedades. De manera que luego de movernos a través del proceso evolutivo, a través de los peces, las plantas, los árboles, los pájaros, cuando finalmente llegamos a este cuerpo de forma humana, es cuando debemos saber cuál es la meta de la vida. La meta de la vida es *amṛtatvam*, volverse inmortal.

Usted puede volverse inmortal simplemente al volverse consciente de Kṛṣṇa. Kṛṣṇa dice eso. Es un hecho. Nosotros simplemente tenemos que comprender. *Janma karma ca me divyam evaṁ yo vetti tattvataḥ* (*Bg.* 4.9). Si usted trata de entender a Kṛṣṇa seriamente, entonces *tyaktvā dehaṁ punar janma naiti*: Después de abandonar este cuerpo, usted no aceptará más cuerpos materiales. Y apenas usted no acepte más cuerpos materiales, usted se vuelve inmortal. El asunto es que por naturaleza somos inmortales. Y Kṛṣṇa viene aquí para enseñarnos esta lección:

mamaivāṁśo jīva-loke
jīva-bhūtaḥ sanātanaḥ
manaḥ ṣaṣṭānīndriyāṇi
prakṛti-sthāni karṣati

«Tú eres inmortal por naturaleza. Como alma espiritual, tú eres parte integral de Mí. Yo soy inmortal, y por eso tú también eres inmortal. Innecesariamente estás tratando de ser feliz en este mundo material» (*Bg.* 15.7).

Usted ya ha tratado una y otra vez de encontrar la felicidad en la vida sensorial, a través de muchos cuerpos: como gato, como perro, como semidiós, como árbol, como planta, como insecto. Ahora que usted tiene un cuerpo humano, con una inteligencia superior, no se deje cautivar por la vida sensual. Trate de entender a Kṛṣṇa. Ese es el veredicto de la literatura védica. *Nāyaṁ deho deha-bhājāṁ nṛloke kaṣṭān kāmān arhate viḍ-bhujāṁ ye* (*Bhāg.* 5.5.1): Trabajar muy duramente como perros y cerdos para la gratificación de los sentidos no es la aspiración apropiada para la vida humana; la vida humana está destinada para un poco de austeridad. *Tapo divyaṁ putrakā yena sattvaṁ śuddhyet*: Nosotros tenemos que purificar nuestra existencia; esa es la misión de la vida humana. ¿Por qué debemos purificar nuestra existencia? *Brahma-saukhyaṁ tv anantam*: Porque así obtendremos realización espiritual y placer y felicidad ilimitados e interminables. Eso es verdadero placer, verdadera felicidad.

ramante yogino 'nante
satyānanda-cid-ātmani

iti rāma-padenāsau
paraṁ brahmābhidhīyate
(*Cc. Madhya* 9.29)

«Los místicos obtienen ilimitados placeres trascendentales de la Verdad Absoluta, y por lo tanto la Suprema Verdad Absoluta, la Personalidad de Dios, también es conocida como Rāma» (*Padma Purāṇa*).

Todas las grandes personalidades santas de la India han cultivado muy bien y en forma completa este conocimiento espiritual. Anteriormente, la gente acostumbraba ir a la India para averiguar acerca de la vida espiritual. Inclusive Jesucristo fue allá. Sin embargo, no tomamos ventaja de ello. No es que estas normas y Escrituras están destinadas solo para los hindúes o para los *brāhmaṇas*. No. Ellas están dirigidas a todos, porque Kṛṣṇa declara: *ahaṁ bīja-pradaḥ pitā* (*Bg.* 14.4): «Yo soy el padre de todos». Por lo tanto, Él está muy ansioso de que nos volvamos pacíficos y felices. Así como un padre común quiere ver que su hijo esté bien situado y feliz, del mismo modo Kṛṣṇa quiere ver a cada uno de nosotros bien situado y feliz. Por lo tanto Él aparece en diferentes ocasiones. Este es el propósito de la aparición de Kṛṣṇa.

Muchas gracias.

El artista supremo

En febrero de 1973, Śrīla Prabhupāda fue invitado a hablar en una galería de arte en Auckland, Nueva Zelandia. Allí, él convidó a su audiencia a contemplar las obras del artista supremo, el Señor Kṛṣṇa. «La rosa es creada por medio de las energías del Señor Supremo, pero esas energías son tan sutiles y tan artísticas que pueden hacer que una hermosa flor florezca de la noche a la mañana. De modo que Kṛṣṇa es el mayor artista».

Damas y caballeros, les agradezco mucho el que hayan venido y que nos estén dando una oportunidad para hablar acerca del artista supremo. Los *Vedas* describen cuán gran artista es Kṛṣṇa: *na tasya kāryaṁ karaṇaṁ ca vidyate na tat samaś cābhyadhikaś ca dṛśyate*. De nadie se puede decir que sea más grande que la Suprema Personalidad de Dios o igual a Él, y aunque Él es el mayor artista, Él no tiene que hacer nada personalmente.

En este mundo cada uno de nosotros conoce a alguien inferior, a alguien igual y a alguien superior que uno mismo. Esa es nuestra experiencia. Por más grande que usted sea, encontrará a alguien igual y a alguien superior a usted. Pero en lo que respecta a la Suprema Personalidad de Dios, los grandes sabios han concluido por investigación y experimentos que nadie es igual ni superior a Él.

Dios es tan grande que Él no tiene nada que hacer, no tiene deberes que ejecutar *(na tasya kāryaṁ kāraṇaṁ ca vidyate)*. ¿Por qué? *Parāsya śaktir vividhaiva śrūyate* (*Cc. Madhya* 16.65, significado): Sus energías son múltiples y ellas actúan automáticamente, de acuerdo a Su deseo *(svābhāvikī jñāna-bala-kriyā ca)*. Suponga que usted es un artista. Para pintar el cuadro de una rosa muy linda tiene que tomar su pincel, mezclar los colores en la paleta y esforzar su cerebro para lograr un lindo cuadro. Pero en un jardín usted puede ver no solo una rosa sino muchos miles de rosas floreciendo. Ellas han sido «pintadas» artísticamente por la naturaleza.

Pero debemos profundizar en el tema. ¿Qué es la naturaleza? La naturaleza es un instrumento de trabajo, eso es todo, una energía. Sin que actúe una energía, ¿cómo es que la rosa puede florecer tan bellamente a partir del capullo? Debe haber alguna energía actuando, y tal energía es la energía de Kṛṣṇa. Pero ella actúa tan sutil y rápidamente que no podemos comprender cómo lo hace.

Las energías materiales parecen estar actuando automáticamente, pero realmente existe un cerebro detrás de ellas. Cuando usted pinta un cuadro, todos pueden ver que usted está trabajando. Similarmente, el «pintar» a la rosa verdadera también se lleva a cabo mediante diversas energías. No piensen que la rosa ha sido creada automáticamente. No. Nada es creado automáticamente. La rosa es creada por las energías del Señor Supremo, pero esas energías son tan sutiles y artísticas que pueden hacer que una bella flor florezca de la noche a la mañana.

Por eso Kṛṣṇa es el artista más grande. Hoy en día, en la era electrónica, un científico solo aprieta un botón y su máquina funciona perfectamente. O un piloto de avión simplemente aprieta un botón y una gran máquina similar a una pequeña ciudad vuela por el cielo. De manera que si es posible para los hombres comunes de este mundo trabajar tan maravillosamente accionando apenas algunos botones, cuánto más hábilmente debe actuar Dios. Cuánto más fértil debe ser Su cerebro que el de los artistas o el de los científicos comunes. Simplemente por Su deseo «¡Hágase la creación!» todo se manifiesta inmediatamente. Por lo tanto, Kṛṣṇa es el artista más grande.

No existe límite para la habilidad artística de Kṛṣṇa, porque Kṛṣṇa es la semilla de toda la creación *(bījaṁ māṁ sarva-bhūtānām [Bg. 7.10])*. Todos ustedes han visto un árbol baniano. Crece a partir de una pequeña semilla. Esta pequeña semilla tiene tanta potencia que si se la planta en un lugar fértil y se la riega, un día se convertirá en un gran árbol baniano. Ahora bien, ¿cuáles son las potencias, cuáles son los arreglos artísticos y científicos dentro de esta pequeña semilla que permiten que se convierta en un gran árbol baniano? Y además en ese árbol baniano hay muchos miles de frutas, y dentro de cada fruta hay miles de semillas, y cada semilla contiene la potencia de otro árbol. De modo que, ¿dónde está el artista que puede crear de esa manera? ¿Dónde está el artista dentro de este mundo material que puede crear una obra de arte tan agradable como un árbol baniano? Estas preguntas deben hacerse.

El primer aforismo del *Vedānta-sūtra* es *athāto brahma-jijñāsā*: «En la forma de vida humana uno debe inquirir acerca de la Verdad Absoluta». De manera que uno debe estudiar cuidadosamente estas preguntas. Usted no puede fabricar una máquina que crezca automáticamente hasta llegar a ser un gran árbol baniano. ¿No cree usted que debe haber un gran cerebro artístico, un gran cerebro científico detrás de la naturaleza? Si usted simplemente dice: «La naturaleza actúa», esa no es una explicación suficiente.

El segundo aforismo del *Vedānta-sūtra* es *janmādy asya yataḥ* (*Bhāg*.1.1.1): «La verdad Absoluta es aquello de donde todo emana». Nosotros tenemos que expandir nuestra visión desde las cosas más pequeñas a las cosas grandes. Ahora nos sorprendemos cuando vemos una pequeña nave espacial volando por el cielo. Ella vuela hacia la Luna, nosotros les damos todo el crédito a los científicos y los científicos nos desafían: «¿Qué es Dios? La ciencia lo es todo».

Pero si usted es inteligente comparará la nave espacial a los millones y trillones de planetas y estrellas. Solo en este pequeño planeta Tierra existen tantos océanos, tantas montañas, tantos rascacielos. Pero si usted se aleja de este planeta unos pocos millones de kilómetros, lo verá como una pequeña mancha en el cielo. Y existen millones de planetas flotando en el cielo como copos de algodón. Por eso, si le damos mucho crédito a los científicos quienes han manufacturado una nave espacial, cuánto más crédito debemos darle a la persona que ha manufacturado esta creación universal. Esto es conciencia de Kṛṣṇa: apreciar al artista supremo, al científico más grande de todos.

Nosotros podemos apreciar a muchos artistas, pero si no apreciamos al artista supremo, Kṛṣṇa, nuestra vida estará perdida. Encontramos esta apreciación en el *Brahma-saṁhitā*, las oraciones del Señor Brahmā, el creador del universo. Apreciando a Govinda, Kṛṣṇa, él canta,

yasya prabhā prabhavato jagad-aṇḍa-koṭi-
koṭiṣv aśeṣa-vasudhādi-vibhūti-bhinnam
tad brahma niṣkalam anantam aśeṣa-bhūtaṁ
govindam ādi-puruṣaṁ tam aham bhajāmi
(*Bs*. 5.40)

Ahora estamos tratando de comprender el sistema planetario mediante nuestro método científico. Pero no hemos sido capaces de terminar de estudiar ni siquiera el planeta más cercano, la Luna, qué decir de millones y billones de otros planetas. Pero del *Brahma-saṁhitā* obtenemos este conocimiento: *yasya prabhā prabhavato jagad-aṇḍa-koṭi-koṭiṣu*. De la deslumbrante refulgencia que emana del cuerpo de Kṛṣṇa son creados innumerables universos. Nosotros no podemos estudiar ni siquiera un universo, pero del *Brahma-saṁhitā* obtenemos la información de que hay innumerables universos y de que en cada uno y en todos ellos existen innumerables planetas *(jagad-aṇḍa-koṭi-koṭiṣu, jagad-aṇḍa* significa «universos» y *koṭi-koṭiṣu* significa «en innumerables»). De modo que existen innumerables universos con innumerables soles, innumerables lunas e innumerables planetas.

Todo esto es posible debido a la refulgencia del cuerpo de Kṛṣṇa, la cual se denomina *brahma-jyotir*. Los *jñānīs*, aquellos que tratan de alcanzar la Verdad Absoluta a través de la especulación mental, por medio de su pequeño poder cerebral, pueden a lo sumo alcanzar este *brahmajyoti*. Pero ese *brahma-jyotir* es solo la luz del cuerpo de Kṛṣṇa. La mejor analogía es la de la luz del sol. La luz del sol proviene del globo solar. El Sol está localizado y la refulgencia del sol, la luz solar, se distribuye por todo el universo. Del mismo modo que la Luna refleja la luz del sol, el Sol también refleja el *brahma-jyotir*. Y el *brahma-jyotir* es la refulgencia corporal de Kṛṣṇa.

De manera que el mayor arte es comprender a Kṛṣṇa. Ese es el arte mayor. Si realmente queremos ser artistas, debemos tratar de comprender o tratar de estar íntimamente asociados con el artista más grande de todos, Kṛṣṇa. Con este propósito hemos establecido la Asociación Internacional para la Conciencia de Krishna. Los miembros de esta asociación están entrenados para ver la muestra del sentido artístico de Kṛṣṇa en todo. Eso es conciencia de Kṛṣṇa: ver la mano artística de Kṛṣṇa en todas partes.

En el *Bhagavad-gītā* (10.8) Kṛṣṇa dice *ahaṁ sarvasya prabhavo mattaḥ sarvaṁ pravartate*: «Cualquier cosa que veas es una emanación de Mí. Todo es creado a partir de Mi energía». Uno debe entender este hecho, que Kṛṣṇa es el origen de todo. El Señor Brahmā confirma esto en su *Brahma-saṁhitā* (5.1): *īśvaraḥ paramaḥ kṛṣṇaḥ*: «Kṛṣṇa es el controlador supremo». Aquí en este mundo material tenemos experiencia de muchos controladores. Cada uno de nosotros es un controlador. Usted es un controlador, yo soy un controlador. Pero por encima de usted existe otro controlador, y por encima de ese hay otro controlador, y así sucesivamente. Usted puede continuar buscando un controlador tras otro, y cuando usted llega al controlador supremo —aquel que no está controlado por nadie sino que controla a todos los demás— ese es Kṛṣṇa. Esta es nuestra definición de Dios, el controlador supremo.

Hoy en día se ha vuelto una cosa barata el ver a muchos «dioses». Pero usted puede poner a prueba a cualquiera para ver si él es Dios. Si él está controlado por alguien más, él no es Dios. Solo si él es el controlador supremo usted debe aceptarlo como Dios. Esta es la manera simple de probar a Dios.

Ahora bien, otra cualidad de Dios es que Él es pleno de placer *(ānandamayo 'bhyāsāt [Vedānta-sūtra* 1.1.12*])*. Por naturaleza, la Suprema Persona Absoluta es *ānandamaya*, pleno de placer. Suponga que usted es un artista. Usted se ocupa en trabajo artístico solo para obtener algo de placer. Al pintar un cuadro usted disfruta de algún *rasa*, una relación placentera. De otro modo, ¿por qué trabajaría tan arduamente? Debe haber algún placer al pintar.

Por eso Kṛṣṇa es *raso vai saḥ*, la fuente de todas las relaciones placenteras. Él es *sac-cid-ānanda-vigrahaḥ (Bs.* 5.1*)*, eterno, pleno de conocimiento y de placer (*ānanda* significa «placer»). Su potencia de placer es Śrīmatī Rādhārāṇī. Ustedes han visto cuadros de Rādhā y Kṛṣṇa. De modo que Rādhārāṇī es la manifestación de la potencia de placer de Kṛṣṇa. Como yo he explicado, Kṛṣṇa tiene innumerables energías, y una de ellas es Su potencia de placer, Rādhārāṇī.

Por eso quienes han desarrollado amor por Dios están disfrutando de un placer trascendental a cada momento al ver el trabajo artístico de Kṛṣṇa en todas partes. Esa es la posición de un devoto. Por lo tanto, les pedimos a todos que se vuelvan devotos, que se vuelvan conscientes de Kṛṣṇa, para ver el trabajo artístico de Kṛṣṇa en todas partes.

Ver a Kṛṣṇa en todas partes no es difícil. Por ejemplo, supónganse que usted está sediento y que bebe un poco de agua. Cuando usted bebe siente mucho placer y Kṛṣṇa es la fuente de todo placer *(raso vai saḥ)*. Por lo tanto, ese placer que usted siente al beber agua, eso es Kṛṣṇa. Kṛṣṇa afirma en el *Bhagavad-gītā* (7.8): *raso 'ham apsu kaunteya*: «Yo soy el sabor del agua». Para una persona común, que no puede apreciar a Kṛṣṇa completamente, Kṛṣṇa le da la instrucción de que Él es el sabor del agua que apaga su sed. Si usted simplemente trata de entender que este sabor es Kṛṣṇa, o Dios, usted se volverá consciente de Dios.

De manera que no es muy difícil volverse consciente de Kṛṣṇa. Simplemente se requiere un poco de entrenamiento. Y si usted lee el *Bhagavad-gītā tal como es* —entendiéndolo de la manera que el propio Kṛṣṇa lo expone, sin ninguna falsa interpretación— se volverá consciente de Kṛṣṇa. Y si usted se vuelve consciente de Kṛṣṇa su vida será exitosa. Usted retornará a Kṛṣṇa *(tyaktvā dehaṁ punar janma naiti mām eti [Bg. 4.9])*.

No hay ninguna pérdida al volverse consciente de Kṛṣṇa, sino que la ganancia es grandiosa. Por lo tanto, les pedimos a todos ustedes que traten de volverse conscientes de Kṛṣṇa. Lean el *Bhagavad-gītā tal como es*; encontrarán toda la información que necesitan para volverse conscientes de Kṛṣṇa. O si ustedes no quieren leer el *Bhagavad-gītā*, por favor canten Hare Kṛṣṇa, Hare Kṛṣṇa, Kṛṣṇa Kṛṣṇa, Hare Hare/ Hare Rāma, Hare Rāma, Rāma Rāma, Hare Hare. Ustedes se volverán conscientes de Kṛṣṇa de todas maneras.

Muchas gracias.

El amor absoluto

«Todos están frustrados: esposos, esposas, muchachos, muchachas. En todas partes existe frustración, debido a que nuestra tendencia de amar no se utiliza apropiadamente». En esta conferencia dada en Seattle, Washington, en octubre de 1968, Śrīla Prabhupāda revela cómo podemos lograr completa satisfacción al dirigir nuestro amor hacia la persona suprema.

oṁ ajñāna-timirāndhasya
jñānāñjana-śalākayā
cakṣur unmīlitaṁ yena
tasmai śrī-gurave namaḥ

«Ofrezco respetuosas reverencias a mi maestro espiritual, quien abrió mis ojos con la antorcha del conocimiento, los cuales estaban cegados por la oscuridad de la ignorancia».

En este mundo material todos nacen en la ignorancia u oscuridad. Realmente, la naturaleza de este mundo material es la de ser oscuro. Puede que esté iluminado por la luz del Sol, la luz de la Luna, por el fuego o la luz eléctrica; pero su naturaleza es oscura. Este es un hecho científico. De modo que todos los que nacen en este mundo material (desde Brahmā, la personalidad más exaltada del planeta más elevado de este universo, hasta la hormiga) nacen en la oscuridad de la ignorancia.

Ahora bien, el precepto védico dice *tamasi mā jyotir gamaḥ*: «No permanezca en la oscuridad, expóngase a la luz». Para esto se requiere de un maestro espiritual. El deber del maestro espiritual es el de abrir los ojos de la persona que está en la oscuridad con la antorcha del conocimiento. Uno debe ofrecer sus respetuosas reverencias a tal maestro espiritual.

No debe mantenerse a la gente en la oscuridad, ellos deben ser expuestos a la luz. Por lo tanto, en toda sociedad humana existe algún tipo de institución religiosa. ¿Cuál es el propósito del hinduismo, del islamismo, del cristianismo o del budismo? El propósito es el de llevar a la gente hacia la luz. Este es el propósito de la religión.

Y, ¿qué es esa luz? Esa luz es la Suprema Personalidad de Dios. El *Śrīmad-Bhāgavatam* afirma: *dharmaṁ tu sākṣād bhagavat-praṇītam*: «Los códigos de la religión son enunciados directamente por la Suprema Personalidad de Dios». En todo país existen leyes que usted debe seguir. El presidente del país dicta algunas leyes, y si usted es un buen ciudadano, obedece esas leyes y vive pacíficamente. Estas leyes pueden ser diferentes de acuerdo al tiempo, a las circunstancias o a la gente. Puede que las leyes de India no concuerden en un ciento por ciento con las de los Estados Unidos, pero en cada país existen leyes que usted debe obedecer. Uno tiene que atenerse a las leyes, de otro modo uno es considerado lo más bajo en la sociedad, un delincuente, y está sujeto a castigo. Este es el principio general.

Similarmente, religión significa obedecer las leyes de Dios. Eso es todo. Y si un ser humano no obedece las leyes de Dios, él no es mejor que un animal. Todas las Escrituras y todos los principios religiosos están destinados a elevar al hombre desde la plataforma animal a la plataforma humana. Por lo tanto, una persona sin principios religiosos, sin conciencia de Dios, no es mejor que un animal. Ese es el veredicto de la literatura védica.

āhāra-nidrā-bhaya-maithunaṁ ca
sāmānyam etat paśubhir narāṇām
dharmo hi teṣām adhiko viśeṣo
dharmeṇa hīnāḥ paśubhiḥ samānāḥ

Comer, dormir, aparearse y defenderse, estos cuatro principios son comunes tanto a los seres humanos como a los animales. La distinción entre vida humana y vida animal es que el hombre puede buscar a Dios, mientras que un animal no. Esa es la diferencia. Por lo tanto, un hombre sin tal inquietud por la búsqueda de Dios no es mejor que un animal.

Desafortunadamente en la actualidad, en todo país y en toda sociedad la gente está tratando de olvidar a Dios. Alguna gente dice públicamente que Dios no existe, otros dicen que si Dios existe Él está muerto y así por el estilo. Ellos han construido semejante supuesta civilización con muchos rascacielos, pero se olvidan de que todo su avance depende de Dios, Kṛṣṇa. La presente es una condición muy precaria para la sociedad humana.

Hay una historia muy linda que describe lo que le sucede a una sociedad que se olvida de la Suprema Personalidad de Dios.

– Una vez una rata estaba siendo molestada por un gato. Entonces la rata fue a ver a una persona santa que poseía poderes místicos y le dijo: «Mi querido señor, tengo muchos problemas».
– «¿Cuál es la dificultad?»
– La rata dijo: «Un gato me persigue siempre, por eso no consigo paz en la mente».
– «Entonces, ¿qué es lo que quieres?»
– «Por favor, conviérteme en gato».
– «Muy bien, vuélvete un gato».
– Después de algunos días, el gato se aproximó a la persona santa y le dijo: «Mi querido señor, otra vez estoy en problemas».
– «¿Cuál es el problema?».
– «Los perros me persiguen».
– «Entonces, ¿qué es lo que quieres?».
– «Conviérteme en perro».
– «Está bien, vuélvete un perro».
– Después de algunos días el perro volvió y le dijo: «Señor, otra vez estoy en problemas».
– «¿Cuál es el problema?».
– «Los zorros me persiguen».
– «Entonces, ¿qué es lo que quieres?».
– «Conviérteme en zorro».
– «Está bien, vuélvete un zorro».
– Luego el zorro volvió y dijo: «¡Oh, los tigres me persiguen!».
– «Entonces, ¿qué es lo que quieres?».
– «Quiero convertirme en tigre».
– «Está bien, vuélvete un tigre».

– De inmediato, el tigre comenzó a mirar fijamente a la persona santa y le dijo: «Te comeré».
– «Oh, ¿tú me comerás? ¡Yo te he convertido en un tigre, y tú quieres comerme!».
– «Sí, yo soy un tigre, y ahora te comeré».
– Entonces la personalidad santa lo maldijo: «¡Vuélvete una rata otra vez!».
– Y el tigre se volvió una rata.

De manera que nuestra civilización humana es así. Hace unos días estaba leyendo el World Almanac. Ahí se dice que dentro de los próximos cien años la gente vivirá bajo tierra como ratas. El avance científico ha creado la bomba atómica para matar hombres, y cuando se la utilice, la gente tendrá que vivir bajo tierra y volverse como ratas. De tigre a rata. Esto sucederá; es la ley de la naturaleza.

Si ustedes desafían las leyes de su país, serán puestos en dificultades. De igual modo, si ustedes continúan desafiando la autoridad del Señor Supremo, ustedes sufrirán. Se volverán ratas otra vez. Apenas exploten las bombas atómicas, toda la civilización sobre la superficie del globo estará terminada. Puede que a usted no le guste pensar acerca de estas cosas, puede que usted las considere muy desagradables, pero estos son los hechos.

Satyaṁ gṛhyāt priyaṁ gṛhyān mā priyāḥ satyam apriyam. Como formalidad social, si usted quiere decir la verdad, debe hacerlo en forma muy agradable. Pero nuestra finalidad no son las convenciones sociales. Nosotros somos predicadores, sirvientes de Dios, y debemos decir la pura verdad, ya sea que usted guste de ella o no.

Una civilización atea no puede ser feliz. Eso es un hecho. Por eso nosotros hemos comenzado este movimiento para la conciencia de Kṛṣṇa con el fin de despertar a esta civilización atea. Tan solo traten de amar a Dios, este es nuestro simple pedido. Usted tiene amor dentro de sí, usted quiere amar a alguien. Un hombre joven trata de amar a una muchacha joven, una muchacha joven trata de amar a un muchacho joven. Esto es natural, porque la tendencia a amar está dentro de todos. Pero nosotros hemos creado circunstancias en las cuales nuestro amor está frustrándose. Todos están frustrados: esposos, esposas, muchachos, muchachas. En todas partes existe frustración, porque nuestra tendencia a amar no está siendo utilizada apropiadamente. ¿Por qué? Porque nos hemos olvidado de amar a la Persona Suprema. Esta es nuestra enfermedad.

Por lo tanto, el propósito de la religión es el de entrenar a la gente a amar a Dios. Ese es el propósito de toda religión. Ya sea que su religión sea el cristianismo, el hinduismo o el islamismo, el propósito de su religión es el de entrenarlo para amar a Dios, porque esa es su posición constitucional.

En el *Śrīmad-Bhāgavatam* (1.2.6) se dice: *sa vai puṁsāṁ paro dharmo yato bhaktir adhokṣaje*. Ahora bien, en los diccionarios de inglés la palabra *dharma* generalmente se traduce como «religión», una clase de fe, pero el verdadero significado de la palabra *dharma* es «la característica esencial». Por ejemplo, el *dharma* del azúcar, o su característica esencial, es su dulzura. Si a usted le dan algún polvillo blanco y encuentra que no es dulce, usted dirá inmediatamente: «Oh, esto no es azúcar; es otra cosa». De manera que la dulzura es el *dharma* del azúcar. Similarmente, el sabor salado es el *dharma* de la sal, y ser picante es el *dharma* de la pimienta.

Ahora bien, ¿cuál es su característica esencial? Usted es una entidad viviente, y usted tiene que comprender su característica esencial. Esa característica es su *dharma* o religión; no la religión cristiana o la religión hindú, esta religión o aquella religión. Su característica esencial eterna, eso es su religión.

Y, ¿cuál es esa característica? Su característica esencial es que usted quiere amar a alguien, y por lo tanto usted quiere servirlo. Esa es su característica esencial. Usted ama a su familia, ama a su sociedad, a su comunidad y ama a su país. Y debido a que usted los ama quiere servirlos. Esta tendencia a ocuparse en servicio amoroso es su característica esencial, su *dharma*. En caso de que usted sea cristiano, musulmán o hindú, esta característica se mantendrá. Suponga que hoy usted es cristiano; mañana puede volverse hindú, pero su modalidad de servicio, ese espíritu amoroso, permanecerá con usted. Por lo tanto, la tendencia a amar y servir a otros es su *dharma* o su religión. Esta es la forma universal de religión.

Ahora usted tiene que aplicar su servicio amoroso de tal manera que quede completamente satisfecho. Debido a que ese espíritu amoroso está ahora mal dirigido, usted no es feliz. Está frustrado y confundido. El *Śrīmad-Bhāgavatam* nos explica cómo aplicar perfectamente nuestro espíritu de devoción amorosa.

sa vai puṁsāṁ paro dharmo
yato bhaktir adhokṣaje
ahaituky apratihatā
yayātmā suprasīdati
(*Bhāg.* 1.2.6)

Religión de primera clase es aquella que lo entrena a uno a amar a Dios. Mediante esta religión usted quedará completamente satisfecho.

Si usted desarrolla su amor por Dios al máximo, se convertirá en una persona perfecta. Usted sentirá la perfección dentro de sí mismo. Usted está anhelando satisfacción, completa satisfacción, pero tal satisfacción completa puede obtenerse solo cuando usted ama a Dios. Amar a Dios es la función natural de toda entidad viviente. No importa si usted es cristiano, hindú o musulmán. Solo trate de desarrollar su amor por Dios. Entonces su religión será muy buena. De otro modo será simplemente una pérdida de tiempo (*śrama eva hi kevalam [Bhāg.* 1.2.8*]*). Si después de ejecutar rituales en un tipo particular de religión durante toda su vida, usted no consigue amor por Dios, entonces simplemente perdió su tiempo.

El movimiento para la conciencia de Kṛṣṇa es el movimiento de posgrado de todas las clases de religión. Nosotros invitamos a todos los cristianos, musulmanes e hindúes —a todos— a que por favor se asocien con nosotros y traten de amar a Dios. El método es muy simple: solo canten Sus santos nombres Hare Kṛṣṇa, Hare Kṛṣṇa, Kṛṣṇa Kṛṣṇa, Hare Hare/ Hare Rāma, Hare Rāma, Rāma Rāma, Hare Hare.

Todos mis estudiantes son americanos, y ellos provienen tanto de familias cristianas como de familias judías. Ninguno de ellos provino de familias hindúes. De modo que el proceso que yo les he dado, el proceso de cantar el *mantra* Hare Kṛṣṇa, es universal. No pertenece a la religión hindú o a los hindúes.

La palabra sánscrita *mantra* es una combinación de dos sílabas, *man* y *tra*. *Man* significa «mente» y *tra* significa «liberación». Por lo tanto un *mantra* es lo que lo libera a uno de la invención mental, de revolotear en el plano mental. Por eso si usted canta este *mantra* Hare

Kṛṣṇa, Hare Kṛṣṇa, Kṛṣṇa Kṛṣṇa, Hare Hare/ Hare Rāma, Hare Rāma, Rāma Rāma, Hare Hare, muy pronto encontrará que está saliendo de la oscuridad hacia la luz.

Yo no quiero quitarles más tiempo, sino simplemente quiero destacarles la importancia de cantar Hare Kṛṣṇa. Inténtenlo; canten Hare Kṛṣṇa por una semana y vean cuánto progreso espiritual hacen. No cobramos nada, por lo tanto no hay pérdida alguna. Existe un gran beneficio, eso está garantizado. Por lo tanto por favor canten Hare Kṛṣṇa, Hare Kṛṣṇa, Kṛṣṇa Kṛṣṇa, Hare Hare/ Hare Rāma, Hare Rāma, Rāma Rāma, Hare Hare.

Muchas gracias.

Entrando al mundo espiritual

«Todo en el mundo espiritual es sustancial y original. Este mundo material es solamente una imitación... Es tan solo como una película cinematográfica, en la cual solo vemos la sombra de lo real». En esta conferencia dada en octubre de 1966 en la ciudad de Nueva York, Śrīla Prabhupāda da un sorprendente vislumbre de la naturaleza del mundo espiritual y algunas instrucciones positivas acerca de cómo alcanzarlo al final del peligroso viaje de la vida.

paras tasmāt tu bhāvo 'nyo
'vyakto 'vyaktāt sanātanaḥ
yaḥ sa sarveṣu bhūteṣu
naśyatsu na vinaśyati

«Pero existe otra naturaleza no manifiesta, que es eterna y trascendental a esta materia manifiesta y no manifiesta. Esa naturaleza es suprema y nunca es aniquilada. Cuando todo en este mundo es aniquilado, esa parte permanece tal como es» (*Bg.* 8.20).

Nosotros no podemos calcular ni siquiera el largo y ancho de este universo, y existen millones y millones de universos como este dentro del cielo material. Y por encima de este cielo material existe otro cielo, al cual se le denomina cielo espiritual. En ese cielo todos los planetas son eternos, y la vida también es eterna. Nosotros no podemos saber acerca de esas cosas mediante nuestros cálculos materiales, por eso debemos tomar esta información del *Bhagavad-gītā*.

Esta manifestación material es solo una cuarta parte de la manifestación total, tanto espiritual como material. En otras palabras, tres cuartas partes de la manifestación total está más allá del cielo material cubierto. La cobertura material tiene millones y millones de kilómetros de grosor, y solo después de atravesarla a uno le es permitido entrar al despejado cielo espiritual. Aquí Kṛṣṇa usa las palabras *bhāvaḥ anyaḥ*, que significan: «otra naturaleza». Dicho de otra manera, existe otra naturaleza, la naturaleza espiritual, más allá de la naturaleza material que normalmente percibimos.

Pero incluso en el presente experimentamos tanto la naturaleza espiritual como la material. ¿Cómo es eso? Eso se debe a que nosotros mismos somos una combinación de materia y espíritu. Nosotros somos espíritu, y solo mientras estemos dentro del cuerpo material este se podrá mover. Apenas estemos fuera del cuerpo, el mismo no será mejor que una piedra. De manera que, ya que todos podemos percibir personalmente la existencia tanto del espíritu como de la materia, debemos saber además que también existe un mundo espiritual.

En el séptimo capítulo del *Bhagavad-gītā,* Kṛṣṇa explica las naturalezas espiritual y material. La naturaleza espiritual es superior, y la naturaleza material es inferior. En este mundo material las naturalezas material y espiritual están mezcladas, pero si nos dirigimos más allá de toda esta naturaleza material, si vamos al mundo espiritual, solo encontraremos la naturaleza espiritual, superior. Esta es la información que obtenemos del octavo capítulo.

No es posible entender estas cosas mediante el conocimiento experimental. Los científicos pueden ver millones y millones de estrellas con sus telescopios, pero no pueden alcanzarlas. Sus medios son insuficientes. Qué decir de otros planetas, ellos ni siquiera pueden alcanzar el planeta Luna, que es el más próximo. Por lo tanto, debemos tratar de realizar cuán incapaces somos de comprender a Dios y al reino de Dios mediante el conocimiento experimental. Y ya que no es posible comprenderlo de esta manera, es una tontería intentarlo. En vez de eso, debemos comprender a Dios escuchando el *Bhagavad-gītā.* No existe otra manera. Nadie puede comprender quién es su padre mediante el conocimiento experimental. Uno simplemente tiene que confiar en su madre cuando dice: «Este es tu padre». Similarmente, uno tiene que creer en el *Bhagavad-gītā*; de ese modo uno puede obtener toda la información.

Sin embargo, ya que no existe la posibilidad de conocimiento experimental acerca de Dios, si uno es avanzado en la conciencia de Kṛṣṇa, podrá percibir a Dios directamente. Por ejemplo, a través de la percepción yo estoy firmemente convencido de todo lo que estoy diciendo aquí acerca de Kṛṣṇa. Yo no hablo ciegamente. Del mismo modo, cualquiera puede percibir a Dios. *Svayam eva sphuraty adaḥ*: El conocimiento directo de Dios le será revelado a quien siga el proceso de la conciencia de Kṛṣṇa. Tal persona realmente entenderá: «Sí, existe un reino espiritual, donde reside Dios, y yo tengo que ir ahí. Yo debo prepararme para ir ahí». Antes de ir a otro país, uno puede escuchar mucho acerca de él, pero cuando de hecho va allí, comprende todo directamente. Similarmente, si uno toma este proceso de la conciencia de Kṛṣṇa, un día comprenderá a Dios y al reino de Dios directamente, y todo el problema de su vida estará resuelto.

Aquí Kṛṣṇa utiliza la palabra *sanātanaḥ* para describir ese reino espiritual. La naturaleza material tiene un comienzo y un final, pero la naturaleza espiritual no tiene principio ni fin. ¿Cómo es eso? Podemos comprenderlo mediante un simple ejemplo: A veces, cuando nieva, vemos que todo el cielo está cubierto por una nube. Pero realmente esa nube cubre solo una parte insignificante de todo el cielo. Sin embargo, debido a nuestro diminuto tamaño, cuando una nube cubre unos pocos cientos de kilómetros de cielo, este nos parece estar completamente cubierto. Similarmente, esta manifestación cósmica total (que se denomina *mahat-tattva*) es como una nube que cubre una porción insignificante del cielo espiritual. Y así como cuando la nube desaparece somos capaces de ver el cielo soleado y brillante, cuando nos liberamos de esta cobertura material podemos ver el cielo espiritual original.

Además, así como una nube tiene un comienzo y un final, la naturaleza material también tiene un comienzo y un final, y nuestro cuerpo material también tiene un comienzo y un final. Nuestro cuerpo existe simplemente por algún tiempo. Nace, crece, permanece por algún tiempo, da algunos subproductos, se deteriora y luego desaparece. Estas son las seis transformaciones del cuerpo. De modo similar, toda manifestación material pasa por esas seis transformaciones. Por lo tanto, este mundo material finalmente desaparecerá por completo.

Pero Kṛṣṇa nos asegura: *paras tasmāt tu bhāvo 'nyo 'vyakto 'vyaktāt sanātanaḥ [Bg. 8.20]*: «Más allá de esta nubosa naturaleza material perecedera, existe otra naturaleza superior, la cual es eterna. No tiene comienzo ni fin». Luego Él dice: *yaḥ sa sarveṣu bhūteṣu naśyatsu na vinaśyati*: «Cuando esta manifestación material sea aniquilada, la naturaleza superior permanecerá». Cuando la nubosa manifestación material es aniquilada, el cielo espiritual permanece. A esto se lo denomina *avyakto 'vyaktāt*.

Existen muchos volúmenes de literatura védica que contienen información acerca del cielo material y del cielo espiritual. En el segundo canto del *Śrīmad-Bhāgavatam* encontramos una descripción del cielo espiritual: cuál es su naturaleza, qué clase de gente vive allí, cuáles son sus características, todo. Es más, nosotros obtenemos información de que en el cielo espiritual existen aeroplanos espirituales. Ahí todas las entidades vivientes están liberadas, y cuando vuelan en sus aeroplanos lucen tan hermosas como relámpagos.

Por lo tanto, todo en el mundo espiritual es sustancial y original. Este mundo material es solo una imitación. Cualquier cosa que veamos en este mundo material es una imitación, una sombra. Es exactamente como una película cinematográfica, en la cual solo vemos la sombra de lo real.

En el *Śrīmad-Bhāgavatam* (1.1.1) se dice: *yatra tri-sargo 'mṛṣā*: «Este mundo material es ilusorio». Todos hemos visto el hermoso maniquí de una joven en la vidriera de algún comercio. Todo hombre cuerdo sabe que es una imitación. Pero las supuestas bellezas de este mundo material son como la «muchacha» hermosa de la vidriera del comercio. Por cierto, cualquier cosa que veamos aquí en este mundo material es simplemente una imitación de la verdadera belleza en el mundo espiritual. Según dice Śrīdhara Svāmī: *yat satyatayā mithyā sargo 'pi satyavat pratīyate:* «El mundo espiritual es real, y la falsa manifestación material, solo parece real». Algo es real solo si existe eternamente. La realidad no puede aniquilarse. Similarmente, el placer verdadero debe ser eterno. Ya que el placer material es temporal, no es verdadero, y aquellos que buscan verdadero placer no toman parte en esta sombra de placer. Ellos procuran el placer eterno y verdadero de la conciencia de Kṛṣṇa.

Aquí Kṛṣṇa dice: *yaḥ sa sarveṣu bhūteṣu naśyatsu na vinaśyati*: «Cuando todo en el mundo material sea aniquilado, esa naturaleza espiritual permanecerá eternamente». La meta de la vida humana es alcanzar ese cielo espiritual. Pero la gente no conoce la realidad del cielo espiritual. El *Bhāgavatam* dice: *na te viduḥ svārtha-gatiṁ hi viṣṇum (Bhāg. 7.5.31)*: «La gente no sabe cuál es su propio interés. Ellos no saben que la vida humana tiene como propósito comprender la realidad espiritual y prepararse para ser transferidos a esa realidad; no está destinada para permanecer aquí en el mundo material».

Toda la literatura védica nos instruye de este modo. *Tamasi mā jyotir gamaḥ*: «No permanezcan en la oscuridad, diríjanse hacia la luz». Este mundo material es oscuridad. Nosotros lo iluminamos artificialmente con luces eléctricas, fuego y tantas otras cosas, pero es oscuro por naturaleza. El mundo espiritual, sin embargo, no es oscuro, es completamente luminoso. Así como en el planeta Sol no existe la posibilidad de oscuridad, del mismo modo en la naturaleza espiritual no existe la posibilidad de oscuridad, porque ahí cada planeta es luminoso por sí mismo.

En el *Bhagavad-gītā* se dice claramente que el destino supremo desde el cual no existe retorno es la morada de Kṛṣṇa, la persona suprema. El *Brahma-saṁhitā* describe esta morada suprema como *ānanda-cinmaya-rasa*, un lugar donde todo es pleno de bienaventuranza espiritual. Toda y cualquier variedad que se manifieste ahí tiene la cualidad de bienaventuranza espiritual, nada allí es material. Esa variedad espiritual es la expansión espiritual del mismo Dios Supremo, porque allí la manifestación consta enteramente de energía espiritual.

Aunque el Señor siempre está en Su morada Suprema, Él sin embargo es omnipresente mediante Su energía material. De modo que por medio de Sus energías espirituales y materiales Él está presente en todas partes, tanto en los universos materiales como en los espirituales. En el *Bhagavad-gītā* las palabras *yasyāntaḥ-sthāni bhūtāni* indican que todo es mantenido por Él, tanto la energía espiritual como la material. En el *Bhagavad-gītā* se dice claramente que solo mediante *bhakti,* o servicio devocional, uno puede entrar en los sistemas planetarios Vaikuṇṭha (espirituales). En todos los Vaikuṇṭhas hay un solo Dios Supremo, Kṛṣṇa, quien se expandió a Sí mismo en millones y millones de partes plenarias. Estas expansiones plenarias tienen cuatro brazos, y ellas rigen innumerables planetas espirituales. A ellas se las conoce por diversos nombres: Puruṣottama, Trivikrama, Keśava, Mādhava, Aniruddha, Hṛṣīkeśa, Saṅkarṣaṇa, Pradyumna, Śrīdhara, Vāsudeva, Dāmodara, Janārdana, Nārāyaṇa, Vāmana, Padmanābha, etc. Estas expansiones plenarias son como las hojas de un árbol, en el cual Kṛṣṇa sería como el tronco principal. Kṛṣṇa reside en Goloka Vṛndāvana, Su morada suprema; desde allí Él dirige perfecta y sistemáticamente todos los asuntos de ambos universos (materiales y espirituales) mediante el poder de Su omnipresencia.

Ahora bien, si estamos realmente interesados en alcanzar la morada suprema de Kṛṣṇa, entonces debemos practicar *bhakti-yoga*. La palabra *bhakti* significa «servicio devocional», o en otras palabras, sumisión al Señor Supremo. Kṛṣṇa dice claramente: *puruṣaḥ sa paraḥ pārtha bhaktyā labhyas tv ananyayā*. Las palabras *tv ananyayā* aquí significan «sin ninguna otra ocupación». De manera que, para alcanzar la morada espiritual del Señor, debemos ocuparnos en servicio devocional puro a Kṛṣṇa.

Una definición de *bhakti* se da en un libro autoritativo, el *Nārada-pañcarātra*:

sarvopādhi-vinirmuktaṁ
tat-paratvena nirmalam
hṛṣīkena hṛṣīkeśa-
sevanaṁ bhaktir ucyate

«*Bhakti*, o servicio devocional, significa ocupar todos nuestros sentidos al servicio del Señor, la Suprema Personalidad de Dios, quien es el amo de todos los sentidos. Cuando el alma espiritual rinde servicio al Supremo, hay dos efectos colaterales. Primero, ella se libera de todas las designaciones materiales, y segundo, sus sentidos se purifican simplemente al estar ocupados en el servicio del Señor» (*Cc. Madhya* 19.170).

Ahora estamos sobrecargados con muchas designaciones corporales: «hindú», «americano», «africano», «europeo»; todas estas son designaciones corporales. Nuestros cuerpos no son lo que somos. Sin embargo nos identificamos con estas designaciones. Supóngase que alguien haya recibido un título universitario y que se identifica a sí mismo como licenciado o como doctor. Él no es ese título, sino que él se ha identificado con tal designación. De modo que *bhakti* significa liberarse de esas designaciones *(sarvopādhi-vinirmuktaṁ [Cc. Madhya* 19.170*]). Upādhi* significa «designación». Si alguien obtiene el título «Señor», él se pone muy contento: «¡Oh, yo tengo el título de "Señor"!». Él se olvida de que ese título es tan solo su designación que existirá solamente mientras tenga su cuerpo. Pero el cuerpo es algo que seguro va a desaparecer, junto con todas sus designaciones. Cuando uno obtiene otro cuerpo, obtiene otras designaciones. Supóngase que en la vida actual uno es norteamericano. El próximo cuerpo que uno obtenga puede ser chino. Por lo tanto, ya que siempre estamos cambiando nuestras designaciones corporales, debemos dejar de identificarnos con ellas. Cuando uno está determinado a liberarse de todas esas designaciones ridículas, entonces puede alcanzar *bhakti*.

En el verso anterior del *Nārada-pañcarātra*, la palabra *nirmalam* significa «completamente puro». ¿Qué es esa pureza? Uno debe estar convencido: «Yo soy espíritu *(ahaṁ brahmāsmī)*. Yo no soy este cuerpo material, el cual es simplemente mi cobertura. Yo soy un eterno sirviente de Kṛṣṇa; esa es mi identidad real». El que está liberado de las falsas designaciones y está fijo en su verdadera posición constitucional siempre rinde servicio a Kṛṣṇa con sus sentidos *(hṛṣīkena hṛṣīkeśa-sevanaṁ bhaktir ucyate [Cc. Madhya* 19.170*])*. La palabra *hṛṣīka* significa «los sentidos». Ahora nuestros sentidos tienen designaciones, pero cuando nuestros sentidos estén libres de las designaciones, y cuando con tal libertad y con tal pureza sirvamos a Kṛṣṇa eso será servicio devocional.

Śrīla Rūpa Gosvāmī explica el servicio devocional puro en este verso del *Bhakti-rasāmṛta-sindhu* (1.1.11):

anyābhilāṣitā-śūnyaṁ
jñāna-karmādy-anāvṛtam
ānukūlyena kṛṣṇānu-
śīlanaṁ bhaktir uttamā

«Cuando se desarrolla el servicio devocional de primera clase, uno debe estar desprovisto de todo deseo material, del conocimiento contaminado por la filosofía monista y de la acción fruitiva. Un devoto puro debe siempre servir a Kṛṣṇa favorablemente, según Kṛṣṇa lo desee». Tenemos que servir a Kṛṣṇa de manera favorable, no desfavorablemente. También debemos librarnos de los deseos materiales *(anyābhilāṣitā-śūnyaṁ)*. Generalmente uno quiere servir a Dios con algún propósito material. Por supuesto, eso también es bueno. Si alguien se dirige a Dios en busca de algún beneficio material, él es mucho mejor que la persona que nunca se dirige a Dios. Esto se admite en el *Bhagavad-gītā* (7.16):

catur-vidhā bhajante māṁ
janāḥ sukṛtino 'rjuna
ārto jijñāsur arthārthī
jñānī ca bharatarṣabha

«¡Oh, tú, el mejor de los Bhāratas (Arjuna)! Cuatro clases de hombres piadosos comienzan a prestarme servicio devocional: el afligido, el que desea riquezas, el indagador y aquel que busca conocimiento del Absoluto». Pero es mejor que no nos dirijamos a Dios con algún deseo de beneficio material. Debemos librarnos de esta impureza *(anyābhilāṣitā-śunyaṁ [Bhakti-rasāmṛta-sindhu* 1.1.11*])*.

Rūpa Gosvāmī utiliza las siguientes palabras para describir *bhakti* puro: *jñāna-karmādy-anāvṛtam*. La palabra *jñāna* se refiere al esfuerzo para entender a Kṛṣṇa mediante la especulación mental. Por supuesto, nosotros debemos tratar de comprender a Kṛṣṇa, pero siempre debemos recordar que Él es ilimitado y que nunca podremos comprenderlo completamente. Para nosotros no es posible. Por lo tanto, debemos aceptar lo que nos presentan las Escrituras reveladas. El *Bhagavad-gītā* por ejemplo, es presentado por Kṛṣṇa para nuestra comprensión. Debemos tratar de comprenderlo (a Él) simplemente escuchando de libros tales como el *Bhagavad-gītā* y el *Śrīmad-Bhāgavatam*. La palabra *karma* significa «trabajo con algún resultado fruitivo». Si queremos practicar *bhakti* puro, debemos trabajar en conciencia de Kṛṣṇa desinteresadamente, no solo para obtener algún beneficio.

Luego Śrila Rūpa Gosvāmī dice que *bhakti* puro debe ser *ānukūlyena*, o favorable. Debemos cultivar la conciencia de Kṛṣṇa favorablemente. Nosotros debemos descubrir qué es lo que satisfará a Kṛṣṇa y debemos hacerlo. ¿Cómo podemos saber qué es lo que satisfará a Kṛṣṇa? Escuchando el *Bhagavad-gītā* y aceptando la interpretación correcta de la persona correcta. Entonces sabremos lo que Kṛṣṇa quiere y podremos actuar de acuerdo a ello. En ese momento seremos elevados al servicio devocional de primera clase.

Por lo tanto, *bhakti-yoga* es una gran ciencia, y existe gran cantidad de literatura para ayudarnos a comprenderla. Debemos utilizar nuestro tiempo para comprender esta ciencia y así prepararnos para recibir el beneficio supremo a la hora de la muerte, para alcanzar los planetas espirituales, donde reside la Suprema Personalidad de Dios.

Existen millones de planetas y estrellas dentro de este universo, sin embargo, todo este universo es solo una pequeña partícula dentro de la creación total. Existen muchos universos como el nuestro y, como se mencionó anteriormente, el cielo espiritual es tres veces más grande que la creación material completa. En otras palabras, tres cuartas partes de la manifestación total está en el cielo espiritual.

Nosotros recibimos información del *Bhagavad-gītā* que en cada planeta espiritual del cielo espiritual hay una expansión de Kṛṣṇa. Todas ellas son *puruṣa* o personas; no son impersonales. En el *Bhagavad-gītā* Kṛṣṇa dice: *puruṣaḥ sa paraḥ pārtha bhaktyā labhyas tv ananyayā:* Uno puede aproximarse a la Persona Suprema tan solo mediante el servicio devocional, no por desafiarlo, ni mediante la especulación filosófica, ni practicando este o aquel sistema de *yoga*. No. Se afirma claramente que uno puede alcanzar a Kṛṣṇa solo mediante la rendición y por servicio devocional. No se afirma que Él pueda ser alcanzado mediante la especulación filosófica, por alguna invención mental, o algún ejercicio físico. Uno puede alcanzar a Kṛṣṇa solo mediante la práctica de la devoción, sin desviarse hacia las actividades fruitivas, la especulación filosófica o los ejercicios físicos. Solo mediante el servicio devocional puro, sin mezcla alguna, es que podemos alcanzar el mundo espiritual.

Ahora bien, el *Bhagavad-gītā* dice además: *yasyāntaḥ-sthāni bhūtāni yena sarvam idaṁ tatam.* Kṛṣṇa es una persona tan grandiosa que aunque esté situado en Su propia morada, aun así es omnipresente y todo está dentro de Él. ¿Cómo puede ser? El Sol está ubicado en un lugar, pero los rayos del sol se distribuyen por todo el universo. Similarmente, aunque Dios esté situado en Su propia morada en el cielo espiritual, Su energía está distribuida por todas partes. Él tampoco es diferente de Su energía, del mismo modo que el Sol y la luz del sol no son diferentes entre sí, en el sentido de que ambas cosas están compuestas de la misma sustancia luminosa. De la misma forma, Kṛṣṇa se distribuye a Sí mismo por todas partes mediante Sus energías, y cuando lleguemos a ser avanzados en el servicio devocional podremos verlo en todas partes, así como uno puede encender una lámpara en cualquier parte conectándola a un circuito eléctrico.

En su *Brahma-saṁhitā,* el Señor Brahmā describe las cualificaciones que se requieren para ver a Dios: *premāñjana-cchurita-bhakti-vilocanena santaḥ sadaiva hṛdayeṣu vilokayanti* (*Bs.* 5.38). Quienes han desarrollado amor por Dios pueden ver a Dios constantemente delante de ellos, veinticuatro horas al día. La palabra *sadaiva* significa «constantemente, veinticuatro horas al día». Si uno realmente percibe a Dios, no dirá: «¡Oh!, yo vi a Dios ayer por la noche, pero ahora no lo puedo ver». No, Él siempre es visible, porque Él está en todas partes.

Por lo tanto, la conclusión es que podemos ver a Kṛṣṇa en todas partes, pero tenemos que desarrollar los ojos para verlo. Podemos hacer eso mediante el proceso de la conciencia de Kṛṣṇa. Cuando veamos a Kṛṣṇa, y cuando lo alcancemos en Su morada espiritual nuestra vida será exitosa, nuestras metas estarán cumplidas, y seremos felices y prósperos eternamente.

III
El fundamento del placer

Complaciendo al maestro perfecto

Durante una conferencia dada en septiembre de 1968 en Seattle, Washington, Śrīla Prabhupāda dijo: «¿Quién puede decir en esta reunión que no es el sirviente de alguien o de algo? Nadie, porque nuestra posición constitucional es servir». Luego, él propuso una idea nueva para la mayor parte de la audiencia: «Si usted acepta servir a Kṛṣṇa, gradualmente comprenderá que Kṛṣṇa también está sirviéndole a usted». Śrīla Prabhupāda continúa explicando cómo, al complacer a Kṛṣṇa, el alma puede disfrutar de felicidad ilimitada.

En este mundo material todos están tratando de ser felices y de liberarse de las miserias. Existen tres clases de miserias causadas por nuestra condición material: *ādhyātmika*, *ādhibhautika* y *ādhidaivika*. Las miserias *ādhyātmika* son aquellas causadas por el cuerpo y la mente. Por ejemplo, cuando existe algún desarreglo en las diferentes funciones del metabolismo corporal, tenemos fiebre y sentimos algún dolor. Otro tipo de miseria *ādhyātmika* es causada por la mente. Supongan que yo pierdo a alguien querido. Entonces mi mente se verá perturbada. Esto también es sufrimiento. Por lo tanto las enfermedades del cuerpo o los disturbios mentales son miserias *ādhyātmika*.

Luego están las miserias *ādhybhautika*, los sufrimientos originados por otras entidades vivientes. Por ejemplo, los seres humanos están sacrificando diariamente a millones de pobres animales en los mataderos. Los animales no pueden expresarse por sí mismos, pero sufren mucho. Nosotros también sufrimos de miserias causadas por otras entidades vivientes.

Finalmente, existen las miserias *ādhidaivika*, los sufrimientos causados por autoridades superiores, como los semidioses. Puede haber hambre, terremotos, inundaciones, pestes, tantas cosas. Estos son los sufrimientos *ādhydaivika*.

Por eso siempre estamos padeciendo una o más de estas miserias. La naturaleza material está constituida de tal manera que tenemos que sufrir según la ley de Dios. Y estamos tratando de aliviar el sufrimiento por medio de remedios alternativos. Todos están tratando de aliviarse del sufrimiento, esto es un hecho. Toda la lucha por la existencia está destinada a librarse del sufrimiento.

Existen varias clases de remedios que usamos para tratar de aliviar nuestro sufrimiento. Un remedio es ofrecido por los científicos modernos, otro por los filósofos, otro por los ateos, otro por los creyentes y otro por los trabajadores fruitivos. Existen muchas ideas, pero de acuerdo con la filosofía de la conciencia de Kṛṣṇa, usted puede librarse de todos sus sufrimientos al cambiar su conciencia por la conciencia de Kṛṣṇa. Eso es todo.

Todos nuestros sufrimientos se deben a la ignorancia. Nosotros hemos olvidado que somos eternos sirvientes de Kṛṣṇa. Hay un bello verso bengalí que explica este punto:

kṛṣṇa-bahirmukha haiyā bhoga-vāñchā kare
nikaṭa-stha māyā tāre jāpatiyā dhare

Tan pronto como nuestra conciencia de Kṛṣṇa original se contamina con la conciencia del disfrute material —la idea de querer enseñorearnos de todos los recursos materiales— nuestros problemas comienzan. Inmediatamente nos caemos en *māyā*, en ilusión. Todos en el mundo material piensan: «Yo puedo disfrutar de este mundo lo más posible».

Desde la pequeña hormiga hasta la criatura viviente más elevada, Brahmā, todos están tratando de convertirse en amos. En su país muchos políticos están haciendo campañas electorales para llegar a ser el presidente. ¿Por qué? Ellos quieren llegar a ser algún tipo de amo. Eso es ilusión.

En el movimiento para la conciencia de Kṛṣṇa nuestra mentalidad es justamente la opuesta. Nosotros estamos tratando de ser los sirvientes del sirviente del sirviente del sirviente de Kṛṣṇa *(gopī-bhartuḥ pada-kamalayor dāsa-dāsānudāsaḥ [Cc. Madhya* 13.80*])*. En vez de querer ser amos, queremos ser los sirvientes de Kṛṣṇa.

Ahora bien, la gente puede decir que esta es una mentalidad esclavista: «¿Por qué debería volverme un esclavo? Yo me volveré el amo». Pero ellos no saben que esta conciencia «yo me volveré el amo» es la causa de todos sus sufrimientos. Esto tiene que comprenderse. En pos de ser los amos de este mundo material, nos hemos vuelto los sirvientes de nuestros sentidos.

Nosotros no podemos evitar servir. Todos los que estamos en esta reunión somos sirvientes. Estos jóvenes que han tomado la conciencia de Kṛṣṇa han aceptado ser los sirvientes de Kṛṣṇa. De esa manera su problema está resuelto. Pero otros piensan: «¿Por qué debo volverme un sirviente de Dios? Yo seré el amo». En realidad, nadie puede volverse amo. Y si alguien trata de ser el amo, simplemente se convierte en el sirviente de sus sentidos. Eso es todo. Él se vuelve el sirviente de su lujuria, el sirviente de su avaricia, el sirviente de su ira, el sirviente de tantas cosas.

En un nivel más elevado, uno se convierte en el sirviente de la humanidad, el sirviente de la sociedad, el sirviente de su país. Pero el verdadero propósito es el de convertirse en el amo. Esa es la enfermedad. Los candidatos a la presidencia están presentando sus diferentes propuestas: «Yo serviré al país muy bien. Por favor, voten por mí». Pero su verdadero propósito es volverse el amo del país, de una manera u otra. Esto es ilusión.

Por lo tanto, debemos entender este importante punto filosófico: constitucionalmente somos sirvientes. Nadie puede decir: «Yo soy libre; yo soy el amo». Si alguien piensa así, está en ilusión. ¿Quién puede decir en esta reunión que no es el sirviente de alguien o de algo? Nadie, porque nuestra posición constitucional es la de servir.

Nosotros podemos servir a Kṛṣṇa, o podemos servir a nuestros sentidos. Pero la dificultad es que al servir a nuestros sentidos simplemente incrementamos nuestra miseria. Por el momento usted puede satisfacerse consumiendo algún intoxicante. Y bajo el efecto del intoxicante usted puede pensar que no es el sirviente de nadie, que es libre. Pero esta idea es artificial. Apenas termine la alucinación verá otra vez que usted es un sirviente.

Estamos siendo forzados a servir, pero no deseamos servir. ¿Cuál es la solución? La conciencia de Kṛṣṇa. Si usted se convierte en el sirviente de Kṛṣṇa, su aspiración a convertirse en el amo se alcanzará inmediatamente. Por ejemplo, aquí vemos un cuadro de Kṛṣṇa y Arjuna (Śrīla Prabhupāda señala una pintura de Kṛṣṇa y Arjuna en la Batalla de Kurukṣetra). Kṛṣṇa es el Señor Supremo y Arjuna es un ser humano. Pero Arjuna ama a Kṛṣṇa como amigo, y respondiendo al amor de Arjuna, Kṛṣṇa se convirtió en su cochero, su sirviente. Similarmente, si nos reubicamos en nuestra relación amorosa trascendental con Kṛṣṇa, nuestra aspiración por el liderazgo será satisfecha. Si usted acepta servir a Kṛṣṇa, usted verá gradualmente que Kṛṣṇa también está sirviéndolo a usted. Esto es una cuestión de comprensión espiritual.

Entonces, si queremos liberarnos del servicio a este mundo material, del servicio a nuestros sentidos, debemos dirigir nuestro servicio hacia Kṛṣṇa. Esto es conciencia de Kṛṣṇa.

Śrīla Rūpa Gosvāmī cita un hermoso verso en su *Bhakti-rasāmṛta-sindhu* en relación con el servicio a los sentidos: *kāmādīnāṁ kati na katidhā pālitā durnideśā*. Aquí un devoto le dice a Kṛṣṇa que él ha servido a sus sentidos durante un largo tiempo *(kāmādīnāṁ kati na katidhā)*. *Kāma* significa «lujuria». Él dice: «forzado por mi lujuria yo hice lo que no debí haber hecho». Cuando alguien es un esclavo está forzado a hacer cosas que no desea hacer. Él es forzado. De manera que aquí el devoto admite que bajo el dictado de su lujuria él ha realizado actos pecaminosos.

Entonces alguien puede decirle: «Está bien, tú has servido a tus sentidos. Pero ahora dejaste de servirlos. Ahora todo está bien». Pero la dificultad es esta: *teṣāṁ jātā mayi na karuṇā na trapā nopaśāntiḥ*. El devoto dice: «Yo he servido tanto a mis sentidos, pero veo que no están satisfechos. Esta es mi dificultad. Mis sentidos no están satisfechos, ni yo estoy satisfecho, ni mis sentidos son lo suficientemente buenos como para aliviarme, permitiendo que me retire de su servicio. Esa es mi posición. Yo esperé que al servir a mis sentidos durante tantos años ellos quedasen satisfechos. Pero no lo están. Ellos todavía exigen».

Aquí yo podría revelar algo que me dijo uno de mis estudiantes. En la vejez, su madre estaba por contraer matrimonio. Y otra persona se quejó de que su abuela también se había casado. Tan solo vean: cincuenta años, setenta y cinco años, y los sentidos todavía son tan fuertes que están exigiendo: «Sí, tú debes casarte». Traten de entender cuán fuertes son los sentidos. No es que solo los jóvenes son los sirvientes de sus sentidos. Uno puede tener setenta y cinco años, ochenta años, o incluso estar al borde de la muerte y aun así ser el sirviente de los sentidos. Los sentidos nunca se satisfacen.

De manera que esta es la situación material. Nosotros somos los sirvientes de nuestros sentidos, pero al servir a nuestros sentidos no quedamos satisfechos, ni nuestros sentidos quedan satisfechos, ni ellos son misericordiosos con nosotros. ¡Todo se vuelve un caos!

Lo mejor es, por lo tanto, volverse un sirviente de Kṛṣṇa. En el *Bhagavad-gītā* (18.66) Kṛṣṇa dice:

sarva-dharmān parityajya
mām ekaṁ śaraṇaṁ vraja
ahaṁ tvāṁ sarva-pāpebhyo
mokṣayiṣyāmi mā śucaḥ

Usted ha servido a sus sentidos durante muchas vidas, vida tras vida, en 8 400 000 especies. Los pájaros están sirviendo a sus sentidos, los mamíferos están sirviendo a sus sentidos, los seres humanos, los semidioses; todos dentro de este mundo material están detrás de la complacencia sensorial. Kṛṣṇa dice: «Solo ríndete a Mí, acepta servirme, y Yo Me haré cargo de ti. Tú te liberarás de los dictados de tus sentidos».

Debido al dictado de los sentidos cometemos actividades pecaminosas vida tras vida. Debido a eso estamos en diferentes tipos de cuerpos. No piensen que cada uno de nosotros está al mismo nivel. No. De acuerdo a las actividades propias uno obtiene un cierto tipo de cuerpo. Y estos diferentes tipos de cuerpos le proporcionan a uno diferentes tipos de complacencia sensorial. También existe complacencia sensorial en la vida del cerdo, pero es de muy baja clase. El cerdo es tan sensual que no duda en tener relaciones sexuales con su madre, su hermana o su hija. Incluso en la sociedad humana hay gente a la que no le importa tener relaciones sexuales con su madre o su hija. Los sentidos son tan fuertes.

Por eso, debemos entender que servir los dictados de nuestros sentidos es la causa de toda nuestra miseria. Las triples miserias que sufrimos —de las cuales estamos tratando de librarnos— se deben a este dictado de los sentidos. Pero si nos atraemos a servir a Kṛṣṇa, ya no seguiremos siendo forzados a seguir el dictado de nuestros sentidos. Un nombre de Kṛṣṇa es Madana-mohana, «aquel que conquista a Cupido (o la lujuria)». Si usted transfiere el amor que tiene por sus sentidos a Krsna, inmediatamente se liberará de todas las miserias.

Entonces, este esfuerzo por ser el amo «yo soy el monarca de todo lo que veo» debe abandonarse. Cada uno de nosotros es constitucionalmente un sirviente. Ahora estamos sirviendo a nuestros sentidos, pero debemos dirigir este servicio a Kṛṣṇa. Cuando usted sirve a Kṛṣṇa, gradualmente Kṛṣṇa se revelará a Sí mismo en la medida en que usted se vuelva sincero. Entonces la reciprocidad de servicio entre Kṛṣṇa y usted será muy buena. Usted puede amarlo como amigo, como amo o como amante; hay tantas formas de amar a Kṛṣṇa.

Por lo tanto usted debe tratar de amar a Kṛṣṇa, y verá cuán satisfecho queda. No existe otra manera para estar completamente satisfecho. Ganar grandes cantidades de dinero nunca le dará satisfacción. Una vez yo conocí a un caballero en Calcuta que ganaba seis mil dólares por mes. Él se suicidó. ¿Por qué? Porque ese dinero no le daba satisfacción. Él trataba de tener algo más.

Por lo tanto, mi humilde pedido es que traten de entender esta sublime bendición de la vida, la conciencia de Kṛṣṇa. Simplemente por cantar Hare Kṛṣṇa ustedes desarrollarán gradualmente una actitud amorosa trascendental por Kṛṣṇa, y apenas usted comience a amar a Kṛṣṇa, todos sus problemas serán erradicados y usted experimentará completa satisfacción.

Muchas gracias. ¿Hay preguntas?

Pregunta: Cuando ocupamos la energía material al servicio de Kṛṣṇa, ¿qué ocurre con ella?, ¿se espiritualiza?

Śrīla Prabhupāda: Cuando un alambre de cobre se pone en contacto con la electricidad, ya no es más cobre, es electricidad. Similarmente, cuando usted utiliza su energía al servicio de Kṛṣṇa, no es más energía material: es energía espiritual. De modo que tan pronto como usted se ocupa en el servicio de Kṛṣṇa, usted se libera de los dictados de la energía material. Kṛṣṇa afirma eso en el *Bhagavad-gītā* (14.26):

māṁ ca yo 'vyabhicāreṇa
bhakti-yogena sevate
sa guṇān samatītyaitān
brahma-bhūyāya kalpate

«Aquel que se dedica por entero al servicio devocional, firme en todas las circunstancias, trasciende de inmediato las modalidades de la naturaleza material y llega así al plano del Brahman, el espíritu».

De manera que cuando usted utiliza su energía al servicio de Kṛṣṇa, no piense que continúa siendo material. Todo lo que es utilizado en el servicio de Kṛṣṇa es espiritual. Por ejemplo, cada día nosotros distribuimos frutas *prasādam* (frutas que han sido ofrecidas a Kṛṣṇa). Ahora bien, uno puede preguntar: «¿Por qué esta fruta es diferente a la fruta común? Fue comprada en el mercado como cualquier otra fruta. Nosotros también comemos fruta en casa. ¿Cuál es la diferencia?». No. Debido a que ofrecemos la fruta a Kṛṣṇa, ella se vuelve espiritual. ¿El resultado? Tan solo continúen comiendo *kṛṣṇa-prasādam*, y verán cómo avanzan en la conciencia de Kṛṣṇa.

Aquí hay otro ejemplo. Si usted bebe una gran cantidad de leche, puede que tenga algún desarreglo en sus intestinos. Si usted va a ver a un médico (por lo menos si usted va a un médico ayurvédico) él le ofrecerá un preparado hecho con yogur. Ese yogur con un poco de algún medicamento lo curará. Ahora bien, el yogur no es más que leche transformada. Su enfermedad fue causada por la leche y también es curada por la leche. ¿Cómo es eso? Eso se debe a que usted está tomando la medicina bajo la dirección de un médico cualificado. Similarmente, si usted ocupa la energía material al servicio de Kṛṣṇa bajo la dirección de un maestro espiritual fidedigno, la misma energía material que ha sido la causa de su enredo lo llevará al estado trascendental más allá de todas las miserias.

Pregunta: ¿Cómo hace para que todo sea tan sencillo de entender?

Śrīla Prabhupāda: Toda la filosofía es muy simple. Dios es grande, usted no es grande. No diga que usted es Dios. No diga que no hay Dios. Dios es infinito y usted es infinitesimal. Entonces, ¿cuál es su posición? Usted tiene que servir a Dios, Kṛṣṇa. Esta es la verdad sencilla. La actitud rebelde en contra de Dios es *māyā*, ilusión. Cualquiera que declare que es Dios, que usted es Dios, que Dios no existe o que Dios está muerto, él está bajo el hechizo de *māyā*. Cuando un hombre está influenciado por un fantasma, dice todo tipo de disparates. Similarmente, cuando una persona está influenciada por *māyā*, dice: «Dios está muerto, yo soy Dios. ¿Por qué buscas a Dios? Hay muchos dioses vagando por las calles». Toda la gente que habla así está influenciada por fantasmas, está trastornada.

Ustedes tienen que sanarla vibrando el sonido trascendental del *mantra* Hare Kṛṣṇa. Esta es la medicina. Simplemente hagan que escuchen, y gradualmente se curarán. Cuando un hombre está durmiendo profundamente, usted puede gritarle al oído y se despertará. De esta manera el *mantra* Hare Kṛṣṇa puede despertar a la sociedad humana dormida. Los *Vedas* dicen: *uttiṣṭhata jāgrata prāpya varān nibodhata*: «¡Oh, ser humano, por favor, despierta! No duermas más. Tú tienes la oportunidad de un cuerpo humano. Utilízalo. Sal de las garras de *māyā*». Este es el veredicto de los *Vedas*. De modo que continúen cantando Hare Kṛṣṇa. Despierten a sus compatriotas de la ilusión, y ayúdenlos a librarse de sus miserias.

Liberación hacia un placer superior

«Todos dicen, "vamos a disfrutar de la vida sexual". Pero no importa cuánto trate de disfrutar de la vida sexual, usted no puede quedar satisfecho. Esto es verdad. A menos que usted llegue a la plataforma del disfrute espiritual, usted nunca estará satisfecho». En esta explicación a una canción bengalí escrita hace varios siglos por un gran maestro espiritual de la conciencia de Kṛṣṇa, Śrīla Prabhupāda sugiere la existencia de un placer más elevado al de la vida sexual y nos explica cómo comenzar a experimentarlo.

Narottama dāsa Ṭhākura, quien escribió esta canción, es un famoso *ācārya* (maestro espiritual), y sus composiciones son aceptadas como verdades védicas. En esta canción él toma el papel de un hombre común, uno de nosotros. Él se lamenta dirigiéndose a Hari, el Señor Kṛṣṇa, *hari hari biphale janama goṅāinu*: «Mi querido Señor, yo he desperdiciado mi vida inútilmente, debido a que no te he adorado».

La gente no sabe que está desperdiciando su vida. Ellos piensan: «Yo tengo un muy buen departamento, un muy buen automóvil, una muy buena esposa, un muy buen sueldo y una muy buena posición social». Todas estas atracciones materiales nos hacen olvidar el propósito de nuestras vidas, adorar a Kṛṣṇa.

En un verso, el *Śrīmad-Bhāgavatam* resume las atracciones materiales:

puṁsaḥ striyā mithunī-bhāvam etaṁ
tayor mitho hṛdaya-granthim āhuḥ
ato gṛha-kṣetra-sutāpta-vittair
janasya moho 'yam ahaṁ mameti

El principio básico de la atracción material es la vida sexual: *puṁsaḥ striyā mithunī-bhāvam etaṁ*. Un hombre desea una mujer, y una mujer desea un hombre. Y cuando ellos se ocupan en la actividad sexual, quedan muy atraídos el uno al otro: *tayor mitho hṛdaya-*

granthim āhuḥ. *Hṛdaya* significa «corazón» y *granthim* significa «fuerte nudo». De esa manera, cuando un hombre y una mujer se ocupan en la vida sexual, el duro nudo se ajusta en sus corazones. «Yo no puedo dejarte —dice él—. Tú eres mi alma y vida». Y ella dice «Yo no puedo dejarte. Tú eres mi vida y alma». Por algunos días. Luego, el divorcio.

Pero el comienzo es vida sexual. El principio básico de la atracción material es la vida sexual. Para la vida sexual hemos creado muchas convenciones sociales. El matrimonio es una convención social que le da a la vida sexual un buen toque final; eso es todo. A veces se dice que el matrimonio es la prostitución legalizada. Pero para mantener las relaciones sociales uno tiene que aceptar algunos principios regulativos, algunas restricciones en la complacencia de los sentidos. Por lo tanto, los seres humanos civilizados reconocen que existe una diferencia entre la vida sexual dentro y la vida sexual fuera del matrimonio, la cual es como la vida sexual entre los animales.

De cualquier modo, cuando dos personas se unen de una forma u otra, su próxima demanda es un buen apartamento (*gṛha*) y algún terreno (*kṣetra*). Luego, los niños (*suta*). Cuando usted tiene un apartamento y una esposa, el requerimiento siguiente es tener niños, porque sin niños la vida hogareña no es placentera. *Pūtra-hīnaṁ gṛhaṁ śūnyam*: «La vida hogareña sin niños es como un desierto». Los niños son el verdadero placer en la vida hogareña. Finalmente está el círculo de parientes, la vida social *(āpta)*. Y todos esos bienes tienen que mantenerse con dinero *(vittaiḥ)*. Por lo tanto, se necesita dinero.

De esta manera uno se enreda en el mundo material y es cubierto por la ilusión. ¿Por qué ilusión? ¿Por qué semejantes cosas importantes —esposa, niños, dinero— son ilusorias? Porque aunque en el momento presente usted pueda pensar que todo está bien (usted dispone de todo lo necesario para su vida hogareña, departamento, esposa, niños, sociedad y posición) apenas su cuerpo se termine todo se terminará. Usted está forzado a dejar todo y dirigirse a su siguiente estado. Y usted no sabe cuál será su siguiente estado. Su cuerpo siguiente puede ser el de un ser humano, el de un gato, el de un perro, el de un semidiós o cualquier otro. Usted no lo sabe. Pero cualquiera que sea, apenas usted abandone su cuerpo actual, olvidará todo. No habrá ningún recuerdo de quién fue usted, de quién fue su esposa, de cómo era su casa, de cuán grande era su cuenta bancaria, etc. Todo se terminará.

Todo se terminará en un instante, así como las burbujas que se deshacen en el océano. El oleaje en el océano produce millones y millones de burbujas, pero en un instante todas se deshacen. Se terminan.

Así es la vida material. La entidad viviente viaja a través de muchas especies de vida, muchos planetas, hasta que llega a la forma humana de vida. La forma humana es una oportunidad para comprender cómo estamos transmigrando de un lugar a otro, de una vida a otra, simplemente perdiendo nuestro tiempo sin comprender cuál es nuestra verdadera posición constitucional y por qué estamos sufriendo tanto.

Estas cosas tienen que comprenderse en esta forma de vida humana. Pero en vez de inquirir acerca de nuestra verdadera posición estamos simplemente ocupados con *mithunī-bhāvam* y *gṛha-kṣetra-sutāpta-vittaiḥ*: vida sexual, esposa, hogar, propiedad, niños, sociedad, dinero y posición. Nosotros estamos cautivados por estas cosas y estamos arruinando nuestras vidas.

De este modo, Narottama dāsa Ṭhākura, representándonos, se lamenta: «Mi querido Señor, yo he desperdiciado mi vida». ¿Por qué? *Mānuṣya-janama pāiyā rādhā-kṛṣṇa nā bhajiyā*: «Esta forma de vida humana tiene como propósito comprender a Rādhā-Kṛṣṇa (el Señor y Su energía) y adorar a Rādhā-Kṛṣṇa. Pero en vez de contactar a Rādhā-Kṛṣṇa, simplemente estoy arruinando mi vida con la complacencia de los sentidos».

Así continúa su lamentación. *Golokera prema-dhana hari-nāma-saṅkīrtana rati nā janmilo kene tāy*: «Oh, ¿por qué no siento atracción por cantar Hare Kṛṣṇa?». El canto del *mantra* Hare Kṛṣṇa es una vibración trascendental; no es algo material. Es traído de la morada trascendental de Kṛṣṇa. El sonido trascendental de Hare Kṛṣṇa ha venido de allí. Este sonido es como la luz que proviene del Sol. Aunque usted no puede llegar hasta el Sol ya que este se encuentra lejos —mucho más allá de su alcance— puede comprender que la luz del Sol proviene del globo solar. No hay duda acerca de esto. Similarmente, la vibración del *mantra* Hare Kṛṣṇa viene del planeta de

Kṛṣṇa, Goloka *(golokera prema-dhana)*. Y este cantar produce amor por Kṛṣṇa (*prema-dhana* significa «el tesoro del amor por Kṛṣṇa»).

Narottama dāsa Ṭhākura se lamenta: *hari-nāma-saṅkīrtana rati nā janmilo kene tāy*: «¡Ay de mí!, ¿por qué no tengo apego por cantar Hare Kṛṣṇa?». ¿Por qué debería uno estar apegado a este cantar? Esto se explica en la línea siguiente. *Saṁsāra-biṣānale dibā-niśi hiyā jale jurāite*: «Cantar Hare Kṛṣṇa es el único remedio para aliviar el corazón del ardiente veneno de la complacencia de los sentidos». *Hiyā* significa «corazón». Nuestro corazón siempre está ardiendo. ¿Por qué? Porque está en contacto con el proceso de complacencia de los sentidos. Ningún proceso de complacencia sensorial puede darme satisfacción, aunque trate de esta o de aquella manera, de esta u otra manera. La gente está probando complacencia de los sentidos de tantas maneras, y ahora llegaron a lo último: bailar desnudos y... ¿qué es esa falda corta?

Devoto: Minifalda.

Śrīla Prabhupāda: Minifalda, sí (risas). Por lo tanto, debido a que en el mundo material el principio básico es la vida sexual, todos están proponiendo: «Sí, vamos, disfrutemos de las relaciones sexuales. Vamos, disfrutemos del sexo». Pero no importa de qué manera usted trate de disfrutar de la vida sexual, usted no puede quedar satisfecho. Esto es verdad, debido a que la complacencia de los sentidos no es su verdadera plataforma de disfrute. Usted es un alma espiritual, y a menos que llegue a la plataforma espiritual usted nunca estará satisfecho con ninguna complacencia de los sentidos. Usted simplemente anhelará el placer, pero no encontrará satisfacción.

Por lo tanto, Narottama dāsa Ṭhākura dice que estamos sufriendo en *saṁsāra-biṣānale. Saṁsāra* indica nuestras demandas materiales por comer, dormir, apareo y defensa. Todo esto es como veneno ardiente. Luego él dice: «Mi corazón está ardiendo por este veneno, pero yo no he encontrado la manera de aliviarlo: el canto de Hare Kṛṣṇa. Yo no tengo apego por el cantar, y por lo tanto desperdicié mi vida».

Luego él dice: *vrajendra-nandana jei sacī-suta hoilo sei*. El canto de Hare Kṛṣṇa fue introducido por el propio Señor Kṛṣṇa, Vrajendra-nandana, en la forma del Señor Caitanya, Śacī-suta. Kṛṣṇa tomó el papel del hijo de Nanda Mahārāja, el rey de Vṛndāvana. Por lo tanto a Kṛṣṇa se lo llama Vrajendra-nandana. Y el Señor Caitanya tomó el papel del hijo de madre Śacī, por eso se lo conoce como Śacī-suta. El Señor Supremo se complace cuando a Él se lo llama por el nombre de Su devoto, por el nombre de Su energía (Sus devotos también son Su energía). Aunque Él no tiene padre —Él es el padre de todos— Él acepta a algún devoto como Su padre cuando aparece en la Tierra. Cuando un devoto puro quiere a Kṛṣṇa como su hijo, Kṛṣṇa acepta a ese devoto como Su padre.

Narottama dāsa Ṭhākura dice que Vrajendra-nandana (Kṛṣṇa) ha aparecido ahora como Śacī-suta (el Señor Caitanya), y Balarāma (el hermano de Kṛṣṇa) es Nitāi. Y, ¿cuál es Su tarea? *Dīna-hīna-jata chilo hari-nāme uddhārilo:* salvar a toda clase de almas condicionadas pecaminosas y desdichadas enseñándoles a cantar Hare Kṛṣṇa. En esta era, Kali-yuga, usted no puede encontrar a un hombre piadoso o una persona santa. Todos son adictos a las actividades pecaminosas. Pero simplemente al distribuir el canto de Hare Kṛṣṇa, el Señor Caitanya salvó a todos, sin importar cuán caídos hayan sido. «¡Vamos! —dijo Él—, ¡canten Hare Kṛṣṇa y libérense!».

¿Cuál es la prueba de que el Señor Caitanya salvó incluso a los más caídos? *Tāra sākṣī jagāi mādhāi*. Jagāi y Mādhāi eran dos hermanos que se ocupaban en toda clase de actividades pecaminosas. Ellos nacieron en una familia de *brāhmaṇas* muy elevada, pero por mala asociación se volvieron pecaminosos. De forma similar, en la era presente, aunque la gente de occidente desciende de familias arias, de muy buenas familias, debido a la asociación ellos se volvieron caídos. Su entorno está repleto de vida sexual ilícita, intoxicación, consumo de carne y juegos de azar. Jagāi y Mādhāi son especímenes de la población moderna y el Señor Caitanya los liberó simplemente induciéndolos a cantar el *mantra* Hare Kṛṣṇa.

Por lo tanto cantar Hare Kṛṣṇa sin duda liberará realmente a todas las almas caídas. Esto no es falsa propaganda. Sea cual fuere su vida pasada, cualquiera que acepte este proceso de cantar, se santificará. Él se volverá una persona pura, consciente de Kṛṣṇa.

Cantar Hare Kṛṣṇa purificará nuestro corazón, nuestro corazón ardiente. Luego comprenderemos: «Yo soy un eterno sirviente del

Señor Supremo, Kṛṣṇa». Corrientemente podemos llegar a esta comprensión solo después de muchos, muchos nacimientos, como Kṛṣṇa afirma en el *Bhagavad-gītā* (7.19). *Bahūnāṁ janmanām ante jñānavān māṁ prapadyate:* «Después de muchos, muchos nacimientos, cuando una persona tiene conocimiento, se rinde a Mí». ¿Por qué? *Vāsudevaḥ sarvam iti:* Porque él sabe que Vāsudeva, Kṛṣṇa, lo es todo. Aunque semejante gran alma es muy rara *(sa mahātmā su-durlabhaḥ).*

Pero el Señor Caitanya dio las facilidades para volverse tal gran alma. ¿Cómo? Simplemente cantando Hare Kṛṣṇa. Por lo tanto, al final de su canción Narottama dāsa Ṭhākura dice: *hā hā prabhu nanda-suta vṛṣabhānu-sutā-juta koruṇā karoho ei-bāro:* «Mi querido Señor Kṛṣṇa, Tú ahora estás presente ante mí con Tu potencia interna, Tu potencia de placer, Rādhārāṇī. Por favor, sé misericordioso conmigo. No me descuides debido a que soy muy pecaminoso. Mi vida pasada es muy oscura, pero no me descuides. Por favor acéptame. No me patees. Yo me rindo a Ti».

Por eso todos debemos seguir los pasos de Narottama dāsa Ṭhākura. El proceso purificatorio es cantar Hare Kṛṣṇa. Y tan pronto como nuestro corazón esté purificado, nos convenceremos completamente de que Kṛṣṇa es el Señor Supremo y que somos Sus eternos sirvientes. Nosotros hemos olvidado esto. Nosotros estamos sirviendo, pero en vez de servir al Señor estamos sirviendo a nuestros sentidos. Nunca hemos sido amos. Nosotros no somos los amos de nuestros sentidos, somos los sirvientes de nuestros sentidos. Esa es nuestra posición.

De manera que, ¿por qué no volverse el sirviente del Señor Supremo en vez de continuar sirviendo a los propios sentidos? Realmente, usted puede volverse el amo de sus sentidos solo cuando usted se vuelva el sirviente de Kṛṣṇa. De otro modo no es posible. *Godāsa* o *gosvāmī*: esa es su elección. A una persona que es el sirviente de sus sentidos se la llama *godāsa*, y a una persona que es el amo de sus sentidos se la llama *gosvāmī*. Él controla sus sentidos. Cuando su lengua quiere comer algo que no está ofrecido a Kṛṣṇa, él piensa, «Oh, mi lengua, tú no puedes saborear esto. No es *kṛṣṇa-prasādam* (alimentos ofrecidos a Kṛṣṇa)». De este modo uno se vuelve un *gosvāmī*, el amo de sus sentidos.

Cuando una persona no permite que sus sentidos hagan cualquier cosa para la complacencia de los sentidos sino que actúen solo para el servicio de Kṛṣṇa, a eso se lo denomina servicio devocional. *Hṛṣīkeṇa hṛṣīkeśa-sevanaṁ bhaktir ucyate* (*Cc. Madhya* 19.170): Servicio devocional significa ocupar sus sentidos en satisfacer al amo de los sentidos. El amo supremo de los sentidos es Kṛṣṇa. Ahora estamos tratando de utilizar nuestros sentidos para nuestro servicio personal. Esto se denomina *māyā*, o ilusión. Pero cuando ocupamos los mismos sentidos al servicio de Kṛṣṇa, esto es la perfección. Nosotros no detenemos las actividades de los sentidos, sino que los purificamos ocupándolos en el servicio del Señor. Esto es conciencia de Kṛṣṇa.

Muchas gracias. ¿Tienen preguntas?

Devoto: Śrīla Prabhupāda, ¿cómo es que al Señor Jesucristo se lo llama el hijo de Dios? Si Kṛṣṇa es usualmente el hijo, cómo Jesús...

Śrīla Prabhupāda: No «usualmente». Kṛṣṇa es el padre supremo, pero Él acepta ser el hijo de Su devoto solo por el amor que tiene por él. Ser un hijo no es la posición constitucional de Kṛṣṇa; ser el padre es Su posición constitucional *(ahaṁ bīja-pradaḥ pitā [Bg.* 14.4*])*, pero a veces Él se convierte voluntariamente en hijo para experimentar el amor paternal o maternal que Su devoto siente por Él.

Cuando un devoto puro ora: «Mi querido Señor, yo quiero tenerte como hijo», Kṛṣṇa acepta su súplica. Vasudeva o Devakī se volvieron los padres de Kṛṣṇa de esa manera. En una vida anterior ellos se sometieron a severas austeridades. Ellos estaban casados, pero no tenían relaciones sexuales. Ellos se determinaron a menos que no pudiesen tener al Señor como su hijo no tendrían niños. De modo que ellos realizaron severas austeridades por muchos miles de años. Luego, el Señor apareció ante ellos y les preguntó: «¿Qué es lo que desean?»

«Señor, nosotros queremos un hijo como Tú».

«¿Cómo podrían obtener un hijo como Yo? ¡Yo Me convertiré en su hijo!»

De manera que, Kṛṣṇa, el Señor, es el padre de todos, pero Él voluntariamente se convierte en el hijo de Su devoto. De otro modo, Su posición es siempre la de Padre Supremo.

Devoto: Śrīla Prabhupāda, yo leí en el *Śrīmad-Bhāgavatam* que cuando uno se convierte en un alma liberada, uno alcanza libertad perfecta y que a veces su libertad está al mismo nivel que la de Kṛṣṇa, o es aún mayor que la de Él. ¿Puede explicar eso?

Śrīla Prabhupāda: Sí. Tomemos a Vasudeva como ejemplo. Él es más que Kṛṣṇa. O madre Yasodā. ¿Han visto ustedes el cuadro Yasodā atando a Kṛṣṇa?

Devoto: ¿Kṛṣṇa se ve como un pequeño bebé?

Śrīla Prabhupāda: Sí, la Suprema Personalidad de Dios es temido por todos pero Él tiene temor de madre Yasodā: «Mi querida madre, por favor no Me ates. Yo obedeceré tus órdenes».

De ese modo Madre Yasodā se ha vuelto más que Dios, más que Kṛṣṇa. Los filósofos *māyāvādī* (impersonalistas) quieren volverse uno con el Señor, pero nuestra filosofía es para volverse más que Kṛṣṇa. ¿Por qué uno con Kṛṣṇa? Más que Kṛṣṇa. Y realmente, Kṛṣṇa hace que Su devoto sea más que Él. Otro ejemplo es Arjuna. Kṛṣṇa tomó el papel de su auriga. Kṛṣṇa fue realmente el héroe de la Batalla de Kurukṣetra pero él cedió esa posición a Su devoto: «Arjuna, vuélvete el héroe. Yo seré tu auriga».

Kṛṣṇa es como un padre que quiere ver a su hijo llegar a ser más que Sí mismo. Si el padre tiene un título de licenciado, él quiere que su hijo obtenga un doctorado. Entonces el padre se satisface. Él no tolerará que un extraño se vuelva más que él, pero él se contenta cuando su hijo llega a ser más que él. Del mismo modo, Kṛṣṇa, el Señor Supremo, quiere ver que Su devoto sea más que Él mismo. Ese es Su placer.

«Un hombre se atrae a una mujer, una mujer se atrae a un hombre, y cuando tienen relaciones sexuales, su apego a este mundo material incrementa cada vez más... Pero no es nuestro propósito dejarnos atrapar por el brillo de este mundo material; nuestro propósito consiste en estar atraídos a Kṛṣṇa. Cuando seamos capturados por la belleza de Kṛṣṇa, perderemos nuestra atracción por la falsa belleza de este mundo material».

En este mundo material todos están atraídos a la vida sexual. Esto es un hecho. El *Śrimad-Bhāgavatam* dice: *yan maithunādi-gṛhamedhi-sukhaṁ hi tuccham* (*Bhāg.* 7.9.45*)*: «La felicidad —la supuesta felicidad— de la vida de casado comienza con *maithuna*, o las relaciones sexuales».

Generalmente un hombre se casa para satisfacer su deseo sexual. Luego procrea niños. Luego cuando los niños están crecidos, la hija se casa con un muchacho y el hijo se casa con una muchacha con el mismo propósito: vida sexual. Resultado: nietos.

De esta manera, la felicidad material se expande como *śry-aiśvarya-prajepsavaḥ*. *Śrī* significa «belleza», *aiśvarya* significa «riqueza» y *prajā* significa «niños». La gente piensa que es exitosa si tiene una linda esposa, una buena cuenta bancaria, buenos hijos, hijas, nueras, etc. Si uno tiene en su familia una hermosa esposa, riqueza y muchos niños, se supone que uno es un hombre de lo más exitoso.

¿Cuál es ese éxito? Los *śāstras* (Escrituras) dicen que este éxito es simplemente una expansión de las relaciones sexuales. Eso es todo. Nosotros podemos pulirlo de diferentes maneras pero esta misma felicidad sexual también la tienen los cerdos. Los cerdos comen todo el día, aquí allá: «¿Dónde hay excremento? ¿Dónde hay excremento?» y luego tienen relaciones sexuales sin ninguna discriminación. El cerdo no discrimina si tiene relaciones sexuales con su madre, con su hermana o con su hija.

Por eso los *śāstras* dicen que estamos enjaulados en este mundo material solo por la vida sexual. En otras palabras, somos víctimas de

Cupido. Cupido o Madana, es el dios del sexo. A menos que uno sea persuadido por Madana, uno no puede regocijarse en la vida sexual. Y uno de los nombres de Kṛṣṇa es Madana-mohana, «el que derrota a Cupido». Dicho de otro modo, aquel que está atraído hacia Kṛṣṇa olvidará el placer derivado de la vida sexual. Esta es la prueba del avance en conciencia de Kṛṣṇa.

Otro significado de *madana* es «intoxicado o loco». Todos están enloquecidos a causa del deseo sexual. El *Śrīmad-Bhāgavatam* dice: *puṁsaḥ striyā mithunī-bhāvam etaṁ tayor mitho hṛdaya-granthim āhuḥ*: «Todo el mundo material funciona debido a la atracción entre hombre y mujer». Un hombre se atrae a una mujer, una mujer se atrae a un hombre, y cuando se unen mediante la vida sexual su apego por este mundo material incrementa más y más. Después del casamiento, el hombre y la mujer buscan una buena casa y un trabajo o alguna tierra para cultivar, porque ellos tienen que conseguir dinero para comprar alimentos y otras cosas. Luego *suta* (los niños), *āpta* (amigos y parientes) y *vittaiḥ* (riqueza). De este modo la atracción por el mundo material se vuelve más y más intensa. Y todo comienza con nuestra atracción por *madana*, el placer sexual.

Pero nuestro propósito no es el de atraernos al espejismo de este mundo material; nuestro propósito es el de estar atraídos a Kṛṣṇa. Y cuando estemos atraídos a la belleza de Kṛṣṇa, perderemos nuestra atracción por la falsa belleza de este mundo material. Como dice Śrī Yāmunācārya:

yad-avadhi mama cetaḥ kṛṣṇa-pādāravinde
nava-nava-rasa-dhāmany udyataṁ rantum āsīt
tad-avadhi bata nārī-saṅgame smaryamāṇe
bhavati mukha-vikāraḥ suṣṭhu niṣṭhīvanaṁ ca

«Desde que mi mente se ha dedicado al servicio a los pies de loto del Señor Kṛṣṇa y he estado disfrutando de un humor trascendental nuevo a cada paso, cuandoquiera que pienso en la vida sexual, vuelvo la cara al instante y escupo en el pensamiento».

De modo que Kṛṣṇa es Madana-mohana, el conquistador de Madana o Cupido. Madana está atrayendo a todos, pero cuando uno queda atraído por Kṛṣṇa, Madana es derrotado. Tan pronto como

Madana es derrotado, conquistamos este mundo material. De otra manera, es muy difícil. Como Kṛṣṇa dice en el *Bhagavad-gītā* (7.14):

daivī hy eṣā guṇamayī
mama māyā duratyayā
mām eva ye prapadyante
māyām etāṁ taranti te

Este mundo material es muy difícil de atravesar, pero si uno se rinde a Kṛṣṇa y se aferra muy fuertemente de sus pies de loto, «¡Kṛṣṇa, sálvame!», Kṛṣṇa promete: «Sí, Yo te salvaré. No te preocupes, Yo te salvaré». *Kaunteya pratijānīhi na me bhaktaḥ praṇaśyati* (*Bg*. 9.3): «Mi querido Arjuna, puedes declarar al mundo que protegeré a Mi devoto, quien no tiene otro deseo que servirme».

Desgraciadamente, la gente no sabe que nuestra única tarea es la de tomar refugio en los pies de loto de Kṛṣṇa. Nosotros no tenemos otra ocupación. Cualquier otra tarea que hagamos simplemente nos enredará en este mundo material. La meta de la vida humana es escaparse de las garras del mundo material. Pero como dice el *Bhāgavatam*: *na te viduḥ svārtha-gatiṁ hi viṣṇum* (*Bhāg*. 7.5.31): «La gente no sabe que la última meta de la vida es comprender a Viṣṇu o Kṛṣṇa».

Por lo tanto es muy difícil que la gente se vuelva consciente de Kṛṣṇa en esta era. Sin embargo, Caitanya Mahāprabhu nos ha ordenado distribuir este conocimiento por todo el mundo. De manera que intentémoslo. Incluso si la gente no toma nuestra instrucción, eso no es una descualificación para nosotros. Nuestra única cualificación es tratar lo mejor que podamos. *Māyā* (la ilusión) es muy fuerte. Por lo tanto sacar a las entidades vivientes fuera de las garras de *māyā* no es una cosa muy fácil. Mi Guru Mahārāja tuvo muchos templos en toda la India, y a veces él decía: «Si vendiendo todos estos templos yo pudiese hacer que un hombre se torne consciente de Kṛṣṇa, mi misión sería exitosa». Él solía decir eso.

Nuestro propósito no es construir grandes, grandes edificios, aunque a veces sea necesario para difundir la conciencia de Kṛṣṇa y para darle refugio a la gente. Sino que nuestra principal ocupación es la de dirigir hacia Kṛṣṇa los rostros de las almas condicionadas confundidas. Ese es nuestro propósito principal. Por lo tanto Bhaktivinoda

Ṭhākura y otros *vaiṣṇavas* nos han aconsejado ser cuidadosos acerca de construir muchos grandes templos, porque nuestra atención puede desviarse hacia cosas materiales. En otras palabras, nos podemos olvidar de Kṛṣṇa.

Por supuesto, finalmente nada es material. Pensar que algo es material es simplemente una ilusión. Realmente, no existe nada sino espíritu. ¿Cómo puede haber algo material? El Señor Supremo es el Espíritu Supremo y ya que todo proviene de Él, lo que llamamos energía material también está viniendo de Él y, en última instancia, es espiritual.

Pero la dificultad radica en que en este mundo material, la energía inferior de Kṛṣṇa, existe la posibilidad de olvidar a Kṛṣṇa. La gente se ocupa en tantas actividades —podemos ver esto en los países occidentales— y están inventando tantas comodidades modernas, pero el resultado es que están olvidando a Kṛṣṇa. Esto es material, este olvido de Kṛṣṇa.

Realmente no existe nada excepto Kṛṣṇa y Sus energías. Como dice Nārada Muni: *idaṁ hi viśvaṁ bhagavān ivetaraḥ:* «Este mundo es Kṛṣṇa, Bhagavān». Pero para quienes están en ignorancia parece ser diferente de Bhagavān. Para un *mahā-bhāgavata*, un devoto puro, no existe el concepto material o espiritual, porque él ve a Kṛṣṇa en todas partes. Tan pronto como él ve algo que nosotros denominamos material, él lo ve como una transformación de la energía de Kṛṣṇa *(pariṇāma-vāda)*. El Señor Caitanya dio el siguiente ejemplo:

sthāvara-jaṅgama dekhe, nā dekhe tāra mūrti
sarvatra haya nija iṣṭa-deva-sphūrti
(*Cc. Madhya* 8.274)

Un devoto puro puede ver un árbol, pero el olvida al árbol y ve la energía de Kṛṣṇa. Y tan pronto como él ve la energía de Kṛṣṇa, él ve a Kṛṣṇa. Por lo tanto, en vez de ver el árbol, él ve a Kṛṣṇa.

Otro ejemplo es el Sol y la luz del Sol. Tan pronto como usted ve la luz del Sol puede pensar inmediatamente en el Sol. ¿No es así? Por la mañana, tan pronto como usted ve la luz del Sol entrando por su ventana, usted puede recordar al Sol inmediatamente. Usted está convencido de que el Sol está ahí, porque sabe que sin Sol no puede haber luz. Análogamente, cuandoquiera que veamos algo, nosotros debemos pensar inmediatamente en Kṛṣṇa con relación a esa cosa particular, porque eso es una manifestación de la energía de Kṛṣṇa. Y debido a que la energía no es diferente del energético, aquellos que han entendido a Kṛṣṇa junto con sus energías no ven nada excepto a Kṛṣṇa. Por lo tanto, para ellos no existe el mundo material. Para un devoto perfecto, todo es espiritual *(sarvaṁ khalv idaṁ brahma)*.

Por lo tanto tenemos que entrenar nuestros ojos para ver a Kṛṣṇa en todas partes. Y este entrenamiento es servicio devocional a Kṛṣṇa, el cual es un proceso de purificación:

sarvopādhi-vinirmuktaṁ
tat-paratvena nirmalam
hṛṣīkeṇa hṛṣīkeśa-
sevanaṁ bhaktir ucyate

Tan pronto como estamos en la conciencia de Kṛṣṇa, abandonamos nuestras falsas designaciones, y nuestra vista, tacto, olfato, etc., se vuelven *nirmala*, purificados, por estar ocupados en el servicio de Kṛṣṇa. Luego podemos ver inmediatamente a Kṛṣṇa en todas partes. Mientras nuestros ojos no estén purificados no podemos ver a Kṛṣṇa, pero tan pronto como se purifiquen por el proceso del servicio devocional, no veremos otra cosa sino a Kṛṣṇa.

Por eso, Cupido es uno de los agentes de la energía material ilusoria, pero si estamos perfectamente ubicados en la conciencia de Kṛṣṇa, Cupido no puede atravesar nuestro corazón con sus flechas. No es posible. Un buen ejemplo es Haridāsa Ṭhākura. Cuando Haridāsa Ṭhākura era joven, una joven prostituta bien vestida se le acercó a medianoche y le reveló su deseo de tener relaciones con él. Haridāsa Ṭhākura dijo: «Sí, siéntate por favor. Yo satisfaré tu deseo, solo déjame terminar de cantar Hare Kṛṣṇa». ¡Tan solo vean! A medianoche frente a Haridāsa Ṭhākura hay una muchacha hermosa proponiéndole tener relaciones sexuales. Sin embargo, él está fijo cantando Hare Kṛṣṇa, Hare Kṛṣṇa, Kṛṣṇa Kṛṣṇa, Hare Hare/ Hare Rāma, Hare Rāma, Rāma Rāma, Hare Hare. Pero él nunca terminó de cantar, de modo que el plan no tuvo éxito.

Por lo tanto, Cupido no puede atravesar nuestro corazón cuando estamos completamente absortos en la conciencia de Kṛṣṇa. Puede que haya miles de mujeres hermosas delante de un devoto, pero ellas no pueden perturbarlo. Él las ve como energías de Kṛṣṇa. Él piensa: «Ellas son de Kṛṣṇa, ellas están destinadas a Su disfrute».

El deber de un devoto es tratar de ocupar a todas las mujeres hermosas al servicio de Kṛṣṇa, no el tratar de disfrutarlas. Un devoto no es atravesado por las flechas de Cupido, porque él ve todo en relación con Kṛṣṇa. Eso es verdadera renuncia. Él no acepta nada para su propia complacencia sensorial, sino que ocupa todo y a todos en el servicio de Kṛṣṇa. Este es el proceso de la conciencia de Kṛṣṇa.

Muchas gracias.

IV
El maestro espiritual

Descubriendo a los falsos espiritualistas

«Los Ángeles, 30 de diciembre de 1968: Un periodista de la CBS le pide a Śrīla Prabhupāda que haga un comentario acerca de los tantos «gurus» recientemente surgidos en los últimos años de la década del 60 quienes prometían —entre otras cosas— poder, influencia, control del estrés y salvación. Esta entrevista informal expone muchas filosofías y prácticas «religiosas» usuales. Śrīla Prabhupāda declara: «El hombre que dice ser Dios es el sinvergüenza número uno».

Periodista: Yo pienso que gran parte de nuestra audiencia, y muchísima gente en los Estados Unidos, está terriblemente confundida por muchas de las personas que declaran ser *gurus* y dioses, que pululan en este país uno detrás del otro y dicen que...

Śrīla Prabhupāda: Yo puedo decir que todos ellos son unos necios.

Periodista: ¿Podría explicar eso un poco más detalladamente?

Śrīla Prabhupāda: Yo puedo decir, además, que son todos sinvergüenzas.

Periodista: Por ejemplo, ¿ese famoso que vende *mantras* de meditación?

Śrīla Prabhupāda: Él es el sinvergüenza número uno. Lo digo públicamente.

Periodista: Podría explicarlo, deme algún fundamento y por qué, porque nuestra audiencia...

Śrīla Prabhupāda: Por el comportamiento que tiene, yo puedo entender que es el sinvergüenza número uno. Yo no quiero saber nada acerca de él; lo que hizo lo pone de manifiesto. Pero lo maravilloso es cómo la gente de los países occidentales que se considera tan avanzada, está siendo engañada por esos sinvergüenzas.

Periodista: Bueno, yo pienso que la gente está buscando algo y él aparece.

Śrīla Prabhupāda: Sí, pero ellos quieren algo muy barato, ese es su error. Ahora bien, a nuestros discípulos no les damos nada barato. Nuestra primera condición es el carácter, el carácter moral. ¿Se da cuenta? A menos que uno siga estrictamente los principios morales, no lo iniciamos, no lo aceptamos en esta institución. Y este mal llamado *guru* le ha dicho a la gente: «Hagan lo que gusten. Simplemente páguenme treinta y cinco dólares y les daré un *mantra*». ¿Se da cuenta? Mucha gente quiere ser engañada, y vienen muchos engañadores. La gente no quiere seguir ninguna disciplina. Ellos tienen dinero, y entonces piensan: «Pagaremos, e inmediatamente conseguiremos lo que queramos».

Periodista: Cielo instantáneo.

Śrīla Prabhupāda: Sí. Esa es su locura.

Periodista: Permítame preguntarle, yo tengo mi opinión pero permítame preguntarle, ¿por qué piensa usted que la gente más joven de hoy está inclinándose más y más hacia las religiones orientales?

Śrīla Prabhupāda: Porque su estilo de vida materialista ya no los satisface. En Estados Unidos, especialmente, ustedes han conseguido lo suficiente para disfrutar. Ustedes consiguieron suficientes alimentos, suficientes mujeres, suficiente vino, suficientes casas, suficiente de todo. Pero aun así la gente está confundida e insatisfecha; más en su país que en India, del que se dice que es un país necesitado. Pero usted encontrará que en India, aunque necesitada, la gente continúa con su antigua cultura espiritual. Por eso la gente no está tan perturbada. Esto muestra que solo el avance material no puede satisfacerlo a uno. Si ellos realmente quieren satisfacción, deben tomar la vida espiritual. Eso los hará felices. Toda esta gente está en la oscuridad. No hay ninguna esperanza. Ellos no saben hacia donde están yendo, ellos no tienen metas. Pero cuando usted está situado espiritualmente, usted sabe lo que está haciendo y hacia dónde está yendo. Todo es claro.

Periodista: En otras palabras, usted siente que la iglesia occidental —ya sea una sinagoga, una iglesia o lo que sea— ha fallado al presentar la vida espiritual. ¿Diría usted que el mensaje de ellos no es relevante? ¿O es que han fallado al presentar su mensaje apropiadamente?

Śrīla Prabhupāda: Tomemos la Biblia. Fue hablada hace mucho, mucho tiempo, a gente primitiva que vivía en el desierto. Esa gente no era muy avanzada. De manera que, en aquellos tiempos, en el Viejo Testamento era suficiente decir: «Existe Dios y Dios creó el mundo». Esto es un hecho. Pero ahora la gente es avanzada en ciencias y quiere saber detalladamente cómo tomó lugar la creación. ¿Ve? Desgraciadamente, esa explicación científica detallada no está allí, en la Biblia. Y la iglesia no puede ofrecer más que eso. Por lo tanto la gente no está satisfecha. Ir a la iglesia solo oficialmente y ofrecer oraciones no los atrae.

Además, los mal llamados líderes religiosos no están siguiendo ni siquiera los principios religiosos más elementales. Por ejemplo, en el Viejo Testamento existen Diez Mandamientos, y uno de esos mandamientos es «no matarás». Pero matar es algo muy prominente en el mundo cristiano. Los líderes religiosos están autorizando mataderos, y elaboraron la teoría de que los animales no tienen alma.

Por eso cuando preguntamos: ¿Por qué actúan tan pecaminosamente matando?, los sacerdotes se rehusan a discutir este asunto. Todos quedan en silencio. Esto significa que están desobedeciendo deliberadamente los Diez Mandamientos. De manera que, ¿dónde están los principios religiosos? Se dice claramente: «No matarás». ¿Por qué están matando? ¿Cómo responder a esto?

Periodista: ¿Me pregunta a mí?

Śrīla Prabhupāda: Sí.

Periodista: Bueno, «no matarás» es obviamente ético... y es intemporal y es válido. Pero el hombre no está realmente interesado.

Śrīla Prabhupāda: Sí, eso es correcto. Ellos no están realmente interesados en religión. Es simplemente una farsa. Si usted no sigue los principios regulativos, ¿dónde está su religión?

Periodista: Yo no estoy argumentando con usted. Yo no podría concordar más. Estoy completamente de acuerdo. No tiene ningún sentido. «No matarás», «no adorarás otros dioses delante de Mí», «no codiciarás bienes ajenos», «honrarás a tu padre y madre»..., son hermosos.

Śrīla Prabhupāda: «No codiciarás la esposa del vecino», pero ¿quién sigue esto?

Periodista: Muy pocos.

Śrīla Prabhupāda: Entonces, ¿cómo pueden decir que son religiosos? Y, sin religión, la sociedad humana es una sociedad animal.

Periodista: Es así, pero permítame preguntarle esto: ¿En qué difiere su interpretación a la de la ética judeocristiana básica de los Diez Mandamientos?

Śrīla Prabhupāda: No hay diferencia. Pero como ya le dije, ninguno de ellos está siguiendo estrictamente los Diez Mandamientos. Por eso yo simplemente digo: «Por favor sigan los mandamientos de Dios». Ese es mi mensaje.

Periodista: En otras palabras, ¿usted le está pidiendo que obedezcan estos principios?

Śrīla Prabhupāda: Sí. Yo no digo que los cristianos deben volverse hindúes. Yo simplemente digo: «Por favor obedezcan sus mandamientos». Yo haré de usted un mejor cristiano. Esa es mi misión. Yo no digo: «Dios no está en su tradición, Dios está solo aquí en la nuestra». Yo simplemente digo: «Obedezca a Dios». Yo no digo: «Usted tiene que aceptar que el nombre de Dios es Kṛṣṇa y no otro». No. Yo digo: «Por favor obedezcan a Dios. Por favor traten de amar a Dios».

Periodista: Permítame decirlo de esta manera. Si su misión y la misión de la ética judeocristiana occidental es la misma, le pregunto otra vez, ¿por qué la gente joven, o la gente en general, está disgustada y trata de ir hacia las religiones orientales? ¿Por qué van hacia la oriental si ambas son iguales?

Śrīla Prabhupāda: Porque el judaísmo y el cristianismo no les enseñan en la práctica. Yo les enseño en la práctica.

Periodista: En otras palabras, usted les enseña lo que usted cree que es un método práctico cotidiano para alcanzar la satisfacción del espíritu humano.

Śrīla Prabhupāda: El amor por Dios está siendo enseñado tanto en la Biblia como en el *Bhagavad-gītā*. Pero las religiones de hoy en día no están enseñando realmente cómo amar a Dios. Yo estoy enseñándole a la gente cómo amar a Dios, esa es la diferencia. Por lo tanto, la gente joven se atrae.

Periodista: Muy bien, entonces la meta es la misma, pero, ¿la diferencia está en el método para alcanzarla?

Śrīla Prabhupāda: No, la meta es la misma y el método también es el mismo. Pero estos mal llamados líderes religiosos no están enseñándole a la gente a seguir el método. Yo estoy enseñándoles a seguirlo en la práctica.

Periodista: Permítame preguntarle algo que nos ha puesto en un gran problema recientemente. El mayor problema que mantiene al hombre y a la mujer apartados del amor a Dios y de seguir los Diez Mandamientos es el problema —¿cómo decirlo?—, bueno, el problema sexual. Ahora bien, yo estoy afirmando algo que es obvio. Todos nosotros hemos experimentado esto.

Śrīla Prabhupāda: Sí, todos.

Periodista: Y no hay nada en la cultura o religión occidental que enseñe o ayude a una persona joven a solucionar este difícil problema. Yo lo experimenté. Todos nosotros también. De manera que, ¿le ofrece usted algo a la gente joven a través de su mensaje para solucionarlo? Si es así, ¿qué es?

Śrīla Prabhupāda: Yo les pido a mis discípulos que se casen. Yo no permito este disparate de muchachos que viven con novias. No. «Tú debes casarte y vivir como un caballero».

Periodista: Bueno, permítame llegar a algo más básico, ¿qué pasa cuando uno tiene catorce, quince o dieciséis años de edad?

Śrīla Prabhupāda: Algo que enseñamos a nuestros muchachos es cómo volverse *brahmacārīs*, cómo tener una vida de celibato, cómo controlar sus sentidos. En la cultura védica, el matrimonio generalmente no se realiza hasta que el muchacho tiene cerca de veinticuatro o veinticinco años de edad y la muchacha alrededor de dieciséis o diecisiete. Y debido a que están experimentando el placer espiritual de la conciencia de Kṛṣṇa, simplemente no se interesan en la vida sexual. Por eso no decimos: «No se mezclen con mujeres, detengan la vida sexual». Sino que regulamos todo bajo el principio más elevado de la conciencia de Kṛṣṇa. De esta manera todo funciona bien.

Periodista: De manera que no es que sus discípulos están mordiéndose los labios reprimiéndose, mientras dicen: «Yo quiero tocarla (o tocarlo)». ¿Existe un sustituto?

Śrīla Prabhupāda: Sí, un gusto superior. Eso es la conciencia de Kṛṣṇa. Y funciona: Yo ya estoy instruyendo a hombres y mujeres occidentales a controlar sus impulsos sexuales. Mis discípulos, que usted ve aquí, son todos americanos. Ellos no son importados de la India.

Periodista: Quiero saber qué es lo que usted piensa acerca de ese famoso *guru* vendedor de *mantras*, quien me decepcionó a mí y a otras personas también. Mi hija estuvo muy involucrada en eso por un tiempo. Ella está terriblemente desilusionada.

Śrīla Prabhupāda: La psicología es que la gente occidental, especialmente los jóvenes, están buscando vida espiritual. Ahora bien, si alguien se acerca y me dice: «Svāmījī, inícieme», yo inmediatamente le diré: «Tú tienes que seguir estos cuatro principios: no comer carne, no practicar juegos de azar, no intoxicarse y no tener relaciones sexuales ilícitas». Muchos se van. Pero este vendedor de *mantras*, él no pone ninguna restricción. Tal como cuando un médico dice: «Usted puede hacer lo que guste, usted simplemente tome mi medicina y se curará». Ese médico se volverá muy popular.

Periodista: Sí. Él matará a mucha gente, pero será muy popular.

Śrīla Prabhupāda: Sí (risas). Y un verdadero médico dice: «Tú no puedes hacer esto. Tú no puedes hacer aquello. Tú no puedes comer esto». Esto es una molestia para la gente. Ellos quieren algo muy barato. Por lo tanto, los engañadores vienen y los engañan. Ellos aprovechan la oportunidad porque la gente quiere ser engañada. «¡Oh, aprovechémonos!». ¿Se da cuenta? Los sinvergüenzas le dicen a la gente: «Usted es Dios, todo el mundo es Dios. Usted solo tiene que darse cuenta, simplemente lo olvidó. Acepte este *mantra* y usted se volverá Dios. Usted será poderoso. No hay necesidad de controlar los sentidos. Usted puede beber. Puede llevar una vida sexual irrestricta y hacer cualquier cosa».

A la gente le gusta esto: «Oh, simplemente quince minutos de meditación y me volveré Dios, y solo tengo que pagar treinta y cinco dólares». Muchos millones de personas están dispuestas a hacerlo. Para los norteamericanos treinta y cinco dólares no es mucho. Pero multiplíquelo por un millón, y eso será treinta y cinco millones de dólares (risas).

Nosotros no podemos engañar de ese modo. Nosotros decimos que si usted realmente quiere vida espiritual, tiene que seguir las restricciones. El mandamiento es «no matarás». Por eso yo no diré: «Sí, usted puede matar, los animales no tienen sentimientos, los animales no tienen alma». Nosotros no podemos engañar de esa manera, ¿comprende?

Periodista: Este tipo de cosas ha desilusionado a una gran cantidad de gente joven.

Śrīla Prabhupāda: De modo que, por favor, trate de ayudarnos. Este movimiento es muy bueno. Ayudará a su país. Ayudará a toda la sociedad humana. Es un movimiento genuino. Nosotros no estamos engañando o diciendo una cosa por otra. Es autorizado.

Periodista: ¿Autorizado por quién?

Śrīla Prabhupāda: Autorizado por Kṛṣṇa, Dios. En la India esta filosofía de la conciencia de Kṛṣṇa tiene millones y millones de seguidores, ochenta por ciento de la población. Si usted le pregunta a cualquier hindú, él será capaz de decirle muchas cosas acerca de la conciencia de Kṛṣṇa.

Periodista: ¿Piensa usted realmente, desde un punto de vista práctico, que su movimiento tiene alguna oportunidad de crecer aquí en Estados Unidos?

Śrīla Prabhupāda: Por lo que he visto tiene una gran oportunidad. Nosotros no decimos: «Abandone su religión y únase a nosotros». Nosotros decimos: «Por lo menos siga sus propios principios y luego si usted quiere, estudie con nosotros». A veces sucede que aunque los estudiantes hayan recibido su título universitario, ellos van a universidades extranjeras para estudiar más. ¿Por qué sucede esto? Ellos quieren más iluminación. De modo similar, cualquier Escritura religiosa que usted siga le dará iluminación. Pero si usted encuentra más en este movimiento para la conciencia de Kṛṣṇa, entonces ¿por qué no aceptarlo? Si usted es serio acerca de Dios, por qué debería decir: «Oh, yo soy cristiano», «yo soy judío», «yo no puedo asistir a su reunión». Por qué diría usted: «Oh, yo no puedo permitirle hablar en mi iglesia». Si yo estoy hablando acerca de Dios, ¿qué objeción podría tener usted?

Periodista: Bueno, estoy totalmente de acuerdo con usted.

Śrīla Prabhupāda: Yo estoy preparado para hablar con cualquier hombre consciente de Dios. Tracemos un programa de tal manera que la gente pueda beneficiarse. Pero ellos quieren seguir con su estilo estereotipado. Si vemos que por seguir un tipo particular de principio religioso uno desarrolla amor por Dios, eso es religión de primera clase. Pero si uno solo desarrolla amor por los bienes materiales, ¿qué clase de religión es esa?

Periodista: Usted está en lo cierto.

Śrīla Prabhupāda: Ese es nuestro examen, usted tiene que desarrollar amor por Dios. Nosotros no decimos que deba seguir el cristianismo, el islamismo, el judaísmo o el hinduismo. Nosotros simplemente vemos si usted está desarrollando su amor a Dios. Pero ellos dicen: «¿Quién es Dios? Yo soy Dios». ¿Lo ve? Hoy en día se enseña que todos son Dios.

Periodista: ¿Ha visto usted fotografías de un hombre sonriente con un bigote y una nariz achatada? Antes de morir, el dijo que era Dios.

Śrīla Prabhupāda: ¿Él era Dios? Él fue otro sinvergüenza. Fíjese, está sucediendo. Él hizo propaganda de que era Dios. Eso significa que la gente no sabe lo que es Dios. Suponga que yo me acerco a usted y le digo que soy el presidente de los Estados Unidos. ¿Usted aceptaría?

Periodista: (risas) No, no creo que lo hiciese.

Śrīla Prabhupāda: ¡Esos sinvergüenzas! La gente los está aceptando como Dios porque no sabe lo que es Dios, ese es el problema.

Periodista: Es absolutamente absurdo que alguien venga y diga que él mismo es Dios.

Śrīla Prabhupāda: Pero quienquiera que lo acepte como Dios también es un sinvergüenza. El hombre que dice ser Dios, él es el sinvergüenza número uno. Él es un engañador. Y el hombre que es engañado, él también es un sinvergüenza. Él no sabe lo que es Dios. Piensa que Dios es tan barato que puede ser encontrado en el mercado.

Periodista: Desde luego, el concepto occidental es que el hombre es creado a imagen de Dios. En consecuencia Dios debe verse como un hombre.

Śrīla Prabhupāda: Ustedes tienen tantos científicos. Entonces, encuentren cuál es la verdadera imagen de Dios; cuál es su verdadera forma. ¿Dónde está ese departamento de conocimiento? Ustedes tienen tantos departamentos: departamento de investigación, departamento de tecnología. Pero, ¿dónde está el departamento de conocimiento que investiga lo que es Dios? ¿Existe tal departamento de conocimiento?

Periodista: No hay ningún departamento, trabajando esta noche, para estudiar a Dios, se lo afirmo desde ahora.

Śrīla Prabhupāda: Esa es la dificultad. Pero el movimiento para la conciencia de Kṛṣṇa es el departamento para conocer a Dios. Si usted estudia con nosotros, entonces no aceptará a ningún sinvergüenza como Dios. Usted aceptará solo a Dios como Dios. Nosotros estamos enseñando que existe otra naturaleza, más allá de esta naturaleza material. Esta naturaleza material está existiendo y se disuelve nuevamente, pero Dios y su naturaleza espiritual son eternos. Nosotros, las entidades vivientes también somos eternos, sin final ni comienzo alguno. Este movimiento para la conciencia de Kṛṣṇa está enseñando a transferirse por uno mismo a la naturaleza eterna y espiritual donde reside Dios.

Periodista: Esa es la búsqueda del hombre.

Śrīla Prabhupāda: Sí, esa es la búsqueda. Todos están tratando de ser felices, porque esa es la prerrogativa de la entidad viviente. Por naturaleza, ella está destinada a ser feliz, pero no sabe dónde puede ser feliz. Ella está tratando de ser feliz en un lugar donde existen cuatro condiciones miserables: nacimiento, vejez, enfermedades y muerte. Los científicos están tratando de ser felices y hacer feliz a otra gente. Pero ¿qué científico ha detenido la vejez, la enfermedad, la muerte, y el renacimiento? ¿Alguno de ellos lo logró?

Periodista: Yo no creo.

Śrīla Prabhupāda: Entonces ¿qué hacen? Por qué no consideran lo siguiente: «Nosotros hemos mejorado muchas cosas, pero ¿qué mejoras hemos hecho en estas cuatro cosas?». Ellos no hicieron ninguna. Sin embargo, están muy orgullosos por su adelanto en educación y en tecnología. Pero las cuatro miserias primarias continúan tal como son. ¿Lo ve?

Los científicos pueden haber hecho avances en medicina, pero ¿existe algún remedio que nos permita declarar lo siguiente?: «Ahora no hay más enfermedades». ¿Existe algún remedio así? No. Entonces, ¿cuál es el avance de los científicos? Por el contrario, existen más y más enfermedades nuevas.

Ellos han inventado armas nucleares simplemente para matar, ¿qué hay de bueno en eso? ¿Han inventado algo para que el hombre no muera más? Eso estaría a favor de ellos. Pero la gente está muriendo a cada momento, y los científicos simplemente han inventado algo para acelerar su propia muerte. Eso es todo. ¿Ese es su logro? Por lo tanto todavía no existe solución para la muerte.

Ellos están tratando de detener la superpoblación. Pero ¿qué solución tienen? A cada minuto la población aumenta en cien personas. Esas son las estadísticas.

No existe solución para el nacimiento. No existe solución para la muerte. No existe solución para las enfermedades y no existe solución para la vejez. Incluso un gran científico como el profesor Einstein tuvo que experimentar la vejez y la muerte. ¿Por qué no pudo detener la vejez? Todos están tratando de permanecer jóvenes, pero, ¿cuál es el proceso? Los científicos no se preocupan en resolver este problema porque está más allá de su alcance.

Ellos solo engañan, eso es todo. Pero la conciencia de Kṛṣṇa es la solución y todo se describe en el *Bhagavad-gītā*. Al menos, dejemos que intenten entenderlo.

El maestro espiritual fidedigno

«El maestro espiritual nunca dirá: "Yo soy Dios"... El maestro espiritual dirá: "Yo soy un sirviente de Dios"». Dirigiéndose al cuerpo estudiantil de la Universidad de Estocolmo, en septiembre de 1973, Śrīla Prabhupāda describe las ocho características principales que, de acuerdo con las enseñanzas védicas, caracterizan a un maestro espiritual genuino y nos capacitan para diferenciar a un santo de un charlatán.

Para entrar en la vida espiritual, se requieren dos cosas. Como lo enunció Śrī Caitanya Mahāprabhu, uno necesita la misericordia del Señor Supremo y la misericordia del maestro espiritual.

brahmāṇḍa bhramite kona bhāgyavān jīva
guru-kṛṣṇa-prasāde pāya bhakti-latā-bīja
(*Cc. Madhya* 19.151)

Las entidades vivientes están deambulando por todo el universo cambiando de cuerpos, transmigrando de un cuerpo a otro, de un lugar a otro y de un planeta a otro. *Brahmāṇḍa bhramite:* ellas están dando vueltas dentro de este universo material. La ciencia de cómo el alma espiritual transmigra de un cuerpo a otro, y cómo es transferida de un planeta a otro, es desconocida por los educadores modernos. Pero nosotros hemos explicado esto en nuestro libro *Viaje fácil a otros planetas*.

De hecho, el *guru* puede ayudarlo a usted a transmigrar directamente de este planeta al cielo espiritual, Vaikuṇṭhaloka, donde hay innumerables planetas espirituales. El planeta más elevado en el cielo espiritual es el planeta de Kṛṣṇa, denominado Goloka Vṛndāvana. El movimiento para la conciencia de Kṛṣṇa está tratando de dar información acerca de cómo uno puede transferirse directamente al planeta Goloka Vṛndāvana, Kṛṣṇaloka. Esa es nuestra misión.

¿Cuál es la diferencia entre este mundo material y el mundo espiritual? La diferencia es que en el mundo material usted tiene que cambiar de cuerpo, aunque usted es eterno. *Ajo nityaḥ śāśvato 'yaṁ purāṇo na hanyate hanyamāne śarīre* (*Bg.* 2.20). Usted no es destruido después de la aniquilación de su cuerpo material, sino que usted transmigra a otro cuerpo que puede ser uno entre 8 400 000 formas. *Jalajā nava-lakṣāṇi.* Existen 900 000 formas en el agua, 2 000 000 de formas de árboles y plantas, 1 100 000 formas de insectos, 1 000 000 de formas de aves, y 3 000 000 de formas de bestias. Luego usted llega a esta forma humana de vida. Ahora usted elige: o bien ser transferido nuevamente, mediante el ciclo de transmigración de un cuerpo a otro, a las especies más bajas de vida o al cielo espiritual, al planeta espiritual más elevado, conocido como Goloka Vṛndāvana. Esa es su elección. A usted, para elegir, le fue dada la oportunidad de este cuerpo de forma humana. En las especies más bajas usted está completamente bajo el control de la naturaleza material, pero cuando la naturaleza material le otorga a usted la oportunidad de obtener esta forma humana de cuerpo, usted puede elegir cualquiera de las que guste.

Esto se confirma en el *Bhagavad-gītā* (9.25):

yānti deva-vratā devān
pitṝn yānti-pitṛ-vrataḥ
bhūtāni yānti bhūtejyā
yānti mad-yājino 'pi mām

Quienes tratan de ascender a los planetas más elevados —*deva-loka*, o los planetas de los semidioses, donde la calidad y la duración de la vida son muy grandes— pueden adorar a los semidioses. O si usted quiere puede ser transferido a Pitṛloka, el planeta de los fantasmas, o al planeta donde vive Kṛṣṇa (*yānti mad-yājino 'pi mām*). Todo esto depende de sus actividades. Pero *saṁsāra* —dar vueltas, deambular dentro de este mundo material de un cuerpo a otro o de un planeta a otro— no es recomendable. La existencia material se denomina *saṁsāra*. *Bhūtvā bhūtvā pralīyate* (*Bg.* 8.19): Usted nace en alguna forma de cuerpo, vive por algún tiempo y luego tiene que abandonar ese cuerpo. Después, usted tiene que aceptar otro cuerpo, vivir otra vez por algún tiempo, luego tiene que abandonar ese cuerpo, y aceptar nuevamente otro. Esto se denomina *saṁsāra*.

El mundo material es comparado a *dāvānala*, un incendio forestal. Como ya hemos experimentado, nadie va al bosque a iniciar el fuego, pero aun así el incendio se produce. Similarmente, nadie dentro de este mundo material quiere estar afligido. Todos tratan de ser muy felices, pero uno es forzado a aceptar la aflicción. En este mundo material, desde tiempo inmemorial hasta el momento actual, han habido guerras ocasionales y guerras mundiales, aunque la gente haya ideado diversas maneras de detener las guerras. En la época en que yo era joven, existía la Liga de las Naciones. En 1920, después de la Primera Guerra Mundial, diferentes naciones formaron la Liga de las Naciones, solo para disponerse a vivir pacíficamente entre ellas, nadie quería la guerra, pero otra vez hubo un incendio forestal: la Segunda Guerra Mundial. Ahora ellos han creado las Naciones Unidas, pero la guerra todavía continúa: la guerra de Vietnam, la guerra de Paquistán y muchas otras. De manera que usted puede hacer el mejor intento de vivir muy pacíficamente, pero la naturaleza no se lo permitirá. Debe haber guerra. Y este sentimiento bélico siempre continúa, no solo entre nación y nación, sino también entre hombre y hombre, entre vecino y vecino; incluso entre esposo y esposa y entre padre e hijo. Este sentimiento belicoso continúa. Esto se denomina *dāvānala*, un incendio forestal. Nadie va al bosque a encender el fuego, pero automáticamente, por la fricción de las cañas secas aparecen las chispas, y el bosque arde en llamas. Similarmente, aunque no queremos la aflicción, creamos enemigos mediante nuestras actividades y surgen luchas y guerra. Esto se denomina *saṁsāra-dāvānala*.

Este incendio forestal de la existencia material continúa perpetuamente, y la persona autorizada que puede liberarlo de este fuego se llama *guru*, el maestro espiritual.

¿Cómo lo libera? ¿Cuál es su método? Consideren el mismo ejemplo. Cuando existe fuego en el bosque, usted no puede enviar a los bomberos o ir usted mismo con baldes llenos de agua para extinguirlo. Eso no es posible. Entonces ¿cómo se apagará? Usted necesita agua para apagar el fuego, pero ¿de dónde provendrá el agua?, ¿de su balde, de los bomberos? No, debe provenir del cielo. Solo cuando haya torrentes de lluvia del cielo el fuego ardiente será extinguido. Estas lluvias desde el cielo no dependen de su propaganda o manipulación científicas. Dependen de la misericordia del Señor Supremo. Por eso el maestro espiritual es comparado a una nube. Tal como hay torrentes de lluvia provenientes de una nube, el maestro espiritual entrega la misericordia de la Suprema Personalidad de Dios. Una nube toma agua del mar. Ella no posee agua propia sino que toma el agua del mar. Similarmente, el maestro espiritual entrega la misericordia de la Suprema Personalidad de Dios. Vean la comparación. Él por sí mismo no tiene misericordia, sino que trae la misericordia de la Suprema Personalidad de Dios. Esa es la cualificación del maestro espiritual.

El maestro espiritual nunca dirá: «Yo soy Dios, yo puedo darte misericordia». No. Ese no es un maestro espiritual; ese es un farsante engañador. El maestro espiritual dirá: «Yo soy un sirviente de Dios; yo he traído Su misericordia. Por favor, tómenla y queden satisfechos». Esta es la tarea del maestro espiritual. Él es como un cartero. Cuando el cartero le entrega a usted una gran cantidad de dinero, no le entrega su propio dinero. El dinero es enviado por otro, pero él lo entrega honestamente: «Señor, aquí está su dinero. Tómelo». De esa manera usted queda muy satisfecho con él, aunque no es su dinero el que le está entregando. Cuando usted está necesitado y consigue dinero de su padre o de alguna otra persona —a través del cartero— usted siente mucha satisfacción.

Similarmente, todos estamos sufriendo en este fuego llameante de la existencia material. Pero el maestro espiritual trae el mensaje del Señor Supremo y se lo entrega a usted, y si usted lo acepta amablemente, entonces se sentirá satisfecho. Esta es la tarea del maestro espiritual.

saṁsāra-dāvānala-līḍha-loka-
trāṇāya kāruṇya-ghanāghanatvam
prāptasya kalyāṇa-guṇārṇavasya
vande guroḥ śrī-caraṇāravindam

Por eso, al maestro espiritual se le ofrecen reverencias: «Señor, usted ha traído la misericordia del Señor Supremo, por lo tanto, nosotros estamos muy endeudados con usted. Usted ha venido para liberarnos, por eso le ofrecemos nuestras respetuosas reverencias». Este es el significado de este verso: La primera cualificación del maestro espiritual, o *guru*, es que él trae el mensaje que apaga el fuego ardiente en su corazón. Esta es la prueba.

Todos tienen un fuego ardiente dentro de su corazón, un fuego ardiente de ansiedad. Esa es la naturaleza de la existencia material. En todo momento todos tienen ansiedad; nadie está libre de ella. Incluso un pequeño pájaro tiene ansiedad. Si usted le da al pequeño pájaro algunos granos para comer, él los comerá, pero no los comerá muy pacíficamente. Él mirará hacia todas las direcciones: «¿Hay alguien que viene a matarme?». Esta es la existencia material. Todos, inclusive un presidente como el Sr. Nixon, están colmados de ansiedades, que decir de otros. Incluso Gandhi, en mi país, él estaba colmado de ansiedad. Todos los políticos están colmados de ansiedad. Ellos pueden tener un puesto muy elevado, pero aun así la enfermedad material (la ansiedad) está presente.

Por lo tanto si usted quiere liberarse de la ansiedad, entonces debe refugiarse en el *guru*, el maestro espiritual. Y la prueba del *guru* es que al seguir sus instrucciones usted se liberará de la ansiedad. Esta es la prueba. No trate de encontrar un *guru* barato o un *guru* de moda. Así como usted a veces tiene un perro por moda; si usted quiere tener un *guru* por cuestión de moda, «yo tengo un *guru*», eso no lo ayudará. Usted debe aceptar un *guru* que pueda extinguir el fuego ardiente de la ansiedad dentro de su corazón. Esta es la primera prueba del *guru*.

La segunda prueba es *mahāprabhoḥ kīrtana-nṛtya-gīta vāditra-mādyan-manaso rasena*. El segundo síntoma del *guru* es que él siempre está cantando, glorificando al Señor Caitanya Mahāprabhu, esa es su ocupación. *Mahāprabhoḥ kīrtana-nṛtya-gīta*. El maestro espiritual canta los santos nombres del Señor y baila porque ese es el remedio para todas las calamidades dentro de este mundo material.

En el momento actual, nadie puede meditar. La mal llamada meditación, ahora popular en occidente, es una patraña. Es muy difícil meditar en esta agitada era de Kali (la era de riña e hipocresía). Por lo tanto, los *śāstras* (Escrituras) dicen: *kṛte yad dhyāyato viṣṇum* (*Bhāg.* 12.3.52). En *Satya-yuga* (la era de la verdad), cuando la gente vivía por cien mil años, Vālmīki Muni alcanzó la perfección meditando durante sesenta mil años. Pero ahora no existe garantía de que podamos vivir por sesenta años o ni siquiera por sesenta horas. Por eso la meditación no es posible en esta era. En la era siguiente (Tretā-yuga), la gente ejecutó rituales, según se describen en los *śāstras* védicos.

Tretāyāṁ yajato makhaiḥ. *Makhaiḥ* significa ejecutar grandes, grandes sacrificios. Eso requiere grandes cantidades de dinero. En la era presente la gente es muy pobre, por eso no puede ejecutar sacrificios. *Dvāpare paricaryāyām*, en Dvāpara-yuga (la era anterior a la actual) era posible adorar opulentamente a la Deidad en el templo, pero hoy en día, en Kali-yuga, eso también es una tarea imposible. Por lo tanto, la recomendación general es *kalau tad dhari-kīrtanāt:* en esta era de Kali uno puede alcanzar toda perfección simplemente cantando el santo nombre del Señor. El movimiento para la conciencia de Kṛṣṇa está destinado a difundir ese canto. Śrī Caitanya Mahāprabhu inauguró este movimiento de cantar y bailar. Se ha estado ejecutando durante los últimos quinientos años. En la India es muy popular, pero en los países occidentales lo hemos presentado hace solo cinco o seis años atrás. Ahora la gente lo está aceptando y se siente muy feliz. Este es el único proceso para esta era.

Por lo tanto, el *guru* siempre está ocupado cantando. *Mahāprabhoḥ kīrtana-nṛtya-gīta*, cantando y bailando. A menos que él mismo lo ejecute, ¿cómo podría enseñarles a sus discípulos? Por eso su primer síntoma es que él da instrucciones que harán que usted se sienta inmediatamente liberado de toda ansiedad, y su segundo síntoma es que él siempre está ocupado personalmente en cantar los santos nombres del Señor y en bailar. *Mahāprabhoḥ kīrtana-nṛtya-gīta vāditra-mādyan-manaso rasena*, el maestro espiritual disfruta de bienaventuranza trascendental dentro de su mente al cantar y bailar. A menos que usted se vuelva bienaventurado, usted no puede bailar. Usted no puede bailar artificialmente. Cuando los devotos bailan, no lo hacen artificialmente. Ellos sienten una bienaventuranza trascendental, y por lo tanto bailan. No es que ellos son perros bailarines. No. Su baile se ejecuta en el plano espiritual. *Romāñca-kampāśru-taraṅga-bhājaḥ*. A veces existen transformaciones del cuerpo con síntomas espirituales, a veces llanto, a veces erizamiento de los vellos. Hay muchos síntomas. Son naturales. Estos síntomas no han de ser imitados, pero cuando uno es avanzado espiritualmente se hacen visibles.

El tercer síntoma del *guru* es:

śrī-vigrahārādhana-nitya-nānā-
śṛṅgāra-tan-mandira-mārjanādau

yuktasya bhaktāṁś ca niyuñjato 'pi
vande guroḥ śrī-caraṇāravindam

El deber del maestro espiritual es el de ocupar a los discípulos en la adoración a la Deidad, *śrī-vigraha*. En todos nuestros cien centros nos ocupamos en la adoración a la Deidad. Aquí en Estocolmo esta adoración todavía no ha sido establecida completamente, pero nosotros adoramos los retratos del Señor Caitanya y del *guru*. En otros centros, tales como los que tenemos en Inglaterra y Estados Unidos, existe la adoración a la Deidad. *Śrī-vigrahārādhana-nitya-nānā-śṛṅgāra-tan-mandira-mārjanādau:* Adorar a la Deidad significa vestirla muy bien, ofrecerle buenos alimentos, limpiar muy bien el templo, y aceptar los remanentes de los alimentos de la Deidad para nuestro sustento. Este es el método de adoración a la Deidad. La adoración a la Deidad es ejecutada por el mismo *guru*, y él también ocupa a sus discípulos en tal adoración. Este es el tercer síntoma.

El cuarto síntoma es:

catur-vidha-śrī-bhagavat-prasāda-
svādv-anna-tṛptān hari-bhakta-saṅghān
kṛtvaiva tṛptiṁ bhajataḥ sadaiva
vande guroḥ śrī-caraṇāravindam

El maestro espiritual fomenta la distribución de *prasādam* (remanentes de los alimentos ofrecidos a Kṛṣṇa) al público. La nuestra no es una filosofía seca, simplemente hablar y luego irse. No. Nosotros distribuimos *prasādam*, *prasādam* muy suntuoso. En todos los templos ofrecemos *prasādam* a quienquiera que venga. En cada uno y en todos los templos ya tenemos entre cincuenta y doscientos devotos y los visitantes también vienen y toman *prasādam*. De modo que la distribución de *prasādam* es otro síntoma del maestro espiritual genuino.

Si usted come *bhagavat-prasādam*, entonces usted gradualmente se espiritualizará; tiene esa potencia. Por lo tanto se dice que la comprensión de Dios comienza por la lengua. *Sevonmukhe hi jihvādau* (*Bhakti-rasāmṛta-sindhu* 1.2.234): Si usted ocupa su lengua al servicio del Señor, entonces usted comprende a Dios. Entonces, ¿cuál es la ocupación de la lengua? Cantar los santos nombres del Señor y tomar este *prasādam*, remanentes de los alimentos ofrecidos al Señor. Entonces usted se volverá autorrealizado, realizado en Dios a través de estos dos métodos.

Uno no tiene que ser altamente educado, ser un filósofo, un científico o un hombre rico para comprender a Dios. Si usted solo ocupa sinceramente su lengua al servicio del Señor, usted lo comprenderá. Es así de simple. No es muy difícil de hacer. Por lo tanto el *guru*, el maestro espiritual, presenta este programa de *prasādam*. *Svādv-anna-tṛptān hari-bhakta-saṅghān. Hari-bhakta-saṅghān* significa «en la asociación de devotos». Usted no puede hacerlo afuera. *Kṛtvaiva tṛptiṁ bhajataḥ sadaiva*: Cuando el *guru* está completamente satisfecho con la distribución de *prasādam*, él está muy complacido y él mismo se ocupa en el servicio devocional al Señor, cantando y bailando. Este es el cuarto síntoma.

El quinto síntoma es:

śrī-rādhikā-mādhavayor apāra-
mādhurya-līlā-guṇa-rūpa-nāmnām
pratikṣaṇāsvādana-lolupasya
vande guroḥ śrī-caraṇāravindam

El maestro espiritual siempre está pensando en los pasatiempos de Kṛṣṇa con Su consorte —Śrīmatī Rādhārāṇī— y las *gopīs*. A veces él está pensando acerca de los pasatiempos de Kṛṣṇa con los pastorcillos de vacas. Esto significa que él siempre está pensando en Kṛṣṇa ocupado en algún tipo de pasatiempo. *Pratikṣaṇāsvādana-lolupasya*. *Pratikṣaṇa* significa que él está pensando de esa manera veinticuatro horas al día. Eso es conciencia de Kṛṣṇa. Uno debe estar ocupado veinticuatro horas al día en pensar en Kṛṣṇa. Usted tiene que hacer un programa como este. Al menos hemos hecho este programa, todos los muchachos y muchachas en el movimiento para la conciencia de Kṛṣṇa están ocupados veinticuatro horas por día, no solo oficialmente, no es que mediten una vez a la semana o cuando vayan a algún templo. No, ellos se ocupan veinticuatro horas por día.

El síntoma siguiente es:

nikuñja-yūno rati-keli-siddhyai
yā yālibhir yuktir apekṣaṇīyā
tatrāti-dākṣyād ati-vallabhasya
vande guroḥ śrī-caraṇāravindam

La meta primordial del maestro espiritual es el querer ser transferido al planeta de Kṛṣṇa, donde puede asociarse con las *gopīs* para ayudarlas a servir a Kṛṣṇa. Algunos maestros espirituales piensan en volverse asistentes de las *gopīs*, algunos están pensando en volverse asistentes de los pastorcillos de vacas, algunos están pensando en volverse asistentes de Nanda y Madre Yaśodā, y algunos están pensando en volverse los sirvientes de Dios. Algunos piensan en volverse árboles con flores, árboles frutales, terneros o vacas en Vṛndāvana.

Existen cinco clases de relaciones: *śānta* (veneración), *dāsya* (servidumbre), *sakhya* (amistad), *vātsalya* (paternidad) y *mādhurya* (amor conyugal). Todo existe en el mundo espiritual. *Cintāmaṇi-prakara-sadmasu.* En el cielo espiritual, incluso la tierra es espiritual. Los árboles son espirituales, la fruta es espiritual, las flores son espirituales, el agua es espiritual, los sirvientes son espirituales, los amigos son espirituales, las madres son espirituales, los padres son espirituales. El Señor es espiritual, y Sus asociados son espirituales. Todo es absoluto aunque existen variedades.

En el mundo material estas variedades espirituales son simplemente reflejos, así como los árboles en la costa de un río. Un árbol se refleja en el agua, pero ¿de qué manera? Al revés. Similarmente, este mundo material es un reflejo del mundo espiritual, pero un reflejo pervertido. En el mundo espiritual existe amor entre Rādhā y Kṛṣṇa. Kṛṣṇa es siempre joven *nava-yauvana*. Y Rādhārāṇī es siempre joven, porque Ella es la potencia de placer de Kṛṣṇa. *Śrī-rādhikā-mādhavayor apāra. Jaya rādhā-mādhava.* Nosotros adoramos no solo a Kṛṣṇa sino a Kṛṣṇa con su consorte eterna, Śrīmātī Rādhārāṇī. Existe amor eterno entre Rādhārāṇī y Kṛṣṇa. Por lo tanto el *Vedānta-sūtra* dice: *janmādhy asya yataḥ* (*Bhāg.* 1.1.1): La Verdad Absoluta es aquella de donde todo emana.

En este mundo encontramos amor entre madre e hijo, amor entre esposo y esposa, amor entre amo y sirviente, entre amigo y amigo, entre el amo y el perro o el gato, o la vaca. Pero estos son solo reflejos del mundo espiritual. Kṛṣṇa también es el bienqueriente de los animales, los terneros y las vacas. Así como nosotros amamos a los perros y a los gatos, allí Kṛṣṇa ama a las vacas y a los terneros. Ustedes han visto esto en los cuadros de Kṛṣṇa. De manera que la tendencia a amar incluso a un animal existe allí, en el mundo espiritual. De otra manera, ¿cómo puede reflejarse? Este mundo es simplemente un reflejo. Si en la realidad no hay nada como eso, ¿cómo puede reflejarse aquí? Por lo tanto todo existe en el mundo espiritual. Pero para entender esa inclinación original de amar, usted tiene que practicar la conciencia de Kṛṣṇa.

Aquí, en este mundo, estamos experimentando frustración. Aquí nosotros amamos: un hombre ama a una mujer o una mujer ama a un hombre, pero existe frustración. Después de algún tiempo ellos se divorcian, porque su amor es un reflejo pervertido. No existe amor real en este mundo. Es simplemente lujuria. Verdadero amor existe en el mundo espiritual, entre Rādhā y Kṛṣṇa. Verdadero amor existe allí entre Kṛṣṇa y las *gopīs*. Verdadero amor existe en la amistad entre Kṛṣṇa y Sus pastorcillos. Verdadero amor existe allí entre Kṛṣṇa y las vacas y los terneros. Verdadero amor existe allá entre Kṛṣṇa y los árboles, las flores y el agua. En el mundo espiritual todo es amor. Pero dentro de este mundo material, nos satisfacemos tan solo con el reflejo de las cosas del mundo espiritual.

Entonces, ahora que tenemos esta oportunidad de la vida humana, entendamos a Kṛṣṇa. Eso es conciencia de Kṛṣṇa, entendamos a Kṛṣṇa. Y como dice el *Bhagavad-gītā* (4.9): *janma karma ca me divyam evaṁ yo vetti tattvataḥ*, uno debe entender a Kṛṣṇa en verdad, no superficialmente. Aprendan la ciencia de Kṛṣṇa. Esa es la instrucción, uno simplemente debe tratar de amar a Kṛṣṇa. El proceso es que uno adore a la Deidad, tome *prasādam*, cante los santos nombres de Kṛṣṇa y siga la instrucción del maestro espiritual. De esta manera uno aprenderá cómo entender a Kṛṣṇa, y entonces su vida será exitosa. Este es nuestro movimiento para la conciencia de Kṛṣṇa.

Muchas gracias.

V
Yoga y meditación

Meditación a través del sonido trascendental

En una conferencia en la Universidad de Boston durante el verano de 1969; Śrīla Prabhupāda presenta un sistema de meditación renombrado por su extraordinario poder y por el hecho de que puede ser practicado fácilmente casi en cualquier parte y en cualquier momento. «Si ustedes adoptan este sencillo proceso —él dice— de cantar Hare Kṛṣṇa, Hare Kṛṣṇa, Kṛṣṇa Kṛṣṇa, Hare Hare/ Hare Rāma, Hare Rāma, Rāma Rāma, Hare Hare, se elevarán inmediatamente a la plataforma trascendental». Él agrega: «No es posible otra meditación mientras usted camina por la calle».

Mis queridos muchachos y muchachas, les agradezco mucho el que hayan asistido a esta reunión. Nosotros estamos difundiendo este movimiento para la conciencia de Kṛṣṇa porque existe una gran necesidad de esta conciencia en todo el mundo. Y el proceso es muy fácil, esa es la ventaja.

Antes que nada, debemos tratar de entender qué es la plataforma trascendental. En lo que respecta a nuestra condición actual, todos estamos en diferentes plataformas. Por lo tanto, primero debemos establecernos en la plataforma trascendental, luego podremos hablar de meditación trascendental.

En el tercer capítulo del *Bhagavad-gītā,* ustedes encontrarán una explicación de los diversos estados de la vida condicionada. El primero es el concepto corporal de la vida *(indriyāṇi parāṇy āhuḥ).* Todos en este mundo material están bajo este concepto corporal de vida. Alguien piensa: «Yo soy hindú». Usted piensa: «Yo soy americano». Otro piensa: «Yo soy ruso». Otro piensa que es alguna otra cosa. Todos piensan: «Yo soy el cuerpo».

Este estándar corporal de vida condicionada se denomina plataforma sensual, porque mientras tengamos un concepto corporal de vida pensamos que felicidad significa complacencia sensorial. Eso es todo. Este concepto corporal de vida es muy prominente en el momento actual, no solo en el momento actual, sino desde la creación de este mundo material. Esa es la enfermedad: «Yo soy el cuerpo».

El *Śrīmad-Bhāgavatam* dice: *yasyātma-buddhiḥ kuṇape tri-dhātuke* (*Bhāg.* 10.84.13*):* Pensar que somos el cuerpo significa que nos consideramos a nosotros mismos como una bolsa de piel y huesos. El cuerpo es una bolsa de piel y huesos, sangre, orina, excremento, y muchas otras cosas lindas. Por eso, cuando pensamos: «Yo soy el cuerpo», realmente estamos pensando: «Yo soy una bolsa de huesos, piel, excremento y orina. Esa es mi belleza, eso es mi todo». Por lo tanto, este concepto corporal de vida no es muy inteligente, y mejorar la condición del cuerpo no es un buen logro para la autorrealización.

A quienes están demasiado absortos en el concepto corporal de la vida se les recomienda practicar el sistema de *dhyāna-yoga*, el *yoga* de la meditación. Esto se menciona en el *Śrīmad-Bhagavad-gītā*. En el sexto capítulo, versos trece y catorce, Kṛṣṇa explica: «Uno debe mantener erguidos su cuerpo, cuello y cabeza en una línea recta y mirar fijamente la punta de la nariz. De ese modo, con la mente tranquila y sometida, libre de temor y completamente libre de vida sexual, se debe meditar en Mí en el corazón y convertirme en la meta última de la vida».

Anteriormente, el Señor Kṛṣṇa dio instrucciones preliminares de cómo uno debe practicar esta meditación trascendental. Uno tiene que restringir la complacencia de los sentidos, especialmente la vida sexual. Uno tiene que elegir un lugar muy solitario, un lugar sagrado, y sentarse solo. Este proceso de meditación no se practica en un lugar como este, una gran ciudad, donde hay tanta gente. Uno debe ir a un lugar solitario y practicarlo solo. Luego, usted tiene que elegir cuidadosamente un lugar para sentarse, usted debe sentarse de una cierta manera... Existen tantas cosas. Por supuesto, esas cosas no pueden ser explicadas en unos pocos minutos. Si usted está muy interesado, encontrará una descripción completa en el *Bhagavad-gītā,* en el capítulo llamado «Dhyāna-yoga».

De modo que del concepto corporal de la vida uno tiene que trascender a la plataforma espiritual. Esa es la meta de cualquier proceso genuino de autorrealización. Yo comencé diciendo que al principio todos nosotros pensamos que somos el cuerpo. *Indriyāṇi parāṇy āhuḥ*. Luego, el que ha trascendido el concepto corporal de la vida llega a la plataforma de la mente. *Indriyebhyaḥ paraṁ manaḥ*. La palabra *manaḥ* significa «mente». Prácticamente toda la población del mundo está bajo el concepto corporal de la vida, pero por encima de esta hay algunas personas que están bajo el concepto mental de la vida. Ellos piensan que son la mente. Y unas pocas personas están en la plataforma intelectual: *manasas tu parā buddhiḥ*. *Buddhiḥ* significa «inteligencia». Y cuando usted también trasciende la plataforma intelectual, entonces llega a la plataforma espiritual. Esa es la primera comprensión requerida.

Antes de practicar la meditación trascendental, usted tiene que alcanzar la plataforma trascendental. Esa plataforma trascendental se denomina *brahma-bhūtaḥ*. Quizás usted ya haya escuchado esta palabra, Brahman. El trascendentalista piensa «*ahaṁ brahmāsmi*: Yo no soy el cuerpo, yo no soy la mente, yo no soy la inteligencia, yo soy alma espiritual». Esta es la plataforma trascendental.

Nosotros hablamos de meditación trascendental. Por eso, al trascender el concepto corporal de la vida, al trascender el concepto mental de la vida y al trascender el concepto intelectual de la vida, usted llega a la verdadera plataforma espiritual, la cual se denomina el estado de *brahma-bhūtaḥ*. Usted no puede decir solo algunas palabras «ahora yo he comprendido Brahman». Existen síntomas. Todo tiene síntomas, y cómo saber si alguien ha realizado la trascendencia, Brahmān, es explicado en el *Bhagavad-gītā* (18.54): *brahma-bhūtaḥ prasannātmā*. Cuando uno está en la plataforma trascendental, el estado de *brahma-bhūtaḥ*, el síntoma es que él está siempre alegre. No hay mal humor.

Y ¿qué significa alegre? Esto también se explica: *na śocati na kāṅkṣati*. Alguien que está en la plataforma trascendental no anhela ni se lamenta por nada. En la plataforma material tenemos dos síntomas: anhelo y lamentación. Anhelamos las cosas que no poseemos y nos lamentamos por las cosas que perdimos. Esos son los síntomas del concepto corporal de la vida.

Todos los seres en el mundo material están anhelando la vida sexual. Ese es el principio básico del anhelo. *Puṁsaḥ striyā mithunī-bhāvam etam* (*Bhāg*. 5.5.8). *Mithunī-bhāvam* significa vida sexual. Ya sea que usted observe a la sociedad humana, a la sociedad animal, a la sociedad de los pájaros, o a la sociedad de los insectos, por todas partes usted encontrará que la vida sexual es muy prominente. Ese es el estilo de vida materialista. Un muchacho anhela una muchacha, y una muchacha anhela un muchacho; un hombre anhela una mujer y una mujer anhela un hombre. Esto es lo que sucede.

Tan pronto como el hombre y la mujer se unen, el fuerte nudo en el corazón se ajusta más. *Tayor mitho hṛdaya-granthim āhuḥ* (*Bhāg*. 5.5.8*)*. Ellos piensan: «Yo soy materia, este cuerpo. Este cuerpo me pertenece. Este hombre o mujer me pertenecen. Este país me pertenece. Este mundo me pertenece». Ese es el fuerte nudo. En vez de trascender el concepto corporal de la vida, ellos se enredan aún más. La situación se vuelve muy difícil. Por lo tanto, Kṛṣṇa recomienda en el *Bhagavad-gītā* que si usted está interesado en practicar *yoga* y meditación, para elevarse a la plataforma trascendental, debe abandonar la vida sexual.

Pero en la era actual esto no es posible. Por eso, en nuestro método, en la conciencia de Kṛṣṇa, nosotros no decimos: «Abandonen la vida sexual». Nosotros decimos: «Abandonen la vida sexual ilícita». Por supuesto, ni hablar de la vida trascendental, abandonar la vida sexual ilícita es un requisito para la vida civilizada. En toda sociedad civilizada existe un sistema de matrimonio, y si existe vida sexual fuera del matrimonio eso se denomina vida sexual ilícita. Eso nunca le es permitido a la gente en ninguna sociedad civilizada, qué decir a aquellos que están tratando de llevar adelante una vida trascendental. La vida trascendental debe estar purificada de todos los conceptos mentales y corporales del ser.

Pero en esta era de Kali, donde todos están perturbados, siempre colmados de ansiedades, y donde la vida es muy corta, la gente en general no está interesada en ningún tema trascendental. Ellos solo están interesados en el concepto corporal de la vida. Cuando alguien está siempre perturbado por tantas ansiedades, ¿de qué manera puede elevarse a la plataforma de comprensión trascendental? Es muy difícil en esta era. Fue algo difícil aun hace cinco mil años atrás cuando Arjuna fue instruido acerca de la meditación por parte de Kṛṣṇa en el *Bhagavad-gītā*. Arjuna era un príncipe, un miembro de la realeza; él era muy avanzado en muchas cosas. Sin embargo, en la Batalla de Kurukṣetra él dijo: «Mi querido Kṛṣṇa, me resulta imposible practicar esta meditación trascendental, este proceso de *dhyāna-yoga*. Yo soy un hombre de familia, yo vine aquí a pelear por mi interés político. ¿Cómo puedo practicar este sistema para el cual debo ir a un lugar solitario, debo sentarme, y abstenerme de la vida sexual? No es posible». Arjuna era mucho más cualificado que nosotros, sin embargo, él se rehusó a practicar este proceso de meditación.

Por lo tanto, en esta era no es posible alcanzar la plataforma trascendental por medio del sistema de *haṭha-yoga* o *dhyāna-yoga*. Y si alguien trata de practicar esa mal llamada meditación, él no está practicando verdadera meditación trascendental. Usted no puede ejecutar esta meditación trascendental en la ciudad. No es posible. Esto se afirma claramente en el *Bhagavad-gītā*. Pero usted vive en la ciudad, vive con su familia, vive con sus amigos. A usted no le es posible ir al bosque y encontrar un lugar aislado. Pero Kṛṣṇa dice que usted debe hacer esto para practicar meditación trascendental.

Ahora bien, en esta era, si usted desea elevarse a la plataforma trascendental, debe seguir las recomendaciones de la literatura védica: *kalau tad dhari-kīrtanāt*. En esta era, simplemente por cantar los santos nombres de Dios uno puede alcanzar la perfección completa. Nosotros no presentamos este sistema de cantar debido a nuestra invención mental, para hacer las cosas más fáciles. No, el Señor Caitanya Mahāprabhu presentó este proceso de meditación trascendental hace quinientos años atrás. También la literatura védica lo recomienda, y es práctico. Usted ha visto que mis discípulos, estos muchachos y muchachas, experimentan inmediatamente un sentimiento trascendental apenas comienzan a cantar Hare Kṛṣṇa. Si usted lo practica, también verá cómo es elevado a la plataforma trascendental. Por lo tanto, cantar Hare Kṛṣṇa, Hare Kṛṣṇa, Kṛṣṇa Kṛṣṇa, Hare Hare/ Hare Rāma, Hare Rāma, Rāma Rāma, Hare Hare, es el proceso más fácil de meditación trascendental.

Esta vibración sonora trascendental lo llevará de inmediato a la plataforma trascendental, especialmente si usted trata de escuchar de tal manera que su mente esté absorta en el sonido. La vibración sonora de Hare Kṛṣṇa no es diferente de Kṛṣṇa, porque Kṛṣṇa es absoluto. Ya que Dios es absoluto, no existe diferencia entre los nombres de Dios y Dios mismo. En el mundo material existe una diferencia entre el agua y la palabra agua, entre una flor y la palabra flor. Pero en el mundo espiritual, en el mundo absoluto, no existe tal diferencia. Por lo tanto, apenas usted pronuncia Hare Kṛṣṇa, Hare Kṛṣṇa, usted se asocia inmediatamente con el Señor Supremo y Su energía.

La palabra *hare* indica la energía del Señor Supremo. Todo está siendo realizado por la energía del Señor Supremo. *Parasya brahmaṇaḥ śaktiḥ*. Así como los planetas son una creación de la energía del Sol, del mismo modo, toda la manifestación material y espiritual es una creación de la energía del Señor Supremo. Por lo tanto, cuando cantamos Hare Kṛṣṇa estamos orando a la energía del Señor Supremo mismo: «Por favor, sálvame; por favor, sálvame. Yo estoy en el concepto corporal de la vida. Estoy en la existencia material. Estoy sufriendo. Por favor, llévame a la plataforma espiritual para ser feliz».

Usted no tiene que cambiar su situación. Si usted es estudiante, siga siendo un estudiante. Si usted es un hombre de negocios, siga siéndolo. Mujeres, hombres, negros, blancos, cualquiera puede cantar Hare Kṛṣṇa. Es un proceso muy simple, y no cobramos nada. Nosotros no decimos: «Deme tantos dólares y le daré este *mantra* Hare Kṛṣṇa». No, lo distribuimos libremente. Usted simplemente tiene que tomarlo y probar. Usted llegará muy rápidamente a la plataforma trascendental. Cuando usted escucha el canto, eso es meditación trascendental.

Este proceso se recomienda en todas las Escrituras de la literatura védica; fue enseñado por el Señor Caitanya y continuado por Su sucesión discipular durante los últimos quinientos años, y la gente está alcanzando buenos resultados hoy en día; no solo en India sino también aquí. Si usted trata de entender lo que es este movimiento para la conciencia de Kṛṣṇa, usted entenderá cómo es posible la meditación trascendental. Nosotros no somos sentimentalistas, tenemos muchos libros: el *Bhagavad-gītā tal como es*, el *Śrīmad-Bhāgavatam*, *Las enseñanzas del Señor Caitanya*, el *Śrī Īśopaniṣad*, y tenemos nuestra revista *De Vuelta al Supremo*. No somos sentimentalistas. Nosotros tenemos como base un pensamiento filosófico elevado. Pero si usted toma este simple proceso: cantar Hare Kṛṣṇa, Hare Kṛṣṇa, Kṛṣṇa Kṛṣṇa, Hare Hare/ Hare Rāma, Hare Rāma, Rāma Rāma, Hare Hare, usted es inmediatamente elevado a la plataforma trascendental, aunque no lea mucha literatura filosófica. Este *mantra* Hare Kṛṣṇa es la dádiva del Señor Caitanya para las almas condicionadas de la era actual, de acuerdo con la conclusión védica.

Por eso, nuestro pedido es que usted lo intente. Simplemente cante en su casa o donde sea. No hay restricción: «Usted tiene que cantar este *mantra* Hare Kṛṣṇa en tal y tal lugar, en tal y tal condición». No. *Niyamitaḥ smaraṇe na kālaḥ*. No existen restricciones de tiempo, lugar o circunstancias. En cualquier lugar, en cualquier momento, usted puede meditar cantando Hare Kṛṣṇa. Ninguna otra meditación es posible cuando usted camina por la calle, pero esta meditación es posible. ¿Trabaja usted con las manos? Usted puede cantar Hare Kṛṣṇa. Es algo tan bueno.

Kṛṣṇa es el nombre perfecto para Dios. La palabra sánscrita *kṛṣṇa* significa «todo atractivo». Y *rāma* significa «el placer supremo». Si Dios no es «todo atractivo» y pleno de placer supremo, entonces, ¿qué significa Dios? Dios debe ser la fuente del placer supremo, de otro modo ¿cómo usted podría estar satisfecho con Él? Su corazón está anhelando tantos placeres. Si Dios no puede satisfacerlo con todos esos placeres, entonces, ¿cómo Él puede ser Dios? Y Él también debe ser «todo atractivo». Si Dios no es atractivo para todas las personas, ¿cómo puede ser Dios? Pero Kṛṣṇa realmente es todo atractivo.

Por lo tanto el *mantra* Hare Kṛṣṇa no es sectario. Debido a que cantamos estos tres nombres —Hare, Kṛṣṇa y Rāma— alguien podría pensar: «Estos son nombres hindúes. ¿Por qué deberíamos cantar estos nombres hindúes?». Algunas personas sectarias puede que piensen así. Pero el Señor Caitanya dice: «No importa. Si usted tiene algún otro nombre fidedigno de Dios, usted puede cantarlo. Pero cante los nombres de Dios».

Esta es la instrucción de este movimiento para la conciencia de Kṛṣṇa. No piense que este movimiento está tratando de convertirlo de cristiano a hindú. Siga siendo cristiano, judío o musulmán. Eso no importa. Pero si usted realmente quiere perfeccionar su vida, entonces trate de desarrollar su amor dormido por Dios. Esa es la perfección de la vida.

Sa vai puṁsāṁ paro dharmo yato bhaktir adhokṣaje (*Bhāg.* 1.2.6). Usted puede profesar cualquier religión, pero para probar si su religión es perfecta o si usted es perfecto, tiene que ver si ha desarrollado su amor por Dios. Ahora estamos distribuyendo nuestro amor entre muchas cosas. Pero cuando este amor se concentra simplemente en Dios, eso es la perfección del amor. Nuestro amor está ahí, pero debido a que hemos olvidado nuestra relación con Dios, estamos dirigiendo nuestro amor hacia los perros. Esa es nuestra enfermedad. Nosotros tenemos que darle a Dios el amor que ahora le estamos dando a tantos perros. Esa es la perfección de la vida.

Por lo tanto, nosotros no estamos enseñando ningún tipo particular de religión. Estamos enseñando simplemente que usted debe aprender a amar a Dios. Y esto es posible cantando el *mantra* Hare Kṛṣṇa.

El sendero del yoga

Nosotros generalmente nos referimos al yoga solo como una forma de ejercicio físico. Pero en la siguiente conferencia, dada en febrero de 1969 en Los Ángeles, Śrīla Prabhupāda revela el significado interno y la naturaleza del yoga según fue enseñada y practicada en India durante siglos. Él explica cómo los yogīs expertos pueden —mediante la práctica de austeridades— viajar a cualquier planeta del universo. Pero él concluye: a la hora de la muerte los yogīs más exitosos se transfieren por sí mismos «al mundo espiritual, entran en Kṛṣṇaloka, el planeta de Kṛṣṇa, y disfrutan con Kṛṣṇa».

sarva-dvārāṇī saṁyamya
mano hṛdi nirudhya ca
mūrdhny ādhāyātmanaḥ prāṇam
āsthito yoga-dhāraṇām

«La situación yóguica es la de estar desapegado de todas las ocupaciones sensoriales. Cerrando todas las puertas de los sentidos y fijando la mente en el corazón y el aire vital en la parte superior de la cabeza, uno se establece en el *yoga*» (*Bg.* 8.12).

Existen diferentes clases de trascendentalistas, o *yogīs*: el *jñāna-yogī*, el *dhyāna-yogī* y el *bhakti-yogī*. Todos ellos son elegibles para ser transferidos al mundo espiritual, porque el sistema de *yoga* tiene como propósito restablecer nuestro vínculo con el Señor Supremo.

En realidad, nosotros estamos conectados eternamente con el Señor Supremo, pero de una manera u otra ahora estamos enredados en la contaminación material. El proceso entonces es que tenemos que retornar. Este proceso de vincularse se denomina *yoga*.

El verdadero significado de la palabra *yoga* es «más». Ahora, en el momento actual, nosotros estamos menos Dios, menos el Supremo. Pero cuando nos volvemos más, nos conectamos con Dios, entonces nuestra forma de vida humana se perfecciona.

Cuando llegue la muerte, debemos alcanzar la perfección. Mientras estemos vivos, tenemos que practicar cómo acercarnos a este estado de perfección. Y a la hora de la muerte, cuando abandonemos este cuerpo material, esa perfección debe ser lograda. *Prayāṇa-kāle manasācalena. Prayāṇa-kāle* significa «a la hora de la muerte». Por ejemplo, un estudiante puede prepararse durante dos, tres o cuatro años educándose, y la prueba final es su examen. Si aprueba el examen, entonces obtiene su título. Similarmente, si nos preparamos para el examen de la muerte y lo aprobamos, seremos transferidos al mundo espiritual. Todo lo que hemos aprendido en esta vida es examinado a la hora de la muerte.

Aquí, en el *Bhagavad-gītā*, el Señor Kṛṣṇa describe lo que debemos hacer en el momento de la muerte, cuando abandonemos este cuerpo presente.

Para los *dhyāna-yogīs* la prescripción es: *sarva-dvārāṇi saṁyamya mano hṛdi nirudhya ca*. En el lenguaje técnico del sistema de *yoga*, este proceso se denomina *pratyāhāra*. *Pratyāhāra* significa: «justo lo opuesto». Por ejemplo, supongan que mis ojos están ocupados en ver la belleza mundana. Yo debería refrenarme de disfrutar de tal belleza externa y en vez de eso ocuparme en meditación para ver la belleza interna. Esto se denomina *pratyāhāra*. De manera similar, yo debería escuchar el *oṁkāra* —la representación sonora del Señor— desde dentro. Y del mismo modo, todos los sentidos deben ser apartados de sus actividades externas y deben estar ocupados meditando en Dios. Esa es la perfección del *dhyāna-yoga*: concentrar la mente en Viṣṇu, o Dios. La mente está muy agitada. Por eso tiene que fijarse en el corazón: *mano hṛdi nirudhya*. Luego tenemos que transferir el aire vital a la parte superior de la cabeza: *mūrdhny ādhāyātmanaḥ prāṇam āsthito yoga-dhāraṇām*. Esa es la perfección del *yoga*.

Un perfecto *dhyāna-yogī* puede elegir su propio destino después de la muerte. Existen innumerables planetas materiales, y más allá de los planetas materiales está el mundo espiritual. Los *yogīs* tienen información acerca de todos los diferentes planetas. ¿De dónde obtuvieron esa información? De las Escrituras védicas. Por ejemplo, antes de venir a su país, yo conseguí la descripción del mismo a través de libros. De modo similar, podemos obtener descripciones de los planetas más elevados y del mundo espiritual en el *Śrīmad-Bhāgavatam*.

El *yogī* conoce todo, y puede transferirse por sí mismo a cualquier planeta que desee. Él no requiere la ayuda de ninguna nave espacial. Los científicos han tratado durante muchos años de alcanzar otros planetas con sus naves espaciales, y seguirán intentándolo durante cien o mil años. Pero nunca serán exitosos. Estén seguros. Este no es el proceso para alcanzar otro planeta. Quizá, por medio del progreso científico, puede que uno o dos hombres tengan éxito, pero ese no es el proceso general. El proceso general es que si usted mismo quiere transferirse a un planeta mejor, entonces tiene que practicar este sistema de *dhyāna-yoga* o el sistema de *jñāna*. Pero no el sistema de *bhakti*.

El sistema de *bhakti* no tiene como propósito alcanzar ningún planeta material. Quienes rinden servicio devocional a Kṛṣṇa, el Señor Supremo, no están interesados en ningún planeta de este mundo material. ¿Por qué? Porque ellos saben que sin importar a qué planeta uno sea elevado, los cuatro principios de la existencia material aún existirán. ¿Cuáles son esos principios? Nacimiento, muerte, enfermedad y vejez. Usted encontrará esto en cualquier planeta al que vaya. En algunos planetas elevados la duración de la vida puede ser mucho, mucho más larga que aquí en la Tierra, pero aun así, la muerte existe. Vida material significa: nacimiento, muerte, enfermedad y vejez. Y vida espiritual significa liberación de estas molestias. No más nacimientos, no más muertes, no más ignorancia, y no más miseria. Por eso, quienes son inteligentes no tratan de elevarse a ningún planeta de este mundo material.

Ahora los científicos están tratando de alcanzar el planeta Luna, pero a ellos les es difícil entrar debido a que no tienen un cuerpo apropiado. Pero si entramos a los planetas más elevados mediante este sistema de *yoga*, entonces obtendremos un cuerpo apropiado para esos planetas. Para cada planeta existe un cuerpo apropiado. De otro modo, usted no puede entrar. Por ejemplo, aunque no podamos vivir en el agua con este cuerpo, podemos vivir en el agua con tanques de oxígeno, por quince o dieciséis horas. Pero los peces, los animales acuáticos, tienen un cuerpo apropiado, ellos viven toda su vida bajo el agua; y, por supuesto, si usted saca a los peces fuera del agua y los pone sobre la tierra, ellos morirán instantáneamente. De manera que usted ve que aun en este planeta usted tiene que tener un tipo de cuerpo apropiado para vivir en un lugar particular. De forma similar, si usted quiere entrar en otro planeta, tiene que prepararse consiguiendo un tipo particular de cuerpo.

En los planetas más elevados, nuestro año es igual a un día y una noche, y usted vive por diez mil de tales años. Esa es la descripción de la literatura védica. De ese modo, usted obtiene indudablemente una muy larga vida. Pero luego viene la muerte; después de diez mil años o veinte mil años, eso no importa. Está todo calculado, y la muerte está allí. Pero usted, el alma espiritual, no está sujeto a la muerte; ese es el comienzo del *Bhagavad-gītā*. *Na hanyate hanyamāne śarīre*: usted es un alma espiritual eterna.

¿Por qué debería usted quedar sujeto al nacimiento y la muerte? Hacerse estas preguntas es un signo de verdadera inteligencia. Aquellas personas que están en la conciencia de Kṛṣṇa son muy inteligentes. Ellas no están interesadas en ser promovidas a cualquier planeta donde exista la muerte, no importa cuánto uno viva. Ellas quieren un cuerpo espiritual, como el de Dios. El cuerpo de Dios es *sac-cid-ānanda-vigrahaḥ*: *īśvaraḥ paramaḥ kṛṣṇaḥ sac-cid-ānanda-vigrahaḥ* (*Bs.* 5.1). *Sat* significa «eterno», *cid* significa «pleno de conocimiento» y *ānanda* significa «pleno de placer». Si abandonamos este cuerpo y nos transferimos al mundo espiritual —para vivir con el propio Kṛṣṇa— entonces obtendremos un cuerpo similar al de Él: *sac-cid-ānanda* —eterno, pleno de conocimiento y pleno de bienaventuranza—. Aquellos que tratan de ser conscientes de Kṛṣṇa tienen una meta diferente en la vida que quienes tratan de promoverse a cualquiera de los mejores planetas de este mundo material.

Usted es una partícula espiritual muy pequeña dentro de este cuerpo, y está siendo mantenido en el *prāṇa-vāyu*, o los aires vitales. El sistema de *dhyāna-yoga* —el sistema de *ṣaṭ-cakra*— apunta a llevar al alma desde su posición en el corazón hasta la parte más elevada de la cabeza. Y la perfección se alcanza cuando usted puede ubicarse en la parte más elevada de la cabeza y, al traspasar esta parte más elevada, transferirse a los planetas más elevados, según su voluntad. Un *dhyāna-yogī* puede transferirse a cualquier planeta que desee.

Entonces, si usted lo desea —tal como usted es inquisitivo acerca de la Luna— vuélvase un *yogī* y diríjase allí. Un *yogī* piensa: «Oh, voy a ver cómo es la Luna. Luego me transferiré a los planetas más elevados». Lo mismo ocurre con los turistas comunes. Ellos vienen a Nueva York, luego van a California, luego a Canadá. Similarmente, usted puede transferirse a muchos planetas mediante este sistema de *yoga*. Pero adondequiera que vaya, los mismos sistemas (sistemas de visa y aduana) están allí. Por eso una persona consciente de Kṛṣṇa no está interesada en estos planetas temporales. Puede que allí la vida sea muy larga, pero ella no está interesada.

Para el *yogī* existe un proceso para abandonar este cuerpo:

oṁ ity ekākṣaraṁ brahma
vyāharan mām anusmaran
yaḥ prayāti tyajan dehaṁ
sa yāti paramāṁ gatim

En el momento de la muerte, «*oṁ*...». Él puede pronunciar *oṁ*, el *oṁkāra*. *Oṁkāra* es la forma abreviada de la vibración sonora trascendental. *Oṁ ity ekākṣaraṁ brahma vyāharan*: Si él puede pronunciar este sonido *oṁkāra*, y al mismo tiempo recordar a Kṛṣṇa, o Viṣṇu *(mām anusmaran)*, él puede entrar al reino espiritual.

Todo el sistema de *yoga* está destinado a concentrar la mente en Viṣṇu. Pero los impersonalistas imaginan que este *oṁkāra* es la forma de Viṣṇu, o el Señor. Los que son personalistas no imaginan. Ellos ven la verdadera forma del Señor Supremo. De todas maneras, ya sea que usted concentre su mente imaginando o que realmente vea, usted tiene que fijar su mente en la forma de Viṣṇu. Aquí *mām* significa «en el Señor Supremo, Viṣṇu». *Yaḥ prayāti tyajan deham*: Quienquiera que abandone su cuerpo recordando a Viṣṇu —*sa yāti paramāṁ gatim*— entra en el reino espiritual.

Quienes son verdaderos *yogīs* no desean entrar en ningún otro planeta del mundo material, porque ellos saben que la vida allí es temporal. Eso es inteligencia. Quienes están satisfechos con la felicidad temporal, con la vida temporal y con las facilidades temporales no son inteligentes, de acuerdo al *Bhagavad-gītā: antavat tu phalaṁ teṣāṁ tad bhavaty alpa-medhasām* (*Bg.* 7.23). Yo soy permanente. Yo soy eterno. ¿Quién quiere una existencia temporal? Nadie quiere eso.

Suponga que usted está viviendo en un departamento y el propietario le pide que lo desaloje. A usted no le gustará. Pero a usted no le molestará si es que puede ir a otro departamento mejor. Esta es nuestra naturaleza: dondequiera que vivamos, debido a que somos eternos, queremos hacer de nuestra residencia algo eterno. Esa es nuestra inclinación. Nosotros no deseamos morir. ¿Por qué? Porque somos eternos. No queremos enfermarnos. Todas estas son cosas artificiales, externas: enfermedad, muerte, nacimiento, miserias. Esas son cosas externas.

Así como a veces a usted lo afecta la fiebre. Usted no está destinado a sufrir por la fiebre, pero a veces ella viene. De modo que usted tiene que tomar precauciones para eliminarla. De la misma manera, estas cuatro clases de aflicciones externas —nacimiento, muerte, enfermedad y vejez— son debidas a este cuerpo material. Si podemos salirnos de este cuerpo material, podremos dejar estas aflicciones.

De modo que para el *yogī* que es un impersonalista, el proceso recomendado es vibrar este sonido trascendental, *oṁ*, mientras abandona este cuerpo. Cualquiera que sea capaz de abandonar este cuerpo material mientras pronuncie el sonido trascendental *oṁ*, con completa conciencia del Señor Supremo, seguro que será transferido al mundo espiritual.

Pero aquellos que no son personalistas no pueden entrar a los planetas espirituales. Ellos permanecen afuera. Así como la luz del Sol y el planeta Sol. La luz del Sol no es diferente del disco solar. Pero a pesar de eso, la luz del Sol no es el disco solar. Similarmente, aquellos impersonalistas que son transferidos al mundo espiritual permanecen en la refulgencia del Señor Supremo, la cual se denomina *brahma-jyotir*. Los que no son personalistas son ubicados en el *brahma jyotir* como una de sus diminutas partículas.

Nosotros somos partículas diminutas, chispas espirituales, y el *brahma-jyotir* está repleto de tales chispas espirituales. Por lo tanto, usted se vuelve una de esas chispas espirituales. O sea, usted se funde en la existencia espiritual. Usted mantiene su individualidad, pero debido a que no quiere ninguna forma personal, usted es mantenido allí, en el *brahma-jyotir* impersonal. Así como la luz del Sol está compuesta de pequeñas moléculas, moléculas brillantes —quienes son científicos lo saben—, similarmente nosotros somos partículas diminutas, más pequeñas que un átomo. Nuestro tamaño es el de la diezmilésima parte de la punta de un cabello. Por lo tanto, esa pequeña partícula permanece en el *brahma-jyotir*.

La dificultad es que, como entidad viviente, yo quiero disfrutar. Porque yo no estoy simplemente existiendo. Yo obtuve bienaventuranza. Yo estoy compuesto de tres cualidades espirituales: *sac-cid-ānanda*. Yo soy eterno, y soy pleno en conocimiento y en bienaventuranza. Los que entran en la refulgencia impersonal del Señor Supremo pueden permanecer eternamente con pleno conocimiento de que ahora están fundidos en el Brahman, o el *brahma-jyotir*. Pero ellos no pueden tener bienaventuranza eterna, porque esa parte está faltando.

Si usted está solo, confinado en una habitación, puede leer un libro o pensar en algo, pero aun así no puede permanecer solo todo el tiempo, durante toda su vida. Eso no es posible. Usted buscará alguna asociación, alguna recreación. Esa es nuestra naturaleza. Similarmente, si nos fundimos en la refulgencia impersonal del Señor Supremo, entonces existe la oportunidad de caer otra vez a este mundo material. Eso se afirma en el *Śrīmad-Bhāgavatam* (10.2.32):

ye 'nye 'ravindākṣa vimukta-māninas
tvayy asta-bhāvād aviśuddha-buddhayaḥ
āruhya kṛcchreṇa paraṁ padaṁ tataḥ
patanty adho 'nādṛta-yuṣmad-aṅghrayaḥ

Es tal como los astronautas que vuelan alto, muy alto —a veinticinco mil, treinta mil o cien mil millas de altura—, aun así ellos tienen que posarse a descansar en algún planeta. De modo que es necesario detenerse para descansar. En la forma impersonal el lugar de descanso es incierto. Por lo tanto, el *Bhāgavatam* dice: *āruhya kṛcchreṇa paraṁ padaṁ tata*. Aun después de tanto esfuerzo, si el impersonalista llega al mundo espiritual y permanece en tal forma impersonal, el riesgo es *patanty adhaḥ*, puede que él regrese otra vez a la existencia material. ¿Por qué?, *ānādṛta-yuṣmad-aṅghrayaḥ*: porque él ha negligenciado servir al Señor Supremo con amor y devoción.

Por eso, mientras estemos aquí, tenemos que practicar amar a Kṛṣṇa, el Señor Supremo. Luego podremos entrar a los planetas espirituales. Este es el entrenamiento. Si usted no es entrenado de esta manera, entonces por medio del esfuerzo impersonal puede entrar al reino espiritual, pero existe el riesgo de caer otra vez, porque tal soledad creará algún disturbio, y usted tratará de tener asociación. Y debido a que usted no tiene asociación con el Señor Supremo, tendrá que regresar y asociarse con este mundo material.

De modo que es mejor que reconozcamos la naturaleza de nuestra posición constitucional. Nuestra posición constitucional es que queremos eternidad, queremos conocimiento completo, y también queremos placer. Si nos mantenemos apartados, no podemos tener placer. Nos sentiremos incómodos, y por falta de placer aceptaremos cualquier clase de placer material. Ese es el riesgo. Pero en la conciencia de Kṛṣṇa, tendremos un placer completo. El placer más elevado en este mundo material es la vida sexual, y eso también es pervertido; tan enfermizo. Por eso, aun en el mundo espiritual existe placer sexual en Kṛṣṇa. Pero no debemos pensar que es algo así como la vida sexual en el mundo material. No. Sino que *janmādy asya yataḥ* (*Bhāg.* 1.1.1): a menos que la vida sexual exista allí, no puede reflejarse aquí. Es simplemente un reflejo pervertido. La verdadera vida está allí, en Kṛṣṇa. Kṛṣṇa es pleno en placer.

Por eso, lo mejor es entrenarnos en la conciencia de Kṛṣṇa. Entonces a la hora de la muerte será posible transferirnos al mundo espiritual y entrar en Kṛṣṇaloka, el planeta de Kṛṣṇa, y disfrutar con Él.

cintāmaṇi-prakara-sadmasu kalpa-vṛkṣa-
lakṣāvṛteṣu surabhīr abhipālayantam
lakṣmī-sahasra-śata-sambhrama-sevyamānaṁ
govindam ādi-puruṣam tam ahaṁ bhajāmi
(*Bs.* 5.29)

Estas son las descripciones de Kṛṣṇaloka. *Cintāmaṇi-prakara-sadmasu*: Las casas están hechas de piedra de toque. Quizás usted conozca la piedra de toque. Si una pequeña partícula de ella toca una viga de hierro, el hierro se volverá oro de inmediato. Por supuesto, ninguno de ustedes ha visto esta piedra de toque, pero existe tal cosa. Por eso todos los edificios allí son piedras de toque. *Cintāmaṇi-prakara-sadmasu*. *Kalpa-vṛkṣa*: Los árboles son árboles de los deseos. Usted puede obtener cualquier cosa que desee. Aquí, de un árbol de mangos usted solo obtiene mangos, y de árboles de manzanas usted obtiene manzanas. Pero allí, de cualquier árbol, usted puede obtener cualquier cosa que desee. Esas son algunas de las descripciones de Kṛṣṇaloka.

Por eso lo mejor no es tratar de elevarse a otro planeta material, porque en cualquier planeta material al que entre, usted encontrará los mismos principios de vida miserable. Nosotros estamos acostumbrados a ellos. Nosotros hemos estado aclimatados desde el nacimiento hasta la muerte. A nosotros no nos preocupa. Los científicos modernos están muy orgullosos por su avance, pero no tienen ninguna solución para ninguna de estas cosas desagradables. Ellos no pueden hacer nada que detenga la muerte, o las enfermedades, o la vejez. Esto no es posible. Usted puede inventar algo que acelere la muerte, pero usted no puede inventar algo que detenga la muerte. Eso está fuera de su alcance.

Por eso, quienes tienen bastante inteligencia están preocupados por encontrar una solución permanente a estos cuatro problemas básicos: *janma-mṛtyu-jarā-vyādhi (Bg.* 13.9*):* nacimiento, muerte, vejez y enfermedad. Ellos están preocupados por alcanzar su vida espiritual, plena de bienaventuranza y plena de conocimiento. Y eso es posible cuando usted entra a los planetas espirituales. Como Kṛṣṇa afirma en el *Bhagavad-gītā* (8.14):

ananya-cetāḥ satataṁ
yo māṁ smarati nityaśaḥ
tasyāhaṁ sulabhaḥ pārtha
nitya-yuktasya yoginaḥ

Nitya yuktaḥ significa «continuamente en trance». Este es el *yogī* más elevado: el que piensa constantemente en Kṛṣṇa, y se ocupa siempre en la conciencia de Kṛṣṇa. Tal *yogī* perfecto no desvía su atención a este tipo de proceso o a tal tipo de sistema de *yoga* o a los sistemas de *jñāna* o *dhyāna*. Simplemente un sistema: la conciencia de Kṛṣṇa. *Ananya-cetāḥ*: sin desviación. Él no se perturba por nada. Simplemente piensa en Kṛṣṇa. *Ananya-cetāḥ satatam*. *Satatam* significa «en todas partes y en todo momento».

Por ejemplo, mi residencia está en Vṛndāvana. Ese es el lugar de Kṛṣṇa, donde el propio Kṛṣṇa apareció. Ahora yo estoy en Estados Unidos, su país. Pero eso no significa que estoy fuera de Vṛndāvana, porque si yo pienso siempre en Kṛṣṇa, eso es como estar en Vṛndāvana. Yo estoy en Nueva York, en este departamento, pero mi conciencia está en Vṛndāvana. Conciencia de Kṛṣṇa significa que usted ya vive con Kṛṣṇa en Su planeta espiritual. Usted simplemente tiene que esperar a abandonar este cuerpo.

Este es el proceso de la conciencia de Kṛṣṇa: *ananya-cetāḥ satataṁ yo māṁ smarati nityaśaḥ*. *Smarati* significa «recordando»; *nityaśaḥ*, «continuamente». Kṛṣṇa declara que Él puede ser alcanzado fácilmente por quien siempre lo recuerda. Lo más elevado y lo más valioso se vuelve muy poco costoso para el que adopta este proceso de conciencia de Kṛṣṇa. *Tasyāhaṁ sulabhaḥ pārta nitya-yuktasya yoginaḥ*: «Debido a que él se ocupa constantemente en tal proceso de *yoga, bhakti-yoga*; oh, Yo soy muy accesible, soy fácil de alcanzar».

¿Por qué usted debería intentar cualquier otro proceso difícil? Simplemente cante Hare Kṛṣṇa, Hare Kṛṣṇa, Kṛṣṇa Kṛṣṇa, Hare Hare/ Hare Rāma, Hare Rāma, Rāma Rāma, Hare Hare. Usted puede cantar veinticuatro horas por día. No existen reglas o regulaciones. Ya sea en la calle o en el tren, en su casa o en su trabajo, no hay impuestos, no hay gastos. ¿Por qué no hacerlo?

Muchas gracias.

Haciendo amistad con la mente

¿Es la mente la principal fuente de los recursos humanos o existe una fuente mayor de conocimiento más allá de nuestras mentes? En la siguiente conferencia, grabada en febrero de 1969, en Los Ángeles, Śrīla Prabhupāda explica por qué la mente debe ser puesta bajo el control de la energía espiritual. El tema de esta está basado en el siguiente famoso verso de la Escritura más ampliamente leída y respetada de la India, el Bhagavad-gītā:

bandhur ātmātmanas tasya
yenātmaivātmanā jitaḥ
anātmanas tu śatrutve
vartetātmaiva śatru-vat

«Para aquel que ha conquistado la mente, esta es el mejor de los amigos; pero para el que no lo ha hecho, la mente permanecerá como su peor enemigo» (*Bg.* 6.6).

Todo el propósito del sistema de *yoga* es hacer que la mente sea nuestra amiga. La mente en contacto material es nuestra enemiga, así como la mente de una persona en estado alcoholizado. En el *Caitanya-caritāmṛta* (*Madhya* 20.117) se dice: *kṛṣṇa bhuli' se jīva anādi-bahirmukha ataeva māyā tāre deya saṁsāra-duḥkha*: «Al olvidarse de Kṛṣṇa la entidad viviente ha sido atraída por el aspecto externo del Señor desde tiempo inmemorial. Por lo tanto, la energía ilusoria *(māyā)* le ofrece toda clase de miserias en su existencia material». Yo soy un alma espiritual, parte integral del Señor Supremo, pero tan pronto como mi mente está contaminada, me rebelo, porque tengo un poco de independencia. «¿Por qué he de servir a Kṛṣṇa o Dios? Yo soy Dios». Cuando la mente dicta esta idea, toda mi situación cambia. Yo soy afectado por una falsa impresión, una ilusión, y toda mi vida se arruina. Por eso, estamos tratando de conquistar tantas cosas —imperios y demás—, pero si fallamos al conquistar nuestras mentes, entonces aunque conquistemos un imperio, seremos derrotados. Nuestra mente será nuestro mayor enemigo.

El propósito de practicar el *yoga* óctuple es controlar la mente para convertirla en una amiga desempeñando la misión humana. A menos que la mente esté controlada, la práctica del *yoga* es simplemente una pérdida de tiempo, es simplemente una farsa. Quienquiera que no pueda controlar su mente vive siempre con el mayor enemigo, y de esa manera su vida y su misión se arruinan. La posición constitucional de la entidad viviente es la de llevar a cabo la orden de un superior. Mientras la mente de uno permanezca como un enemigo inconquistable, uno tiene que servir los dictados de la lujuria, de la ira, de la avaricia, de la ilusión, etc. Pero cuando se conquista a la mente, uno voluntariamente acepta atenerse a los mandatos de la Suprema Personalidad de Dios, quien está situado dentro del corazón de todos como la Superalma (Paramātmā). La verdadera práctica del *yoga* implica contactar a la Superalma dentro del corazón y luego seguir Sus órdenes. Para quien adopta la conciencia de Kṛṣṇa directamente, la rendición perfecta a los mandatos del Señor le sigue automáticamente.

jitātmanaḥ praśāntasya
paramātmā samāhitaḥ
śītoṣṇa-sukha-duḥkheṣu
tathā mānāpamānayoḥ

«Aquel que ha conquistado la mente, ya ha llegado a la Superalma, porque ha conseguido la tranquilidad. Para ese hombre, la felicidad y la aflicción, el calor y el frío, y la honra y la deshonra, son todos lo mismo» (*Bg.* 6.7).

Realmente, toda entidad viviente está destinada a cumplir los mandatos de la Suprema Personalidad de Dios quien está sentado en el corazón de todos como Paramātmā. Cuando la mente es desviada por la energía externa, uno se enreda en actividades materiales. Por lo tanto tan pronto como la mente de uno esté controlada a través de uno de los sistemas de *yoga*, se considera que uno ya ha alcanzado el destino. Uno tiene que obedecer un mandato superior. Cuando la mente de uno esté fija en la naturaleza superior, uno no tiene otra alternativa sino seguir el mandato del Supremo desde adentro. La mente debe admitir algún mandato superior y debe seguirlo. El efecto de controlar la mente es que uno sigue automáticamente los mandatos de Paramātmā, o la Superalma. Debido a que esta posición trascendental se alcanza de inmediato si uno está en la conciencia de Kṛṣṇa, el devoto del Señor no es afectado por las dualidades de la existencia material: la felicidad y la aflicción, el calor y el frío, y demás. Este estado es un *samādhi* práctico, o una absorción en el Supremo.

jñāna-vijñāna-tṛptātmā
kūṭa-stho vijitendriyaḥ
yukta ity ucyate yogī
sama-loṣṭrāśma-kāñcanaḥ

«Se dice que una persona está establecida en la comprensión del ser, y se le da el nombre de *yogī* o místico, cuando ella se encuentra plenamente satisfecha en virtud del conocimiento y la comprensión que ha adquirido. Esa persona está situada en la trascendencia y es autocontrolada. Ella ve todo igual, ya sean guijarros, piedras u oro» (*Bg.* 6.8).

Conocimiento teórico sin la realización de la Verdad Suprema es inútil. El *Padma Purāṇa* afirma esto de la siguiente manera:

ataḥ śrī-kṛṣṇa-nāmādi
na bhaved grāhyam indriyaiḥ
sevonmukhe hi jihvādau
svayam eva sphuraty adaḥ

«Nadie puede entender la naturaleza trascendental del nombre, la forma, las cualidades, y los pasatiempos de Śrī Kṛṣṇa a través de sus sentidos contaminados materialmente. Solo cuando uno se satura espiritualmente por el servicio trascendental al Señor, el nombre, la forma, las cualidades y los pasatiempos del Señor le son revelados» (*Cc. Madhya* 17.136).

Esto es muy importante. Ahora aceptamos a Kṛṣṇa como el Señor Supremo. Y, ¿por qué aceptamos que Kṛṣṇa es el Señor Supremo? Porque eso se afirma en la literatura védica. El *Brahma-saṃhitā*, por ejemplo, dice: *īśvaraḥ paramaḥ kṛṣṇa sac-cid-ānanda-vigrahaḥ* (*Bs.* 5.1): «El controlador supremo es Kṛṣṇa, quien tiene un cuerpo eterno, bienaventurado y espiritual». Quienes están en las modalidades de la pasión y la ignorancia simplemente imaginan la forma de Dios. Y cuando están confundidos, ellos dicen: «Oh, no existe un Dios personal. El Absoluto es impersonal o vacío». Esto es frustración.

Realmente Dios tiene una forma. ¿Por qué no? El *Vedānta-sūtra* dice: *janmādy asya yataḥ* (*Bhāg.* 1.1.1): «La Suprema Verdad Absoluta es aquella forma de quien o de la cual todo emana». Ahora tenemos formas. No solo nosotros, sino todas las diferentes clases de entidades vivientes tienen formas. ¿De dónde provienen? ¿Dónde se han originado esas formas? Estas son preguntas con mucho sentido común. Si Dios no es una persona, entonces, ¿cómo sus hijos se han vuelto personas? Si mi padre no es una persona, ¿cómo es que yo llegué a ser una persona? Si mi padre no tiene forma ¿de dónde obtuve yo mi forma? Sin embargo, cuando la gente está frustrada, cuando ven que sus formas corporales están deterioradas, desarrollan un concepto opuesto de forma e imaginan que Dios no debe tener forma. Pero el *Brahma-samhitā* dice no. Dios tiene forma, pero Su forma es eterna, plena de conocimiento y bienaventuranza *(īśvaraḥ paramaḥ kṛṣṇaḥ sac-cid-ānanda-vigrahaḥ [Bs.* 5.1*])*. *Sat* significa «eternidad», *cit* significa «conocimiento» y *ānanda* significa «placer». De modo que Dios tiene una forma, pero Su forma es plena de placer, plena de conocimiento y es eterna.

Comparemos ahora nuestro cuerpo con el de Dios. Nuestro cuerpo no es eterno, ni pleno de placer, ni pleno de conocimiento. Nuestra forma es claramente diferente a la de Dios. Pero apenas pensamos en forma, pensamos que la forma debe ser como la nuestra. Por lo tanto, pensamos que, ya que Dios debe ser lo opuesto a nosotros, Él no debe tener forma. Esto es especulación, no es conocimiento. Como se dice en el *Padma Purāṇa*: *ataḥ śrī-kṛṣṇa-nāmādi na bhaved grāhyam indriyaiḥ* (*Cc. Madhya* 17.136): «Uno no puede comprender la forma, el nombre, las cualidades o las opulencias de la Suprema Personalidad de Dios con sus sentidos materiales». Nuestros sentidos son imperfectos, entonces, ¿cómo es posible ver a la Persona Suprema? No es posible.

Entonces, ¿cómo es posible verlo? *Sevonmukhe hi jihvādau*: Si entrenamos nuestros sentidos, si purificamos nuestros sentidos, esos sentidos purificados nos ayudarán a ver a Dios. Es como si tuviésemos cataratas en los ojos. Debido a que nuestros ojos están sufriendo de cataratas, no podemos ver. Pero eso no significa que no hay nada para ver, es solo que nosotros no podemos verlo. En forma similar, nosotros no podemos concebir la forma de Dios, pero si nuestras cataratas son removidas podremos verle. El *Brahma-samhitā* dice: *premāñjana-cchurita-bhakti-vilocanena santaḥ sadaiva hṛdayeṣu vilokayanti* (*Bs.* 5.38): «Los devotos cuyos ojos están untados con el ungüento de amor a Dios ven a Dios, Kṛṣṇa, dentro de sus corazones veinticuatro horas al día». Nosotros necesitamos purificar nuestros sentidos. Entonces seremos capaces de entender cuál es la forma de Dios, cuál es el nombre de Dios, cuáles son las cualidades de Dios, cuál es la morada de Dios, cuáles son las opulencias de Dios, y seremos capaces de ver a Dios en todo.

La literatura védica está repleta de referencias a la forma de Dios. Por ejemplo, se dice que Dios no tiene manos o piernas pero que Él puede aceptar cualquier cosa que usted le ofrezca: *apāṇi-pādo javano gṛhītā*. También se dice que Dios no tiene ojos ni oídos pero que Él puede ver y escuchar todo. Estas son aparentes contradicciones, porque siempre que pensemos que alguien ve, pensamos que él debe tener ojos como los nuestros. Este es nuestro concepto material. Sin embargo, Dios tiene ojos, pero sus ojos son diferentes a los nuestros. Él puede ver aun en la oscuridad, pero nosotros no. Dios también puede escuchar. Dios está en Su reino, el cual está a millones y millones de kilómetros de distancia, pero si murmuramos algo —tramando algo— Él puede escucharnos, porque Él está sentado dentro de nosotros.

Nosotros no podemos evitar que Dios vea, que Dios escuche o que Dios toque. En el *Bhagavad-gītā* (9.26) El Señor Kṛṣṇa dice:

patraṁ puṣpaṁ phalaṁ toyaṁ
yo me bhaktyā prayacchati
tad ahaṁ bhakty-upahṛtam
aśnāmi prayatātmanaḥ

«Si alguien Me ofrece flores, frutas, vegetales o leche con amor y devoción, yo lo aceptaré y lo comeré». Ahora bien, ¿cómo es que Él come? Nosotros no podemos verlo comer, pero Él come. Nosotros experimentamos esto diariamente. Cuando le ofrecemos a Kṛṣṇa alimentos de acuerdo al proceso ritualístico vemos que el sabor de la comida cambia inmediatamente. Esto es práctico. Dios come, pero debido a que Él es completo en Sí mismo, Él no come como nosotros. Si alguien me ofrece un plato de comida, puede que yo lo termine, pero Dios no está hambriento, de manera que cuando Él come, deja las cosas tal como están. *Pūrṇasya pūrṇam ādāya pūrṇam evāvaśiṣyate* (*Īśopaniṣad,* invocación): Dios es tan completo que puede comer toda la comida que le ofrecemos y aun así ella permanece tal cual. Él puede comer con Sus ojos. Esto se afirma en el *Brahma-samhitā: aṅgāni yasya sakalendriya-vṛttimanti*. «Cada miembro del cuerpo de Dios tiene todas las potencias de los otros miembros». Por ejemplo, nosotros podemos ver con nuestros ojos. Pero no podemos comer con nuestros ojos. Pero si Dios simplemente ve la comida que hemos ofrecido, así come Él.

Por supuesto, estas cosas no podemos comprenderlas por ahora. Por lo tanto, el *Padma Purāṇa* dice que solo cuando uno queda espiritualmente saturado con el servicio trascendental al Señor, le son revelados el nombre trascendental, la forma, las cualidades y los pasatiempos del Señor. Nosotros no podemos comprender a Dios mediante nuestro propio esfuerzo, pero Dios puede revelarse a Sí mismo ante nosotros. Tratar de ver a Dios por nuestro propio esfuerzo es como tratar de ver el Sol cuando está oscuro. Si decimos: «Oh, yo tengo una linterna muy potente, y buscaré al Sol», no seremos capaces de verlo. Pero en la mañana, cuando el Sol sale por sí mismo, entonces sí podemos verlo. Análogamente, nosotros no podemos ver a Dios por nuestro propio esfuerzo, porque nuestros sentidos son imperfectos. Tenemos que purificar nuestros sentidos y esperar el momento en que Dios esté complacido para revelarse ante nosotros. Este es el proceso de la conciencia de Kṛṣṇa. Nosotros no podemos desafiarlo: «Oh, mi querido Dios, mi querido Kṛṣṇa, Tú debes presentarte ante mí. Yo te veré». No, Dios no es nuestro mucamo, no es nuestro sirviente. Cuando Él esté satisfecho con nosotros, lo veremos.

Nuestro proceso de *yoga* trata de satisfacer a Dios de tal modo que Él se revele ante nosotros. Ese es el verdadero proceso de *yoga*. Sin este proceso, la gente está aceptando tantos «dioses» ridículos. Debido a que la gente no puede ver a Dios, cualquiera que diga «yo soy Dios» es aceptado. Nadie sabe quién es Dios. Alguien puede decir: «Yo estoy buscando la verdad», pero él debe saber qué es la verdad. De otro modo, ¿cómo buscará la verdad? Supongan que yo quiero comprar oro. Yo debo saber cómo es el oro, o al menos tener alguna experiencia acerca de él. De otro modo, la gente me engañará. Por eso, la gente está siendo engañada —está aceptando a tantos sinvergüenzas como Dios— porque no saben lo que es Dios. Cualquiera puede venir y decir: «Yo soy Dios», y algunos sinvergüenzas lo aceptarán como tal. El hombre que dice: «Yo soy Dios» es un sinvergüenza, y el hombre que lo acepta también es un sinvergüenza. Dios no puede conocerse de esa manera. Uno tiene que cualificarse para ver a Dios, para comprender a Dios. Esto es conciencia de Kṛṣṇa. *Sevonmukhe hi jihvādau svayam eva sphuraty adaḥ* (*Bhakti-rasāmṛta-sindhu* 1.2.234): Si nos ocupamos en el servicio al Señor, entonces nos cualificaremos para ver a Dios. De otro modo no es posible.

Ahora bien, este *Bhagavad-gītā* es la ciencia de la conciencia de Kṛṣṇa. Nadie puede volverse consciente de Kṛṣṇa simplemente mediante la erudición mundana. Solo por tener algunos títulos —licenciaturas, doctorados, maestrías— eso no significa que él entenderá el *Bhagavad-gītā*. Esta es una ciencia trascendental, y uno requiere de sentidos diferentes para comprenderla. Uno tiene que purificar sus sentidos ejecutando servicio al Señor. De otro modo, aun siendo un gran erudito —un doctor o un licenciado— uno cometerá errores al tratar de descubrir lo que es Kṛṣṇa. Uno no comprenderá, no es posible. Esta es la razón de por qué Kṛṣṇa aparece en el mundo material como Él es. Aunque Él es innaciente *(ajo 'pi sann avyayātmā)*, Él viene para hacernos saber quién es Dios. Pero ya que Él ahora no está presente personalmente, para conocerlo uno debe ser lo suficientemente afortunado como para asociarse con una persona que está en conciencia de Kṛṣṇa pura. Una persona consciente de Kṛṣṇa tiene conocimiento realizado, gracias a la misericordia de Kṛṣṇa, porque Él se satisface con servicio devocional puro. Por eso, tenemos que conseguir la misericordia de Kṛṣṇa. Entonces podremos entender a Kṛṣṇa, podremos ver a Kṛṣṇa, entonces podremos hablar con Kṛṣṇa: podremos hacer todo.

Kṛṣṇa es una persona. Él es la persona suprema. Ese es el precepto védico: *nityo nityānāṁ cetanaś cetanānām* (*Kaṭha Upaniṣad* 2.2.13): «Todos nosotros somos personas eternas, y Dios es la Suprema

Persona eterna». Ahora estamos enfrentándonos con el nacimiento y la vejez porque estamos presos dentro de este cuerpo. Pero realmente, siendo almas espirituales eternas, no tenemos nacimiento ni muerte. De acuerdo con nuestro trabajo, de acuerdo a nuestro deseo, estamos transmigrando de un tipo de cuerpo a otro, a otro y a otro. Aunque realmente, no tenemos nacimiento ni muerte. Como se explica en el *Bhagavad-gītā* (2.20) *na jāyate mriyate vā*: «La entidad viviente nunca nace ni muere». De la misma manera, Dios también es eterno. *Nityo nityānāṁ cetanaś cetanānām*: «Dios es la entidad viviente Suprema entre todas las entidades vivientes, y Él es la Persona Suprema eterna entre todas las personas eternas». Por eso, practicando la conciencia de Kṛṣṇa, purificando nuestros sentidos, podremos restablecer nuestra eterna relación con la Suprema Persona eterna, la persona completamente eterna. Entonces veremos a Dios.

A través del conocimiento realizado uno se vuelve perfecto. A través del conocimiento trascendental uno puede permanecer fijo en sus convicciones, pero con simple conocimiento académico uno puede ser fácilmente desviado y confundido por contradicciones aparentes. Es el alma realizada quien es realmente autocontrolada, porque ella está rendida a Kṛṣṇa. Y ella es trascendental, porque no tiene nada que ver con la erudición mundana. Para ella, la erudición mundana y la especulación mental (las cuales pueden ser tan buenas como el oro para otros) no son más valiosas que guijarros o piedras.

Incluso si uno es analfabeto, incluso si uno no conoce el abecedario, puede comprender a Dios, siempre y cuando se ocupe en el sumiso y amoroso servicio trascendental a Dios. Por otro lado, aunque uno sea un erudito muy educado, puede que no sea capaz de comprender a Dios. Dios no está supeditado a ninguna condición material, porque Él es el espíritu Supremo. En forma similar, el proceso de comprender a Dios tampoco está sujeto a ninguna condición material. No es verdad que si alguien es un hombre pobre no puede comprender a Dios, o que si uno es muy rico comprenderá a Dios. No. Dios está más allá de nuestras condiciones materiales *(apratihatā)*. En el *Śrīmad-Bhāgavatam* (1.2.6) se dice: *sa vai puṁsāṁ paro dharmo yato bhaktir adhokṣaje:* «Religión de primera clase es la que lo ayuda a uno a avanzar en su servicio devocional y a amar a Dios».

El *Bhāgavatam* no menciona que la religión hindú es de primera clase, que la religión cristiana es de primera clase o que la religión islámica es de primera clase o que alguna otra religión es de primera clase. El *Bhāgavatam* dice que religión de primera clase es la que lo ayuda a uno a avanzar en su servicio devocional y a amar a Dios. Eso es todo. Esta es la definición de religión de primera clase. Nosotros no analizamos si una religión es de primera clase y otra es de última clase. Por supuesto, existen tres cualidades en el mundo material (bondad, pasión e ignorancia) y los conceptos religiosos son creados de acuerdo a esas cualidades. Pero el propósito de la religión es comprender a Dios y aprender a amarlo. Cualquier sistema religioso que le enseñe a uno cómo amar a Dios, es de primera clase. De otro modo, es inútil. Uno puede seguir sus principios religiosos muy rígidamente y muy bien, pero si su amor por Dios es nulo, si su amor por la materia simplemente incrementa, entonces su religión no es religión.

En el mismo verso, el *Bhāgavatam* dice que verdadera religión debe ser *ahaitukī* y *apratihatā:* sin motivación egoísta y sin ningún impedimento. Si podemos practicar tal sistema de principios religiosos, entonces veremos que somos felices en todos los aspectos. De otra manera no existe la posibilidad de ser felices. *Sa vai puṁsāṁ paro dharmo yato bhaktir adhokṣaje* (*Bhāg.* 1.2.6). Uno de los nombres de Dios es Adhokṣaja. Adhokṣaja significa: «Aquel que conquista todos los intentos materialistas que pueden verse». *Akṣaja* significa: «percepción directa mediante el conocimiento experimental», y *adhaḥ* significa «inalcanzable». Nosotros no podemos comprender a Dios mediante el conocimiento experimental. No. Nosotros tenemos que aprender de Él de un modo diferente, mediante la recepción auditiva y sumisa del sonido trascendental y rindiendo amoroso servicio trascendental. Entonces podremos entender a Dios.

De manera que un principio religioso es perfecto si nos enseña cómo desarrollar nuestro amor por Dios. Pero nuestro amor debe estar desprovisto de motivo egoísta. Si yo digo: «Yo amo a Dios porque Él me provee cosas muy buenas para mi complacencia sensorial», eso no es amor. Verdadero amor no tiene ningún motivo egoísta *(ahaitukī)*. Nosotros simplemente debemos pensar: «Dios es grande, Dios es mi padre. Mi deber es amarlo». Eso es todo. Sin intercambio, «oh, Dios me da el pan de cada día, por lo tanto yo amo a Dios». No.

Dios le da el pan de cada día aun a los animales, a los gatos y a los perros. Dios es el padre de todos, y Él le provee alimentos a todos. Por eso, apreciar a Dios porque Él me da de comer, eso no es amor. Amor sin motivación. Yo debo pensar: «Aun si Dios no me provee de pan, yo lo amaré». Eso es verdadero amor. Como dice Caitanya Mahāprabhu: *āśliṣya vā pāda-ratāṁ pinaṣṭu mām adarśanān marma-hatāṁ karotu vā* (*Cc. Antya* 20.47): «¡Oh, Señor!, puedes abrazarme o puedes pisarme con Tus pies. O puede que nunca te presentes ante mí, de tal modo que mi corazón se quiebre al no poder verte. Aun así, yo te amo». Esto es amor puro por Dios. Cuando lleguemos a este estado de amor por Dios, nos encontraremos plenos de placer. Así como Dios es pleno de placer, nosotros también estaremos plenos de placer. Esto es perfección.

La culminación del yoga

En este discurso de 1969, Śrīla Prabhupāda centra su atención en el estado perfecto de la práctica del yoga. De acuerdo con las antiguas enseñanzas védicas, el sistema de yoga que comienza con hatha-yoga, prāṇāyāma *(ejercicios físicos y control de la respiración) y* karma-yoga *culmina en* bhakti-yoga, *el yoga de la devoción a la Personalidad de Dios. «Si uno es lo suficientemente afortunado como para llegar al punto de* bhakti-yoga *ha de entenderse que él ha sobrepasado todos los otros* yogas *—dice Śrīla Prabhupāda—. Y la prueba de cuánto uno domina el* bhakti-yoga *está basada en cuánto uno desarrolla su amor por Dios».*

yogināṁ api sarveṣāṁ
mad-gatenāntarātmanā
śraddhāvān bhajate yo māṁ
sa me yuktatamo mataḥ

«Y de todos los *yogīs*, aquel que tiene una gran fe y que siempre se refugia en Mí, piensa en Mí y Me presta un amoroso servicio trascendental, Es quien está más íntimamente unido a Mí por medio del *yoga*, y es el más elevado de todos. Esa es mi opinión» (*Bg.* 6.47).

Aquí se afirma claramente que de entre todas las clases de *yogīs* —los *aṣṭāṅga-yogīs*, los *haṭha-yogīs*, los *jñāna-yogīs*, los *karma-yogīs* y los *bhakti-yogīs*— el *bhakti-yogī* está en la plataforma más elevada del *yoga*. Kṛṣṇa dice directamente: «De entre todos los *yogīs*, aquel que tiene una gran fe y que siempre se refugia en Mí... es el que está más íntimamente unido a Mí por medio del *yoga*, y es el más elevado de todos». Ya que Kṛṣṇa es el que habla, las palabras en Mí significan «en Kṛṣṇa». En otras palabras, si uno quiere volverse un *yogī* perfecto en la plataforma más elevada, debe mantenerse en la conciencia de Kṛṣṇa.

Con respecto a esto, la palabra *bhajate* en este verso es significativa. *Bhajate* tiene su raíz en el verbo *bhaj*, el cual se usa para indicar servicio devocional. El término español adoración no puede ser utilizado del mismo modo que *bhaja*. Adorar significa «ofrecer respeto y honor a quien lo merece». Pero servicio con amor y fe está destinado especialmente a la Suprema Personalidad de Dios. Uno puede dejar de adorar a un hombre respetable o a un semidiós y simplemente ser llamado descortés, pero uno no puede evitar servir al Señor Supremo sin ser condenado completamente.

Por eso, adoración es muy diferente al servicio devocional. Adorar incluye algún motivo egoísta. Nosotros podemos adorar a algún hombre de negocios muy importante porque sabemos que al complacerlo puede que nos ofrezca algún negocio para que obtengamos alguna ganancia. La adoración a los semidioses es así. La gente a menudo adora a uno de los semidioses con algún propósito particular, pero esto se condena en el *Bhagavad-gītā* (7.20): *kāmais tais tair hṛta-jñānāḥ prapadyante 'nya-devatāḥ:* «Aquellos a quienes los deseos materiales les han robado la inteligencia, adoran a los semidioses con algún motivo egoísta».

Por lo tanto, cuando hablamos de adoración, existe un motivo egoísta, pero cuando hablamos de servicio devocional, no existe motivo excepto el deseo de complacer al amado. El servicio devocional está basado en amor. Por ejemplo, cuando una madre sirve a su hijo, no existe un motivo personal: ella lo sirve solo por amor. Cualquier otra persona puede que negligencie al niño, pero la madre no, porque ella lo ama. Similarmente, cuando existe algo con relación al servicio a Dios, no deben haber motivaciones personales. Esto es conciencia de Kṛṣṇa perfecta, y eso se recomienda en el *Śrīmad-Bhāgavatam* (1.2.6), en la descripción del sistema de principios religiosos de primera clase: *sa vai puṁsaṁ paro dharmo yato bhaktir adhokṣaje:* «El sistema de principios religiosos de primera clase es aquel que lo capacita a uno a desarrollar su propia conciencia de Dios, o amor por Dios». Si uno puede desarrollar su amor por Dios, uno es capaz de seguir cualquier principio religioso, eso no importa. Pero la prueba es cuánto desarrolla su amor por Dios.

Pero si uno tiene algún motivo personal y piensa: «Practicando este sistema de religión, mis necesidades materiales serán satisfechas», eso no es religión de primera clase. Eso es religión de tercera clase.

Religión de primera clase es aquella por medio de la cual uno puede desarrollar su amor por Dios, y ese amor debe estar desprovisto de toda motivación personal y debe ser ininterrumpido *(ahaituky apratihatā)*. Eso es religión de primera clase, como Kṛṣṇa recomienda aquí en el último verso del sexto capítulo del *Bhagavad-gītā.*

La conciencia de Kṛṣṇa es la perfección del *yoga* pero incluso si uno la ve desde el punto de vista religioso es de primera clase, porque es ejecutada sin motivaciones personales. Mis discípulos no sirven a Kṛṣṇa para que Él les provea esto o aquello. Puede que haya esto o aquello, pero eso no importa. Por supuesto, no hay escasez, los devotos tienen todo lo que necesitan. Nosotros no deberíamos pensar que al volvernos conscientes de Kṛṣṇa nos volvemos pobres. No. Si Kṛṣṇa está ahí, todo está ahí, porque Kṛṣṇa lo es todo. Pero no debemos hacer ningún negocio con Kṛṣṇa: «Kṛṣṇa, dame esto, dame aquello». Kṛṣṇa sabe mejor que nosotros lo que necesitamos; tal como un padre conoce las necesidades de su niño. ¿Por qué deberíamos pedir? Ya que Dios es todo poderoso, Él conoce nuestros deseos y nuestras necesidades. Esto se confirma en los *Vedas*: *eko bahūnāṁ yo vidadhāti kāmān:* «Dios está proveyendo todas las necesidades a todas las innumerables entidades vivientes».

Nosotros simplemente debemos tratar de amar a Dios, sin demandar nada. Nuestras necesidades serán satisfechas. Incluso los gatos y los perros están satisfaciendo sus necesidades. Ellos no van a la iglesia y le piden algo a Dios, pero obtienen para sus necesidades. ¿Por qué entonces un devoto no conseguiría lo que necesita? Si los gatos y los perros obtienen lo necesario para vivir sin pedirle nada a Dios, ¿por qué deberíamos pedirle a Dios: «Dame esto, dame aquello?». No. Nosotros simplemente debemos tratar de amarlo y servirlo. Esto satisfará todo, y esa es la plataforma más elevada del *yoga*.

Servicio a Dios es natural; ya que yo soy parte integral de Dios, mi deber natural es servirle. El ejemplo del dedo y el cuerpo es apropiado. El dedo es parte integral del cuerpo. Y ¿cuál es el deber del dedo? Servir al cuerpo, eso es todo. Si usted siente alguna picazón, su dedo actuará inmediatamente. Si usted quiere ver, sus ojos actuarán inmediatamente. Si usted quiere ir a algún lugar, sus piernas inmediatamente lo llevarán allí. Las partes y miembros del cuerpo están ayudando a todo el cuerpo.

Similarmente, nosotros somos todos partes integrales de Dios, y todos estamos destinados simplemente a rendirle servicio. Cuando los miembros del cuerpo sirven al cuerpo completo, la energía llega automáticamente a los miembros. Similarmente, cuando servimos a Kṛṣṇa, obtenemos todo lo que necesitamos automáticamente. *Yathā taror mūla-niṣecanena* (*Bhāg.* 4.31.14). Si uno riega la raíz de un árbol, la energía inmediatamente se distribuye a las hojas, las ramas, las ramitas, etc. De manera similar, simplemente sirviendo a Kṛṣṇa, o Dios, servimos a todas las partes de la creación. No tiene sentido servir a cada entidad viviente separadamente.

Otro punto es que por servir a Dios, nosotros tendremos automáticamente compasión por todos los seres vivos, no solo por los seres humanos, sino también por los animales. Por lo tanto, conciencia de Dios, conciencia de Kṛṣṇa, es la perfección de la religión. Sin conciencia de Kṛṣṇa nuestra compasión por otras entidades vivientes es muy limitada, pero con conciencia de Kṛṣṇa nuestra compasión por otras entidades vivientes es completa.

Toda entidad viviente es parte integral del Señor Supremo, y por lo tanto toda entidad viviente tiene como propósito servir al Señor Supremo por su propia constitución. Al dejar de hacerlo, ella cae. El *Śrīmad-Bhāgavatam* (11.5.3) confirma esto de la siguiente manera:

ya eṣāṁ puruṣaṁ sākṣād
ātma-prabhavam īśvaram
na bhajanty avajānanti
sthānād bhraṣṭāḥ patanty adhaḥ

«Quienquiera que negligencie su deber y no rinda servicio al Señor Primordial, que es la fuente de todas las entidades vivientes, ciertamente caerá de su posición constitucional».

¿Cómo caemos de nuestra posición constitucional? Otra vez el ejemplo del dedo y el cuerpo es apropiado. Si el dedo de uno se enferma y no puede servir al cuerpo entero, simplemente le dará dolor a uno. En forma similar, cualquier persona que no rinda servicio al Señor Supremo está simplemente perturbándolo, dándole dolor y problemas. Por lo tanto, tal persona tiene que sufrir, así como un hombre que no obedece las leyes de su país. Tal delincuente simplemente ocasiona dolor al gobierno, y está expuesto a ser castigado. Él puede pensar: «Yo soy un muy buen hombre», pero debido a que está violando las leyes del Estado, él simplemente está torturando al gobierno. Esto es fácil de comprender.

Por eso cualquier entidad viviente que no esté sirviendo a Kṛṣṇa está causándole algún tipo de dolor, y es pecaminoso hacer que Kṛṣṇa sienta dolor. Del mismo modo en que el gobierno junta a los ciudadanos deplorables y los mantiene en la cárcel: «Ustedes, los delincuentes, deben vivir aquí para no perturbar a la gente», Dios coloca a todos los delincuentes que han violado Sus leyes, quienes simplemente le han ocasionado dolor, en este mundo material. *Sthanād bhraṣṭāḥ patanty adhaḥ*. Ellos caen de su posición constitucional en el mundo espiritual. Otra vez podemos citar el ejemplo del dedo. Si su dedo duele demasiado, el doctor puede llegar a aconsejarle, «Señor tal y tal, su dedo deberá ser amputado, de no ser así, le infectará el cuerpo entero». *Sthanād bhraṣṭāḥ patanty adhaḥ*: El dedo entonces cae de su posición constitucional como parte del cuerpo.

Habiéndonos rebelado contra los principios de la conciencia de Dios, todos nosotros hemos caído a este mundo material. Si queremos revivir nuestra posición original, debemos establecernos otra vez en una actitud de servicio. Esa es la cura perfecta. De otro modo, debemos padecer dolor, y Dios sufrirá por culpa nuestra. Nosotros somos como los hijos malos de Dios. Si un hijo no es bueno, sufre, y el padre sufre junto con el hijo. En forma similar, cuando nosotros sufrimos, Dios también sufre. Por lo tanto, lo mejor es revivir nuestra conciencia de Kṛṣṇa original y ocuparnos en el servicio al Señor.

La palabra *avajānanti* utilizada en este verso del *Śrīmad-Bhāgavatam* también es utilizada por Kṛṣṇa en el *Bhagavad-gītā* (9.11):

avajānanti māṁ mūḍhā
mānuṣīṁ tanum āśritam
paraṁ bhāvam ajānanto
mama bhūta-maheśvaram

«Los necios se burlan de Mí cuando desciendo con forma humana. Ellos no conocen Mi naturaleza trascendental como el Señor Supremo de todo lo que existe». Solo los necios y sinvergüenzas se burlan de la Suprema Personalidad de Dios, el Señor Kṛṣṇa. La palabra *mūḍha* significa «necio» o «sinvergüenza». Solo un sinvergüenza no se interesa en Kṛṣṇa. Sin saber que sufrirá debido a su actitud, él se atreve a negligenciarlo. Sin conocer la posición suprema del Señor, los sinvergüenzas adoran a algún «Dios» barato. Dios se ha vuelto tan barato que mucha gente dice: «Yo soy Dios, usted es Dios». Pero ¿cuál es el significado de la palabra Dios? Si todos son Dios, entonces ¿cuál es el significado de Dios?

De modo que la palabra *avajānanti* es muy apropiada. *Avajānanti* significa «negligente», y describe perfectamente a la persona que dice: «¿Quién es Dios? Yo soy Dios. ¿Por qué debería servir a Dios?» Esto es *avajānanti*, negligenciar la verdadera posición de Dios. Un delincuente puede que tenga la misma actitud hacia el gobierno: «Oh, ¿qué es el gobierno? Yo puedo hacer lo que quiero. A mí no me preocupa el gobierno». Esto es *avajānanti*. Pero aunque digamos: «A mí no me preocupa el gobierno», está el departamento de policía; nos dará problemas, nos castigará. Del mismo modo, si no nos preocupamos por Dios, la naturaleza material nos castigará con nacimiento, vejez, enfermedades y muerte. Para salirnos de este sufrimiento debemos practicar *yoga*.

La culminación de todas las clases de práctica de *yoga* es el *bhakti-yoga*. Todos los otros tipos de *yoga* no son sino medios para llegar a *bhakti-yoga*. *Yoga* significa realmente *bhakti-yoga*; todos los otros *yogas* son etapas hacia este destino. Desde el comienzo de *karma-yoga* hasta el final de *bhakti-yoga* hay un largo camino de autorrealización. *Karma-yoga* ejecutado sin deseos fruitivos, es el comienzo de este sendero (actividades fruitivas, o *karma,* incluye también actividades pecaminosas; *karma-yoga* sin embargo, no incluye actividades pecaminosas sino solo buenas actividades, actividades piadosas o actividades prescritas; esto es *karma-yoga*). Luego, cuando *karma-yoga* incrementa en conocimiento y renunciación, el estado se denomina *jñāna-yoga.* Cuando *jñāna-yoga* incrementa en meditación sobre la Superalma a través de diversos procesos físicos, y cuando la mente está en Él, uno ha alcanzado el estado llamado *aṣṭāṅga-yoga*. Y cuando uno sobrepasa el *aṣṭāṅga-yoga* y llega al punto de servir a la Suprema Personalidad de Dios, Kṛṣṇa, uno alcanzó *bhakti-yoga*, la culminación.

En realidad, *bhakti-yoga* es la última meta, pero para analizar *bhakti-yoga* minuciosamente uno tiene que comprender esos otros *yogas* menores. Por lo tanto, el *yogī* progresivo está en el verdadero sendero de la eterna buena fortuna, mientras que el que se queda en un punto determinado y no hace más progreso, es llamado por ese nombre en particular: *karma-yogī*, *jñāna-yogī* o *aṣṭāṅga-yogī*. Pero si uno es lo suficientemente afortunado como para llegar al punto de *bhakti-yoga*, ha de entenderse que él ha sobrepasado todos los otros *yogas*. Por lo tanto, volverse consciente de Kṛṣṇa es el estado más elevado del *yoga*, así como cuando hablamos de los Himalayas, nos referimos a las montañas más elevadas del mundo, entre las cuales el pico más alto, el monte Everest, se considera la culminación.

Si alguien que practica *jñāna-yoga* piensa que terminó, está equivocado. Él tiene que progresar más. Por ejemplo, suponga que usted quiere ir al piso más alto de un edificio —digamos, al centésimo piso— subiendo por la escalera. Usted pasará el piso treinta, el piso cincuenta, el piso ochenta, etc. Pero supongamos que cuando usted llega al piso cincuenta o al piso ochenta usted dice: «Yo ya alcancé mi meta». Entonces usted fracasó. Para alcanzar su destino tiene que ir hasta el piso cien. De manera similar, todos los procesos de *yoga* están conectados, como una escalera, pero no debemos estar satisfechos con detenernos en el piso cincuenta o en el piso ochenta. Debemos ir hasta la plataforma más elevada, el centésimo piso: conciencia de Kṛṣṇa pura.

Ahora bien, si a alguien que quiere llegar al centésimo piso se le da la oportunidad de utilizar el elevador, en un minuto será capaz de llegar al tope. Por supuesto, él incluso puede decir: «¿Por qué debo aprovechar el elevador? Subiré piso por piso». Él puede hacer esto, pero existe la posibilidad de que no alcance el piso más elevado. Similarmente, si uno se aprovecha del «elevador» del *bhakti-yoga*, en muy poco tiempo puede alcanzar el «centésimo piso», la perfección del *yoga*, la conciencia de Kṛṣṇa.

La conciencia de Kṛṣṇa es el proceso directo. Usted puede ir paso a paso, siguiendo todos los otros sistemas de *yoga*, o puede tomar la conciencia de Kṛṣṇa directamente. El Señor Caitanya recomendó que en esta era, ya que la gente tiene una vida muy corta, está perturbada y colmada de ansiedad, se debe tomar el proceso directo. Y por Su gracia, por Su misericordia sin causa, Él nos dio el canto del *mantra* Hare Kṛṣṇa, el cual nos eleva inmediatamente a la plataforma de *bhakti-yoga*. Es inmediato; no tenemos que esperar. Esta es la contribución especial del Señor Caitanya. Por lo tanto, Śrīla Rūpa Gosvāmī oró: *namo mahā-vadānyāya kṛṣṇa-prema-pradāya te* (*Cc. Madhya* 19.53): «¡Oh, Señor Caitanya!, Tú eres la encarnación más magnánima porque estás directamente otorgando amor por Kṛṣṇa». Usualmente para lograr amor por Kṛṣṇa uno tiene que pasar a través de muchas etapas de *yoga*, pero el Señor Caitanya lo dio directamente. Por lo tanto, Él es la encarnación más magnánima. Esta es la posición del Señor Caitanya.

La única manera de conocer a Dios en verdad es a través del *bhakti-yoga*. En el *Bhagavad-gītā* (18.55) Kṛṣṇa confirma esto. *Bhaktyā māṁ abhijānāti yāvān yaś cāsmi tattvataḥ*: «Solo mediante el servicio devocional uno puede comprender a la Suprema Personalidad de Dios tal como es». Los *Vedas* confirman que solo a través del *bhakti*, o servicio devocional, uno puede alcanzar el estado de perfección más elevado. Si uno practica otros sistemas de *yoga*, debe existir una mezcla de *bhakti* para hacer algún progreso. Pero debido a que la gente no tiene tiempo suficiente para ejecutar todas las prácticas de cualquier otro sistema de *yoga*, en esta era se recomienda el proceso directo de *yoga*, devoción pura. Por lo tanto, es debido a una gran fortuna que uno llega a la conciencia de Kṛṣṇa, el sendero de *bhakti-yoga*, y se vuelve bien situado de acuerdo a las instrucciones védicas.

El *yogī* ideal concentra su atención en Kṛṣṇa, quien está tan bellamente coloreado como una nube, cuyo rostro de loto es tan refulgente como el Sol, cuyo vestido brilla por las joyas, y cuyo cuerpo está adornado con guirnaldas de flores. Iluminando hacia todas las direcciones está Su esplendoroso brillo, el cual se denomina *brahma-jyotir*. Él se encarna en diferentes formas tales como Rāma, Varāha, y Kṛṣṇa, la Suprema Personalidad de Dios. Él desciende como un ser humano —como el hijo de madre Yaśodā— y es conocido como Kṛṣṇa, Govinda y Vāsudeva. Él es el niño, el esposo, el amigo y el maestro perfecto, y es pleno en todas las opulencias y cualidades trascendentales. Quien permanezca completamente consciente de estas características del Señor es el *yogī* más elevado. Este estado de perfección en *yoga* puede ser alcanzado solo mediante *bhakti-yoga*, como se confirma en toda la literatura védica.

VI

Problemas materiales, soluciones espirituales

Hacia la unidad global

Diciembre de 1969: Hablando en Boston ante la Sociedad Internacional de Estudiantes, Śrīla Prabhupāda ofrece una solución simple y práctica, pero profunda, para lograr la paz y la armonía en el mundo. Notando el creciente número de banderas en el edificio de las Naciones Unidas en Nueva York, él afirma que el internacionalismo está fallando porque «su sentimiento internacional y mi sentimiento internacional están coincidiendo parcialmente y están en conflicto. Tenemos que encontrar el centro apropiado para nuestros sentimientos amorosos... Ese centro es Kṛṣṇa».

Muchas gracias por participar en este movimiento para la conciencia de Kṛṣṇa. Yo entiendo que esta sociedad se denomina: Sociedad Internacional de Estudiantes. Existen muchas otras sociedades internacionales, tal como las Naciones Unidas. La idea de una sociedad internacional es muy buena, pero debemos tratar de entender cuál debe ser la idea central de una organización internacional.

Si usted arroja una piedra al medio de un charco de agua, se expandirá un círculo hasta el borde. Similarmente, las ondas de radio se expanden en círculo, y cuando usted capta las ondas con su radio, usted puede escuchar el mensaje. Del mismo modo, nuestro sentimiento amoroso también puede expandirse.

Al comienzo de nuestra vida, nosotros simplemente queremos comer. Cualquier cosa que un niño pequeño tome, deseará comerla. Él solo tiene intereses personales. Luego, cuando el niño crece un poco, él trata de compartir con sus hermanos y hermanas: «Está bien, ustedes también tomen un poco». Este es un incremento en el sentimiento de compañerismo. Luego, en cuanto crece, él comienza a sentir algún amor por sus padres, luego por su comunidad, luego por su país y finalmente por todas las naciones. Pero a menos que el centro sea el apropiado, esa expansión de sentimiento —inclusive si es nacional o internacional— no es perfecta.

Por ejemplo, el significado de la palabra nacional es «el que ha nacido en un país particular». Usted tiene sentimientos por otros estadounidenses porque ellos nacieron en este país. Usted puede sacrificar incluso su vida por sus compatriotas. Pero existe un defecto: si la definición de nacional es «el que nació en un país particular», entonces ¿por qué los animales nacidos en los Estados Unidos no se consideran estadounidenses? El problema es que nosotros no expandimos nuestros sentimientos más allá de la sociedad humana. Debido a que nosotros no pensamos que los animales son nuestros compatriotas, los enviamos al matadero.

Por eso el centro de nuestro sentimiento nacional o nuestro sentimiento internacional no está fijo en el objeto apropiado. Si el centro fuera el correcto, entonces usted puede dibujar cualquier cantidad de círculos alrededor de ese centro y nunca se superpondrán. Ellos crecerán más y más. Ellos no se interceptarán uno con el otro si el centro fuera el correcto. Por desgracia, aunque todos sienten la nacionalidad o la internacionalidad, el centro está errado. Por lo tanto su sentimiento internacional y mi sentimiento internacional, tanto como su sentimiento nacional y mi sentimiento nacional, están coincidiendo parcialmente y están en conflicto. Por eso tenemos que encontrar el centro apropiado para nuestros sentimientos amorosos.

Entonces usted puede expandir su círculo de sentimientos que no se superpondrá ni estará en conflicto con el de otros.

Ese centro es Kṛṣṇa.

Nuestra asociación, la Asociación Internacional para la Conciencia de Krishna, está enseñando a la gente de todos los países que el centro de su afecto debe ser Kṛṣṇa. En otras palabras, estamos enseñándole a la gente a ser *mahātmās*. Puede que usted haya escuchado la palabra *mahātmā* antes. Es una palabra sánscrita que se aplica a una persona cuya mente está expandida, cuyo círculo de sentimientos está muy expandido. Eso es un *mahātmā*. *Mahā* significa «grande», y *ātmā* significa «alma». Aquel que ha expandido su alma muy ampliamente se denomina *mahātmā*.

El *Bhagavad-gītā* (7.19) da una descripción de la persona que ha expandido sus sentimientos muy ampliamente:

bahūnāṁ janmanām ante
jñānavān māṁ prapadyate
vāsudevaḥ sarvam iti
sa mahātmā su-durlabhaḥ

La primera idea en este verso es que uno puede volverse un *mahātmā* solo después de muchos, muchos nacimientos *(bahūnāṁ janmanām ante)*. El alma transmigra a través de muchos cuerpos, uno tras otro. Existen 8 400 000 diferentes especies de vida, y evolucionamos a través de ellas hasta que finalmente llegamos a la forma humana de vida. Solo entonces podemos convertirnos en un *mahātmā*. Por eso Kṛṣṇa dice: *bahūnāṁ janmanām ante*: «Después de muchos nacimientos uno puede convertirse en un *mahātmā*».

En el *Śrīmad-Bhāgavatam* existe un verso similar. *Labdhvā sudurlabham idaṁ bahu-sambhavānte*: «Después de muchos, muchos nacimientos usted ha alcanzado un cuerpo humano, el cual es muy difícil de obtener». Esta forma humana de vida no es algo barato. Los cuerpos de los gatos y los perros y otros animales son baratos, pero esta forma humana no lo es. Después de haber nacido en por lo menos 8 000 000 de diferentes especies, obtenemos esta forma humana. El *Bhāgavatam* y el *Bhagavad-gītā* dicen lo mismo. Todas las Escrituras védicas se corroboran unas con otras, y la persona que puede entenderlas no encuentra ninguna contradicción.

Por eso, la forma humana de vida se obtiene después de muchos, muchos nacimientos, en otras formas diferentes a las humanas. Pero incluso en esta forma humana de vida, se requieren muchos, muchos nacimientos para que alguien cultive conocimiento acerca del punto central de la existencia. Si uno realmente está cultivando conocimiento espiritual —no en una vida, sino en muchas, muchas vidas— uno eventualmente llega a la plataforma más elevada del conocimiento y eso se denomina *jñānavān*, «el propietario del verdadero conocimiento». Entonces Kṛṣṇa dice: *māṁ prapadyate*: «Él se rinde a Mí, Kṛṣṇa o Dios» (cuando digo Kṛṣṇa me refiero al Señor Supremo, la todo atractiva Suprema Personalidad de Dios).

Ahora bien, ¿por qué un hombre con conocimiento se rinde a Kṛṣṇa? *Vāsudevaḥ sarvam iti (Bg. 7.19)*: Porque él sabe que Vāsudeva, Kṛṣṇa, lo es todo; que Él es el punto central de todos los sentimientos amorosos. Entonces: *sa mahātmā su-durlabhaḥ*. Aquí se usa la palabra *mahātmā*. Después de cultivar conocimiento durante muchos, muchos nacimientos, una persona que expande su conciencia hasta el punto de amar a Dios es un *mahātmā*, una gran alma. Dios es grande, y Su devoto también. Pero Kṛṣṇa dice: *sa mahātmā su-durlabhaḥ*: Esa clase de gran alma es muy difícil de encontrar. Esta es la descripción de un *mahātmā* que obtenemos del *Bhagavad-gītā*.

Ahora hemos expandido nuestros sentimientos de amor hacia varios objetos. Nosotros podemos amar nuestro país, podemos amar nuestra comunidad, podemos amar nuestra familia, podemos amar nuestros perros y gatos. En cualquiera de los casos, nosotros tenemos amor, y lo expandimos de acuerdo a nuestro conocimiento. Y cuando nuestro conocimiento es perfecto, llegamos al punto de amar a Kṛṣṇa. Eso es perfección. Amor por Kṛṣṇa es el objetivo de todas las actividades, el objetivo de la vida.

El *Śrīmad-Bhāgavatam* (1.2.8) confirma que la meta de la vida es Kṛṣṇa:

dharmaḥ svanuṣṭhitaḥ puṁsāṁ
viṣvaksena-kathāsu yaḥ

notpādayed yadi ratiṁ
śrama eva hi kevalam

Las primeras palabras de este verso son *dharmaḥ svanuṣṭhitaḥ puṁsāṁ*. Esto significa que todos están realizando su deber de acuerdo con su posición. Un casado tiene algún deber, un *sannyāsī* (renunciante) tiene algún deber, un *brahmacārī* (estudiante célibe) tiene algún deber. Existen diferentes tipos de deberes de acuerdo a las diferentes ocupaciones o profesiones. Pero el *Bhagavad-gītā* dice que si por ejecutar muy esmeradamente sus deberes usted aún no llega a entender a Kṛṣṇa, entonces todo lo que usted hizo es simplemente un trabajo inútil *(śrama eva hi kevalam)*. De manera que, si usted quiere llegar a la perfección, debe tratar de entender y amar a Kṛṣṇa. Entonces sus sentimientos de amor nacional e internacional se expandirán realmente hasta el límite.

Ahora, supongan que alguien dice: «Sí, yo he expandido mis sentimientos de amor muy ampliamente». Esto está bien, pero él debe mostrar los síntomas de cómo sus sentimientos de amor se expanden. Como Kṛṣṇa dice en el *Bhagavad-gītā* (5.18):

vidya-vinaya-sampanne
brāhmaṇe gavi hastini
śuni caiva śvapāke ca
paṇḍitāḥ sama-darśinaḥ

Si uno es realmente un *paṇḍita*, alguien que se elevó hasta el estado de sabiduría perfecta, entonces debe ver a todos en la misma plataforma *(sama-darśinaḥ)*. Debido a que la visión de un *paṇḍita* ya no está más centrada simplemente en el cuerpo, él ve a un *brāhmaṇa* erudito como un alma espiritual, él ve a un perro como un alma espiritual, ve a un elefante como un alma espiritual y él también ve a un hombre de bajo nacimiento como un alma espiritual. Desde el elevado *brāhmaṇa* hasta el *caṇḍāla* (un descastado) existen muchas clases sociales en la sociedad humana, pero si un hombre es realmente erudito ve a todos, a toda entidad viviente, en el mismo nivel. Ese es el estado de verdadera erudición.

Estamos tratando de expandir nuestros sentimientos social, comunal, nacionalmente, internacional y universalmente. Esa es nuestra función natural, expandir nuestra conciencia. Pero a lo que me refiero es que si realmente queremos expandir nuestra conciencia hasta el máximo, debemos encontrar el verdadero centro de la existencia. Ese centro es Kṛṣṇa o Dios. ¿Cómo sabemos que Kṛṣṇa es Dios? El propio Kṛṣṇa declara ser Dios en el *Bhagavad-gītā*. Por favor recuerden siempre que el movimiento para la conciencia de Kṛṣṇa está basado en la comprensión del *Bhagavad-gītā tal como es*. Todo lo que yo digo está en el *Bhagavad-gītā*. Desafortunadamente, el *Bhagavad-gītā* ha sido tan mal interpretado por tantos comentaristas que la gente lo ha malentendido. Realmente, el significado del *Bhagavad-gītā* es desarrollar conciencia de Kṛṣṇa, amor por Kṛṣṇa, y nosotros estamos tratando de enseñar eso.

En el *Bhagavad-gītā* Kṛṣṇa ha dado varias descripciones de un *mahātmā*. Él dice: *mahātmānas tu māṁ pārtha daivīṁ prakṛtim āśritāḥ* (*Bg.* 9.13): «Un *mahātmā*, alguien que es realmente sabio y de mente abierta, está bajo el refugio de Mi energía espiritual». Él no está ya más bajo el hechizo de la energía material.

Cualquier cosa que vemos está hecha de diferentes energías de Dios. En los *Upaniṣads* se dice: *parāsya-śaktir vividhaiva śrūyate* (*Cc. Madhya* 13.65, significado): «La Suprema Verdad Absoluta tiene muchas variedades de energías». Y esas energías actúan tan maravillosamente que parece que actuasen automáticamente *(svābhāvikī jñāna-bala-kriyā ca)*. Por ejemplo, todos nosotros hemos visto una flor mientras florece. Podemos pensar que ha florecido y que se ha vuelto hermosa automáticamente. Pero no, la energía material de Dios está actuando.

Similarmente, Kṛṣṇa tiene una energía espiritual. Y un *mahātmā*, alguien de mentalidad amplia, está bajo la protección de tal energía espiritual; él no está bajo la influencia de la energía material. Todas esas cosas se explican en el *Bhagavad-gītā*. Existen muchos versos en el *Bhagavad-gītā* que describen cómo actúan las energías de Kṛṣṇa, y nuestra misión es la de presentar el *Bhagavad-gītā tal como es*, desprovisto de todo comentario ridículo. No hay necesidad de comentarios ridículos. El *Bhagavad-gītā* es tan claro como la luz del Sol. Así como usted no requiere de una lámpara para ver el Sol, usted no requiere el comentario de un ignorante, o de un hombre común para estudiar el *Bhagavad-gītā*. Usted debe estudiar el *Bhagavad-gītā tal como es*. De esa manera usted obtendrá todo el conocimiento espiritual. Usted se volverá sabio y comprenderá a Kṛṣṇa. Entonces usted se rendirá a Él y se volverá un *mahātmā*.

Ahora bien, ¿cuáles son las cualidades de un *mahātmā*? Un *mahātmā* está bajo la protección de la energía espiritual de Kṛṣṇa, pero ¿cuál es el síntoma de tal protección? Kṛṣṇa dice: *mām... bhajanty ananya-manasaḥ*: «Un *mahātmā* está siempre ocupado en Mi servicio devocional». Ese es el principal síntoma de un *mahātmā*: el siempre está sirviendo a Kṛṣṇa. ¿Se ocupa ciegamente en este servicio devocional? No. Kṛṣṇa dice: *jñātvā bhūtādim avyayam*: «Él sabe perfectamente que Yo soy la fuente de todo».

Kṛṣṇa explica todo en el *Bhagavad-gītā*. Y nuestro propósito en el movimiento para la conciencia de Kṛṣṇa es difundir el conocimiento contenido en el *Bhagavad-gītā* sin agregarle ningún comentario ridículo. De esa manera la sociedad humana se beneficiará con este conocimiento. Ahora la sociedad no está en una condición sana, pero si la gente entiende el *Bhagavad-gītā* y si ellos realmente expanden su visión, todos los problemas sociales, nacionales e internacionales serán resueltos automáticamente. No existirá dificultad. Pero si no buscamos cuál es el centro de la existencia, si fabricamos nuestros propios métodos para expandir nuestros sentimientos amorosos, solo habrá conflictos —no solo entre los individuos, sino entre las diferentes naciones del mundo—. Las naciones están tratando de unirse; en su país están las Naciones Unidas. Desafortunadamente, en vez de que las naciones se unan, el número de banderas aumenta día a día. Similarmente, la India una vez fue un país, Indostán. Ahora también existe Paquistán. Y en algún momento en el futuro existirá Sikhistán y luego habrá otro «stan».

En vez de unirnos nos estamos desuniendo, porque el centro ha desaparecido. Por lo tanto, mi pedido es, ya que todos ustedes son estudiantes internacionales, que por favor traten de encontrar el verdadero centro de su movimiento internacional. Un verdadero sentimiento internacional será posible cuando ustedes entiendan que el centro es Kṛṣṇa. Entonces su movimiento internacional será perfecto.

En el decimocuarto capítulo del *Bhagavad-gītā* (14.4), el Señor Kṛṣṇa dice:

sarva-yoniṣu kaunteya
mūrtayaḥ sambhavanti yāḥ
tāsāṁ brahma mahad yonir
ahaṁ bīja-pradaḥ pitā

Aquí Kṛṣṇa dice: «Yo soy el padre de todas las formas de vida. La naturaleza material es la madre, y Yo soy el padre que aporta la simiente». Sin padre ni madre, nadie puede nacer. El padre da la semilla, y la madre provee el cuerpo. En este mundo material la madre de todos nosotros —desde el Señor Brahmā hasta la hormiga— es la naturaleza material. Nuestro cuerpo es materia, por lo tanto es un regalo de la naturaleza material, nuestra madre. Pero yo, el alma espiritual, soy parte integral del padre Supremo, Kṛṣṇa. Kṛṣṇa dice *mamaivāṁśo... jīva-bhūtaḥ*: «Todas estas entidades vivientes son partes integrales de Mí».

Si usted quiere ampliar sus sentimientos de compañerismo hasta el límite máximo, por favor trate de comprender el *Bhagavad-gītā.* Usted obtendrá iluminación, se volverá un verdadero *mahātmā.* Usted sentirá afecto incluso por los gatos, los perros y los reptiles. En el séptimo canto del *Śrīmad-Bhāgavatam* usted encontrará una afirmación hecha por Nārada Muni que dice que si usted tiene una serpiente en su casa, debe darle algo de comer. ¡Vean ustedes cómo se pueden expandir sus sentimientos! Usted cuidará incluso de una serpiente, qué decir de otros animales y seres humanos.

Nosotros no podemos llegar a estar iluminados a menos que lleguemos al punto de entender a Dios o Kṛṣṇa. Por lo tanto nosotros predicamos la conciencia de Kṛṣṇa alrededor de todo el mundo. El movimiento para la conciencia de Kṛṣṇa no es nuevo. Como ya les dije, está basado en los principios del *Bhagavad-gītā*, y el *Bhagavad-gītā* es una Escritura antigua. Desde el punto de vista histórico tiene cinco mil años de antigüedad. Y desde un punto de vista prehistórico tiene millones de años. Kṛṣṇa dice en el cuarto capítulo: *imaṁ vivasvate yogaṁ proktavān aham avyayam* (*Bg.* 4.1): «Yo le hablé primero esta antigua ciencia al Dios del Sol». Esto significa que Kṛṣṇa habló primero el *Bhagavad-gītā* hace algunos millones de años atrás. Pero simplemente desde un punto de vista histórico, el *Bhagavad-gītā* ha existido desde los días de la Batalla de Kurukṣetra, la cual ocurrió hace cinco mil años atrás. Por lo tanto es más antigua que cualquier otra Escritura en el mundo.

Trate de entender el *Bhagavad-gītā tal como es*, sin ningún comentario innecesario. Las palabras del *Bhagavad-gītā* son suficientes para darle a usted iluminación, pero desgraciadamente la gente ha tomado ventaja de la popularidad del *Bhagavad-gītā* y ha tratado de expresar su propia filosofía amparándose en el *Bhagavad-gītā*. Eso es inútil. Traten de entender el *Bhagavad-gītā tal como es*. De ese modo ustedes comprenderán que Kṛṣṇa es el centro de todas las actividades. Y si ustedes se vuelven conscientes de Kṛṣṇa, todo será perfecto y todos los problemas serán resueltos.

Muchas gracias. ¿Quieren formular alguna pregunta?

Estudiante hindú: Yo no sé el verso en sánscrito del *Gītā*, pero en alguna parte Kṛṣṇa dice: «Todos los caminos conducen a Mí. No importa lo que uno haga, no importa lo que uno piense, no importa con qué uno esté involucrado, eventualmente uno llegará a Mí». De manera que la iluminación, ¿tiene una evolución natural?

Śrīla Prabhupāda: No, Kṛṣṇa nunca dijo que mediante cualquier cosa que usted haga o piense, usted evolucionará naturalmente hacia Él. Iluminarse en conciencia de Kṛṣṇa no es natural para el alma condicionada. Usted requiere la instrucción de un maestro espiritual. De otro modo, ¿por qué Kṛṣṇa instruyó a Arjuna? Usted tiene que obtener conocimiento de una persona superior y seguir sus instrucciones.

Arjuna estaba perplejo. Él no podía entender si debía pelear o no. De la misma manera, en el mundo material todos están perplejos. Por eso requerimos la guía de Kṛṣṇa o la de Su representante fidedigno. Entonces podremos iluminarnos.

La evolución es natural hasta las especies animales. Pero cuando llegamos a la forma de vida humana, podemos hacer uso de nuestra propia elección. Usted elige qué camino seguir de acuerdo al que más le guste. Si usted gusta de Kṛṣṇa, puede ir a Kṛṣṇa; si usted gusta de otra cosa, puede ir allí. Eso depende de su voluntad.

Todos tienen un poco de independencia. Al final del *Bhagavad-gītā* (18.66) Kṛṣṇa dice: *sarva-dharmān parityajya mām ekaṁ śaraṇaṁ vraja*: «Abandona todo y ríndete a Mí». Si esta rendición es natural, ¿por qué Kṛṣṇa diría «Usted debe hacer esto»? No. Rendirse a Kṛṣṇa no es natural en nuestro estado materialmente condicionado. Nosotros tenemos que aprenderlo. Por lo tanto debemos escuchar de un maestro espiritual fidedigno, Kṛṣṇa o Su representante autorizado y seguir sus instrucciones. Esto nos llevará al estado de completa iluminación en la conciencia de Kṛṣṇa.

El mito de la escasez

En oposición a la creencia popular, las estadísticas comunes muestran que la tierra produce suficientes alimentos para mantener fácilmente a toda su población. Sin embargo la codicia y la explotación fuerzan a más del veinticinco por ciento de la población del mundo a estar subalimentada y desnutrida. Śrīla Prabhupāda condena a la industrialización innecesaria por contribuir al problema del hambre, crear desempleo, polución, y muchos otros problemas. En la siguiente conversación, grabada el 2 de mayo de 1973 en Los Ángeles, él recomienda un estilo de vida más simple, más natural y centrado en Dios.

ime jana-padāḥ svṛddhāḥ
supakvauṣadhi-vīrudhaḥ
vanādri-nady-udanvanto
hy edhante tava vīkṣitaiḥ

(La reina Kuntī dijo) «Todas estas ciudades y aldeas están floreciendo en todos los aspectos porque hay hierbas y granos en abundancia, los árboles están colmados de frutas, los ríos fluyen, las montañas están repletas de minerales y los océanos llenos de riquezas. Y todo esto se debe a Tu mirada sobre ellos» (*Bhāg*. 1.8.40).

La prosperidad humana florece debido a las dádivas naturales y no debido a las gigantes empresas industriales. Las gigantescas empresas industriales son producto de una civilización atea, y son la causa de la destrucción de los nobles objetivos de la vida humana. Cuanto más incrementemos tales problemáticas industrias para exprimir la energía vital del ser humano, la gente en general estará más insatisfecha, aunque unos pocos puedan vivir lujosamente a causa de la explotación.

Las dádivas naturales tales como los granos y los vegetales, las frutas, los ríos, las montañas de joyas y minerales, y los mares repletos de perlas son provistos por orden del Supremo, y de acuerdo a Su deseo, la naturaleza material las produce en abundancia o a veces las restringe. La ley natural es que el ser humano puede aprovecharse de estos regalos divinos de la naturaleza y de esa manera florecer satisfactoriamente sin ser cautivado por la motivación disfrutadora de enseñorearse de la naturaleza material.

Cuanto más intentemos explotar la naturaleza material de acuerdo a nuestros caprichos, más atrapados estaremos por las reacciones de tales intentos disfrutadores. Si tenemos suficientes granos, frutas, vegetales y hierbas, entonces ¿qué necesidad hay de abrir mataderos y matar a los pobres animales?

Un hombre no necesita matar a un animal si tiene suficientes granos y vegetales para comer. El fluir del agua de los ríos fertiliza los campos, y de ese modo tenemos más de lo que necesitamos. Los minerales se producen en las colinas y las joyas en el océano. Si la civilización humana tiene suficientes granos, minerales, joyas, agua, leche, etc., entonces, ¿por qué debemos anhelar terribles empresas industriales a costa del trabajo de algunos hombres desafortunados?

Pero todas estas dádivas naturales dependen de la misericordia del Señor. Por lo tanto, lo que necesitamos es obedecer las leyes del Señor y alcanzar la perfección de la vida humana a través del servicio devocional. Las instrucciones de Kuntī-devī son solo para eso. Ella desea que la misericordia de Dios le sea otorgada a ella y a sus hijos para que esa prosperidad natural sea mantenida por Su gracia.

Kuntī-devī menciona que los granos abundan, que los árboles están colmados de frutas, que los ríos fluyen armoniosamente, que las montañas están repletas de minerales, y los océanos llenos de riquezas; pero ella no menciona que esas industrias y mataderos estén floreciendo, porque tales cosas son tonterías que el hombre ha desarrollado para crear problemas.

Si dependemos de la creación de Dios no existirá escasez, sino simplemente *ānanda*, bienaventuranza. La creación de Dios provee suficientes granos y pasto, y mientras comemos los granos y las frutas, los animales tales como las vacas comerán el pasto. Los toros ayudarán a producir granos, y ellos tomarán solo un poco, estando satisfechos con lo que les demos. Si tomamos una fruta y le quitamos la cáscara, el animal estará satisfecho con la cáscara. De esta manera, con Kṛṣṇa en el centro, puede haber completa cooperación entre los árboles, animales, seres humanos, y todas las entidades vivientes. Esto es civilización védica, una civilización con conciencia de Kṛṣṇa.

Kuntī-devī le ora al Señor: «Esta prosperidad se debe a Tu mirada». Cuando nos sentamos en el templo de Kṛṣṇa, Kṛṣṇa echa Su mirada sobre nosotros, y todo se vuelve hermoso. Cuando almas sinceras tratan de convertirse en devotos de Kṛṣṇa, Kṛṣṇa se presenta muy amablemente ante ellos con toda Su opulencia y al mirarlas, ellas se vuelven hermosas y felices.

Similarmente, la creación material total se debe a la mirada de Kṛṣṇa *(sa aikṣata)*. En los *Vedas* se dice que Él miró por sobre la materia y de ese modo la agitó. Una mujer en contacto con un hombre se agita, es fecundada y luego tiene niños. Toda la creación sigue un proceso similar. Simplemente por la mirada de Kṛṣṇa, la materia se agita, queda fecundada y causa el nacimiento de las entidades vivas. Es simplemente por Su mirada que las plantas, los árboles, los animales y todos los otros seres vivos aparecen. ¿Cómo es posible esto? Ninguno de nosotros puede decir: «Yo puedo fecundar a mi esposa simplemente con mirarla». Pero aunque es imposible para nosotros, no es imposible para Kṛṣṇa. El *Brahma-saṁhitā* (5.32) dice: *aṅgāni yasya sakalendriya-vṛttimanti:* Cada parte del cuerpo de Kṛṣṇa tiene toda la capacidad de las otras partes. Con nuestros ojos solo podemos ver, pero Kṛṣṇa puede fecundar a otros simplemente al mirarlos. No hay necesidad de relaciones sexuales, porque simplemente por mirar Kṛṣṇa puede fecundar.

En el *Bhagavad-gītā* (9.10) el Señor Kṛṣṇa dice: *mayādhyakṣeṇa prakṛtiḥ sūyate sa-carācaram:* «Bajo Mi supervisión, la naturaleza material produce todos los seres móviles e inmóviles». La palabra *akṣa* significa «ojos», de modo que *akṣeṇa* indica que todas las entidades vivientes nacen debido a la mirada del Señor. Existen dos clases de entidades vivientes: los seres móviles, como los insectos, animales y seres humanos y los seres inmóviles como los árboles y las plantas. En sánscrito, estas dos clases de entidades vivientes se denominan *sthāvara-jaṅgama*, y ambas provienen de la naturaleza material.

Por supuesto, lo que viene de la naturaleza material no es la vida, sino el cuerpo. Las entidades vivientes aceptan tipos particulares de cuerpos de la naturaleza material, así como un niño obtiene su cuerpo de su madre. Durante diez meses el cuerpo del niño se desarrolla a partir de la sangre y los nutrientes del cuerpo de la madre, pero el niño es una entidad viviente, no es materia. Es la entidad viviente la que ha tomado refugio en el vientre de la madre, quien entonces provee los ingredientes para el cuerpo de esa entidad viviente. Así es como funciona la naturaleza. La madre puede que no sepa cómo de su cuerpo ha sido creado otro cuerpo, pero cuando el cuerpo del niño está listo, el niño nace.

No es que la entidad viviente nace. Como se afirma en el *Bhagavad-gītā* (2.20*): na jāyate mriyate vā*: La entidad viviente no nace ni muere. Aquello que no nace, no muere; la muerte está destinada para lo que ha sido creado, y aquello que no es creado no tiene muerte. El *Gītā* dice: *na jāyate mriyate vā kadācit*. La palabra *kadācit* significa «en cualquier momento». La entidad viviente no nace en ningún momento. Aunque podemos ver que un niño nace, realmente él no nace. *Nityaḥ śāśvato 'yaṁ purāṇaḥ*. La entidad viviente es eterna *(śāśvata)*, existe siempre, y es muy, muy vieja *(purāṇa)*. *Na hanyate hanyamāne śarīre:* No piensen que cuando el cuerpo se destruye, la entidad viviente será destruida, no, la entidad viviente continuará existiendo.

Un amigo científico una vez me preguntó: «¿Cuál es la prueba de la eternidad del alma?» Kṛṣṇa dice: *na hanyate hanyamāne śarīre:* «El alma no muere cuando el cuerpo muere». Esta afirmación en sí misma es una prueba. Este tipo de prueba es llamada *śruti*, la prueba establecida mediante lo que se escucha a través de la sucesión discipular del Supremo. Una forma de prueba es la prueba mediante la lógica *(nyāya-prasthāna)*. Uno puede obtener conocimiento mediante la lógica, los argumentos y la investigación filosófica. Pero otro tipo de prueba *es śruti*, la prueba que se establece al escuchar de autoridades. Una tercera forma de prueba es *smṛti*, las pruebas establecidas por las afirmaciones que provienen del *śruti*. Los *Purāṇas* son *smṛti*, los *Upaniṣads* son *śruti* y el *Vedānta* es *nyāya*. De estas tres, el *śruti-prasthāna* o la evidencia del *śruti*, es especialmente importante.

Pratyakṣa, el proceso de recibir conocimiento a través de la percepción directa, no tiene valor, porque todos nuestros sentidos son imperfectos. Por ejemplo, para nosotros, el Sol se ve como un pequeño disco, pero de hecho es muchas veces más grande que la Tierra. Entonces, ¿Cuál es el valor de nuestra percepción directa a través de los ojos? Nosotros tenemos tantos sentidos a través de los cuales podemos experimentar conocimiento: los ojos, los oídos, la nariz, etc., pero debido a que estos sentidos son imperfectos, cualquier conocimiento que obtengamos al ejercitar estos sentidos, también será imperfecto. Debido a que los científicos tratan de entender las cosas ejercitando sus sentidos imperfectos, sus conclusiones son siempre imperfectas. Svarūpa Dāmodara, un discípulo científico nuestro, le preguntó lo siguiente a un científico que dice que la vida proviene de la materia: «Si yo le doy a usted los elementos químicos necesarios para producir vida, ¿será usted capaz de crearla?». El científico respondió: «Eso no lo sé». Esto es conocimiento imperfecto. Si usted no lo sabe, entonces su conocimiento es imperfecto. ¿Por qué usted se volvió maestro? Eso es un engaño. Nuestra opinión es que para volverse perfecto uno debe tomar lecciones del maestro perfecto.

Kṛṣṇa es perfecto, por eso nosotros tomamos conocimiento de Él. Kṛṣṇa dice: *na hanyate hanyamāne śarīre:* «El alma no muere cuando muere el cuerpo». Por lo tanto el entendimiento de que el alma es eterna y el cuerpo es temporal es perfecto.

Kuntī-devī dice: *ime jana-padāḥ svṛddhāḥ su-pakvauṣadhi-vīrudhaḥ* (*Bhāg.* 1.8.40): «Los granos abundan, los árboles están repletos de frutas, los ríos fluyen, las montañas están colmadas de minerales y los océanos plenos de riquezas». ¿Qué más podemos querer? Las ostras producen perlas, y antiguamente la gente decoraba sus cuerpos con perlas, piedras valiosas, seda, oro y plata. Pero ¿dónde están esas cosas ahora? Ahora, con el avance de la civilización, existen muchas muchachas hermosas que no tienen adornos de oro, perlas o joyas, sino solo brazaletes de plástico. Entonces, ¿qué sentido tienen las industrias y los mataderos?

Debido al plan de Dios uno puede tener suficientes granos alimenticios, suficiente leche, suficientes frutas y vegetales, y buena agua clara del río. Pero ahora yo he visto, mientras viajaba por Europa, que todos los ríos estaban inmundos. En Alemania, en Francia, y también en Rusia y en los Estados Unidos yo he visto que los ríos están contaminados. Por medio de la naturaleza, el agua en el océano se mantiene clara como el cristal, y la misma agua se transfiere a los ríos, pero sin sal, de tal forma que uno puede tomar buena agua del río. Este es el método de la naturaleza y el método de la naturaleza significa el método de Kṛṣṇa. Por lo tanto, ¿qué sentido tiene construir grandes sistemas de provisión de agua?

La naturaleza ya nos ha dado todo. Si queremos riquezas podemos colectar perlas y volvernos ricos; no hay necesidad de volverse rico poniendo en marcha grandes fábricas para producir carrocerías. Mediante tales empresas industriales simplemente creamos problemas. De otro modo, solo necesitamos depender de Kṛṣṇa y de la misericordia de Kṛṣṇa, porque mediante la mirada de Kṛṣṇa *(tava vīkṣitaiḥ)* todo se ordena correctamente. De manera que, si simplemente oramos por la mirada de Kṛṣṇa, no habrá ninguna escasez. Todo será completo. La idea del movimiento para la conciencia de Kṛṣṇa, por lo tanto, es la de depender de las dádivas de la naturaleza y de la misericordia de Kṛṣṇa.

La gente dice que la población está aumentando, por lo tanto ellos están deteniéndola por medios artificiales. ¿Por qué? Los pájaros y los mamíferos están aumentando sus poblaciones y no tienen anticonceptivos, pero ¿tienen escasez de comida? ¿Vimos alguna vez a los pájaros o a los animales morir por falta de alimentos? Quizás en la ciudad, aunque no muy seguido. Pero si vamos a la selva veremos que todos los elefantes, leones y tigres, y otros animales son muy robustos y fuertes. ¿Quién les provee la comida? Algunos de ellos son vegetarianos y algunos de ellos no son vegetarianos, pero a ninguno de ellos le falta comida.

Por supuesto, por arreglo de la naturaleza, el tigre, siendo un no vegetariano, no tiene comida todos los días. Después de todo, ¿quién enfrentaría a un tigre para convertirse en su comida? ¿Quién le dirá al tigre: «Señor, yo soy un altruista y he venido a darle comida, así que tome mi cuerpo»? Nadie. Por lo tanto el tigre tiene dificultad para encontrar comida. Tan pronto como el tigre sale, hay un animal que lo sigue haciendo un sonido parecido a «fayo, fayo», de tal modo que los otros animales lo puedan notar: «Ahora salió el tigre». Por lo tanto por arreglo de la naturaleza, el tigre tiene dificultades. Pero aun así, Kṛṣṇa le provee su comida. Después de una semana, el tigre tendrá la oportunidad de capturar un animal, y debido a que no consigue alimentos frescos diariamente, el mantendrá el cadáver en algún arbusto y lo comerá poco a poco. Ya que el tigre es muy poderoso, la gente quiere convertirse en león o tigre. Pero esta no es una muy buena propuesta, porque si uno realmente se vuelve un tigre no obtendrá comida diariamente, sino que tendrá que buscar comida trabajando mucho. Si uno se vuelve vegetariano sin embargo, obtendrá comida todos los días. La comida para un vegetariano está disponible en todas partes.

Ahora, en todas las ciudades hay mataderos, pero ¿significa esto que los mataderos pueden proveer lo suficiente de tal modo que uno pueda vivir comiendo solo carne? No, no habrá una provisión adecuada. Aun los comedores de carne tienen que comer granos, frutas, y vegetales junto con su rodaja de carne. Sin embargo, por tal rodaja de carne ellos matan tantos pobres animales. ¡Cuán pecaminoso es esto! Si la gente comete tales actividades pecaminosas, ¿cómo puede ser feliz? Esta matanza no debe realizarse, porque debido a ella la gente es infeliz. Sin embargo, si uno se vuelve consciente de Kṛṣṇa y simplemente depende de la mirada de Kṛṣṇa *(tava vīkṣitaiḥ)*, Kṛṣṇa le suplirá todo y no habrá cuestión de escasez.

A veces parece haber escasez y a veces encontramos que los granos y las frutas son producidos en cantidades tan grandes que la gente no puede terminar de comerlos. Es cuestión de que Kṛṣṇa mire hacia eso. Si Kṛṣṇa quiere, Él puede producir una gran cantidad de granos, frutas y vegetales, pero si Kṛṣṇa desea restringir la provisión, ¿qué podría solucionar la carne? Usted puede comerme, o yo puedo comerlo a usted, pero eso no resolverá el problema.

Para la verdadera paz y tranquilidad y una suficiente provisión de leche, agua, y todo lo demás que necesitemos, simplemente tenemos que depender de Kṛṣṇa. Esto es lo que enseña Bhaktivinoda Ṭhākura. Cuando dice *mārabi rākhabi —yo icchā tohārā:* «Mi querido Señor, yo simplemente me rindo a Ti y dependo de Ti. Ahora si Tú quieres puedes matarme, o puedes darme protección». Y Kṛṣṇa dice en respuesta: «Sí, *sarva-dharmān parityajya mām ekaṁ śaraṇaṁ vraja (Bg.* 18.66*)*: Simplemente ríndete exclusivamente a Mí». Él no dice: «Sí, depende de Mí, y también depende de tus mataderos y fábricas». No. Él dice: «Depende solo de Mí. *Ahaṁ tvāṁ sarva-pāpebhyo mokṣayiṣyāmi:* Yo te liberaré de los resultados de tus actividades pecaminosas».

Debido a que hemos vivido tantos años sin ser conscientes de Kṛṣṇa, hemos vivido solamente una vida pecaminosa, pero Kṛṣṇa asegura que tan pronto como uno se rinde a Él, Él inmediatamente salda todas las cuentas y pone fin a todas las actividades pecaminosas así uno puede comenzar una nueva vida. Cuando iniciamos discípulos les decimos, por lo tanto: «Ahora la cuenta está saldada. Ahora no cometa más actividades pecaminosas».

Uno no debe pensar que debido a que el santo nombre de Kṛṣṇa puede anular actividades pecaminosas, entonces uno puede cometer actividades pecaminosas y cantar Hare Kṛṣṇa para anularlas. Esa es la ofensa más grande *(nāmno balād yasya hi pāpa-buddhiḥ)*. Los miembros de algunas órdenes religiosas van a la iglesia y confiesan sus pecados, pero luego cometen otra vez las mismas actividades pecaminosas. ¿Cuál es entonces el valor de su comprensión? Uno puede confesar: «Mi Señor, debido a mi ignorancia yo cometí este pecado». Pero uno no debe planear: «Yo cometeré actividades pecaminosas, luego iré a la iglesia y me confesaré, de ese modo los pecados estarán anulados y podré comenzar un nuevo capítulo en mi vida pecaminosa». En forma similar, uno no debe abusar a sabiendas y cantar el *mantra* Hare Kṛṣṇa para anular actividades pecaminosas y comenzar otra vez con dichas actividades. Nosotros debemos ser muy cuidadosos. Antes de tomar iniciación, uno promete no tener relaciones sexuales ilícitas, no intoxicarse, no comer carne y no practicar juegos de azar y uno debe seguir este voto estrictamente. Entonces uno estará limpio. Si de esta manera uno se mantiene a sí mismo limpio y se ocupa siempre en el servicio devocional, su vida será exitosa, y no habrá escasez de nada de lo que quiera.

Consejo espiritual para hombres de negocios

El 30 de enero de 1973, en Calcuta, Śrīla Prabhupāda habla ante la Cámara de Comercio de Bharata; un grupo formado por los líderes de negocios de la región. «Nosotros no deberíamos estar satisfechos por ser grandes hombres de negocios. Nosotros debemos saber cuál será nuestra próxima vida... Si usted cultiva este conocimiento y al mismo tiempo continúa con sus negocios, su vida será exitosa».

Señor Presidente, damas y caballeros, les agradezco mucho su amable invitación. Yo trataré de servirles lo mejor que pueda.

El tema de hoy es «Cultura y ocupación». Nosotros entendemos por «ocupación», el «deber profesional». De acuerdo con nuestra cultura védica, existen diferentes tipos de ocupaciones. Como se describe en el *Bhagavad-gītā* (4.13): *cātur-varṇyaṁ mayā sṛṣṭaṁ guṇa-karma-vibhāgaśaḥ*. Las cuatro divisiones del sistema social, basadas en las cualidades de la gente y en el tipo de trabajo son los *brāhmaṇas* (intelectuales y educadores), los *kṣatriyas* (hombres militares y jefes de Estado), los *vaiśyas* (granjeros y comerciantes) y los *śūdras* (trabajadores). Antes de ocuparse, uno debe conocer qué clases de trabajo existen y quién puede hacer cuál clase de trabajo. La gente tiene diferentes capacidades, y existen diferentes tipos de trabajo, pero ahora hemos creado una sociedad en la cual todos toman la ocupación de otros. Eso no es muy científico.

La sociedad tiene divisiones culturales naturales, tal como existen divisiones naturales en el cuerpo humano. El cuerpo entero es una unidad, pero tiene también diferentes departamentos; por ejemplo, el departamento de la cabeza, el departamento de los brazos, el departamento del estómago, y el departamento de las piernas. Esto es científico. Por eso en la sociedad, el departamento de la cabeza está representado por el *brahmaṇa*, el departamento de los brazos por el *kṣatriya*, el departamento del estómago por el *vaiśya*, y el departamento de las piernas por el *śūdra*. Las ocupaciones deberían estar divididas científicamente de ese modo.

El departamento de la cabeza es el departamento más importante, porque sin la cabeza los otros departamentos —los brazos, el estómago y las piernas— no pueden funcionar. Si falta el departamento de los brazos, la tarea todavía puede continuar. Si falta el departamento de las piernas, la tarea puede continuar. Pero si falta el departamento de la cabeza —si su cabeza fuera cortada de su cuerpo— entonces, aunque usted tenga brazos, piernas, y estómago, todos son inútiles.

La cabeza está destinada a la cultura. Sin cultura, todo tipo de ocupación crea caos y confusión. Y eso es lo que tenemos en el momento actual, debido a la mezcla de los diferentes tipos de ocupaciones. Por eso debe haber un sector de la gente, el departamento de la cabeza, que aconseje a los otros departamentos. Esos consejeros son los inteligentes y cualificados *brāhmaṇas*.

śamo damas tapaḥ śaucaṁ
kṣāntir ārjavam eva ca
jñānaṁ vijñānam āstikyaṁ
brahma-karma svabhāva-jam

«Tranquilidad, autocontrol, austeridad, pureza, tolerancia, honestidad, conocimiento, sabiduría y religiosidad; esas son las cualidades naturales con las que trabajan los *brāhmaṇas*» (*Bg.* 18.42).

Los *brāhmaṇas*, la cabeza del cuerpo social, tienen como propósito guiar a la sociedad culturalmente. Cultura significa conocer el objetivo de la vida. Sin comprender el objetivo de la vida, un hombre es un barco sin timón. Pero en el momento actual estamos negligenciando la meta de la vida porque no existe el departamento de la cabeza en la sociedad. En toda la sociedad humana ahora faltan verdaderos *brāhmaṇas* para aconsejar a los otros departamentos.

Arjuna es un buen ejemplo de cómo un miembro del departamento *kṣatriya* debe tomar consejo. Él era un militar; su tarea era la de pelear. En la Batalla de Kurukṣetra él se ocupó en su tarea, pero al mismo tiempo tomó consejo de *brahmaṇya-deva*, el Señor Kṛṣṇa. Se dice:

namo brahmaṇya-devāya
go-brāhmaṇa-hitāya ca

jagad-dhitāya kṛṣṇāya
govindāya namo namaḥ

«Permítaseme ofrecer mis respetuosas reverencias al Señor Kṛṣṇa, quien es la Deidad adorable de todos los hombres brahmínicos, quien es el bienqueriente de las vacas y de los *brāhmaṇas*, y quien siempre está beneficiando al mundo entero. Ofrezco mis repetidas reverencias a la Personalidad de Dios, conocido como Kṛṣṇa y Govinda» (*Viṣṇu Purāṇa* 1.19.65).

En este verso, las primeras cosas a ser consideradas son las vacas y los *brāhmaṇas (go-brāhmaṇa)*. ¿Por qué se los destaca? Porque una sociedad sin cultura brahmínica y sin protección a las vacas no es una sociedad humana sino una sociedad caótica y animalesca. Y cualquier tarea que uno haga en una condición caótica nunca será perfecta. Las ocupaciones pueden realizarse de buena manera solo en una sociedad que siga un sistema cultural apropiado.

Las instrucciones para un sistema cultural perfecto son dadas en el *Śrīmad-Bhāgavatam*. En una reunión en el bosque de Naimiṣāraṇya, donde se encontraron muchos escolásticos eruditos y *brāhmaṇas*, Sūta Gosvāmī dio instrucciones y enfatizó el sistema social *varṇāśrama (ataḥ pumbhir dvija-śreṣṭhā varṇāśrama-vibhāgaśaḥ)*. La cultura védica organiza la sociedad en cuatro *varṇas* (divisiones ocupacionales) y cuatro *āśramas* (etapas espirituales de la vida). Como se mencionó antes, los *varṇas* son *brāhmaṇa, kṣatriya, vaiśya* y *śūdra*. Los *āśramas* son el *brahmacārī-āśrama* (vida de estudiante célibe), *gṛhastha-āśrama* (vida familiar), *vānaprastha-āśrama* (vida de retiro) y *sannyāsa-āśrama* (vida de renuncia). A menos que aceptemos esta institución de *varṇāśrama-dharma*, toda la sociedad será caótica.

Y el propósito del *varṇāśrama-dharma* es satisfacer al Señor Supremo. Como se afirma en el *Viṣṇu Purāṇa* (3.8.9):

varṇāśramācāvaratā
puruṣeṇa paraḥ pumān
viṣṇur ārādhyate panthā
nānyat tat-toṣa-kāraṇam

De acuerdo a este verso, uno tiene que satisfacer al Señor Supremo al ejecutar sus deberes prescritos apropiadamente de acuerdo al sistema de *varṇa* y *āśrama*. En un país, usted tiene que satisfacer a su gobierno. Si usted no lo hace, usted es un mal ciudadano y origina caos en la sociedad. Similarmente, en el Estado cósmico —esto es, en la creación material total— si usted no satisface al Señor Supremo, el propietario de todo, entonces habrá una situación caótica. Nuestra cultura védica enseña que sea lo que sea que usted haga, debe satisfacer al Señor Supremo. Eso es verdadera cultura.

Sva-karmaṇā tam abhyarcya siddhiṁ vindati mānavaḥ (Bg. 18.46*)*. Usted puede realizar cualquier tarea —la tarea de un *brāhmaṇa*, la tarea de un *kṣatriya*, la tarea de un *vaiśya* o la tarea de un *śūdra*— pero por medio de su tarea usted debe satisfacer a la Suprema Personalidad de Dios. Usted puede ser un comerciante, un profesional, un consejero legal, o un médico; no importa. Pero si usted quiere la perfección en su ocupación, entonces debe tratar de satisfacer a la Suprema Personalidad de Dios. De otro modo usted está simplemente perdiendo su tiempo.

En el *Bhagavad-gītā* (3.9) el Señor Kṛṣṇa dice: *yajñārthāt karmaṇaḥ*. La palabra *yajñā* se refiere a Viṣṇu, o Kṛṣṇa, el Señor Supremo. Usted tiene que trabajar para Él. De otro modo queda atado por las reacciones de sus actividades *(anyatra loko 'yaṁ karma-bandhanaḥ [Bg.* 3.9*])*. Y mientras usted permanezca sujeto al enredo del *karma*, tiene que transmigrar de un cuerpo a otro.

Por desgracia, en el momento actual, la gente no sabe que existe un alma y que el alma transmigra de un cuerpo a otro. Como se afirma en el *Bhagavad-gītā* (2.13): *tathā dehāntara-prāptiḥ:* «Cuando el cuerpo muere, el alma transmigra a otro cuerpo». Yo he hablado con grandes, grandes científicos y profesores que no saben que existe la vida después de la muerte. Ellos no lo saben. Pero de acuerdo con nuestra información védica, existe vida después de la muerte. Y nosotros podemos experimentar la transmigración del alma en esta vida actual. Es algo muy común: Un bebé obtiene rápidamente el cuerpo de un niño, el niño obtiene el cuerpo de un joven, el joven obtiene el de hombre mayor. Del mismo modo, el hombre mayor, luego de la aniquilación de su cuerpo, obtendrá otro cuerpo. Es bien natural y lógico.

Realmente, nosotros tenemos dos cuerpos, el cuerpo burdo y el cuerpo sutil. El cuerpo burdo está hecho de nuestros sentidos y los elementos corporales: huesos, sangre, etc. Cuando cambiamos de cuerpo en el momento de la muerte, el cuerpo burdo actual se destruye, pero el cuerpo sutil hecho de mente, inteligencia y ego, no. El cuerpo sutil nos lleva hacia nuestro próximo cuerpo burdo.

Es como lo que ocurre cuando dormimos. Durante la noche nos olvidamos del cuerpo burdo, y solo actúa el cuerpo sutil. Mientras soñamos nos apartamos de nuestro hogar, de nuestra cama, a algún otro lugar, y olvidamos completamente el cuerpo burdo. Cuando nuestro sueño termina nos olvidamos del sueño y nos apegamos otra vez al cuerpo burdo. Esto sucede en nuestra experiencia diaria.

Nosotros somos los observadores, a veces del cuerpo burdo y a veces del cuerpo sutil. Ambos cuerpos están cambiando, pero nosotros somos el observador permanente, el alma dentro de los cuerpos. Por lo tanto, nuestra pregunta debería ser: «¿Cuál es mi posición? Durante la noche yo olvido mi cuerpo burdo, y durante el día olvido mi cuerpo sutil. Entonces, ¿cuál es mi verdadero cuerpo?». Estas son las preguntas que nos debemos hacer.

Usted puede desempeñar su ocupación, como Arjuna desempeñó la suya. Él era un guerrero, un *kṣatriya*, pero no olvidó su educación, al escuchar el *Gītā* de su maestro. Pero si usted simplemente ejecuta su tarea y no cultiva su vida espiritual, entonces su tarea es una pérdida de tiempo *(śrama eva hi kevalam [Bhāg.* 1.2.8*])*.

Nuestro movimiento para la conciencia de Kṛṣṇa está difundiéndose para que usted no olvide su vida cultural. Nosotros no pedimos que usted deje su ocupación y se vuelva un *sannyāsī* como yo, y abandone todo. Nosotros no decimos eso. Ni Kṛṣṇa dijo eso. Kṛṣṇa nunca dijo: «Arjuna, abandona la pelea». No, Él dijo: «Arjuna, eres un *kṣatriya*. Te rehúsas a pelear diciendo: "Oh, es muy abominable". Tú no deberías decir eso. Tú debes pelear». Esa fue la instrucción de Kṛṣṇa.

En forma similar, en este movimiento para la conciencia de Kṛṣṇa le aconsejamos a todos: «No abandonen su ocupación. Continúen con su ocupación, pero simplemente escuchen acerca de Kṛṣṇa». Caitanya Mahāprabhu también dijo esto, dando una cita del *Śrīmad-Bhāgavatam: sthāne sthitāḥ śruti-gatāṁ tanu-vāṅ-manobhiḥ*. Caitanya Mahāprabhu nunca dijo: «Abandona tu posición». Abandonar la posición propia no es muy difícil. Lo que se requiere es cultivar el conocimiento espiritual mientras uno se mantiene en su posición. Entre los animales no existe cultivo de vida espiritual. Esto no es posible, los animales no pueden cultivar este conocimiento. Por lo tanto, si los seres humanos no cultivan conocimiento espiritual, ellos son exactamente como animales *(dharmeṇa hīnāḥ paśubhiḥ samānāḥ)*.

Nosotros debemos estar muy conscientes de nuestra existencia eterna. Nosotros, el alma dentro del cuerpo, somos eternos *(na hanyate hanyamāne śarīre [Bg. 2.20])*. No moriremos después de la aniquilación de nuestro cuerpo. Esto es cultivo de conocimiento, o *brahma-jijñāsā*, lo que significa inquirir acerca de uno mismo. El primer discípulo de Caitanya Mahāprabhu, Sanātana Gosvāmī, era anteriormente el ministro de finanzas en el gobierno de Nawab Hussein Shah. Luego, él se retiró, y acercándose humildemente a Caitanya Mahāprabhu le dijo: «Mi querido Señor, la gente me llama *paṇḍita*» (debido a que él era un *brāhmaṇa* por casta, naturalmente se lo llamaba *paṇḍita*, que significa «una persona erudita»). «Pero yo soy tal clase de *paṇḍita* —dijo él— que ni siquiera sé quién o qué soy».

Esta es la posición de todos. Usted puede ser un hombre de negocios o puede tener otra profesión, pero si no sabe lo que es usted, de dónde ha venido, por qué usted está sometido a los problemas de las leyes de la naturaleza material, y hacia dónde irá en su próxima vida, si usted no sabe estas cosas, entonces cualquier cosa que haga es inútil. Como se afirma en el *Śrīmad-Bhāgavatam* (1.2.8):

dharmaḥ svanuṣṭhitaḥ puṁsāṁ
viṣvaksena-kathāsu yaḥ
notpādayed yadi ratiṁ
śrama eva hi kevalam

«Las actividades ocupacionales que un hombre ejecute de acuerdo a su propia posición son solo una labor inútil si no provocan atracción por el mensaje de la Personalidad de Dios. Por lo tanto, nuestro pedido a todos es que mientras se ocupan en sus tareas, en cualquier posición en la que Kṛṣṇa los haya puesto, desempeñen bien sus deberes, pero no olviden cultivar el conocimiento acerca de Kṛṣṇa.

Conocimiento acerca de Kṛṣṇa significa conciencia de Dios. Nosotros debemos saber que somos partes integrales de Dios *(mamaivāṁśo jīva-loke jīva-bhūtaḥ sanātanaḥ [Bg. 15.7])*. Somos eternamente partes integrales de Kṛṣṇa, o Dios, pero ahora estamos luchando con la mente y los sentidos *(manaḥ ṣaṣṭhānīndriyāṇi prakṛti-sthāni karṣati [Bg. 15.7])*. ¿Por qué esta lucha por la existencia? Nosotros debemos inquirir acerca de nuestra vida eterna más allá de esta vida temporal. Supongan que en esta vida temporal yo llego a ser un gran hombre de negocios, digamos por veinte años, cincuenta años o a lo sumo por cien años. No existe garantía de que en mi próxima vida yo vaya a ser un gran hombre de negocios. No. No existe tal garantía. Pero eso no nos importa. Nosotros nos preocupamos por nuestra pequeña duración de vida actual, pero no nos preocupamos por nuestra vida eterna. Ese es nuestro error.

En esta vida yo puedo ser un hombre de negocios muy importante, pero en mi próxima vida, debido a mi *karma*, yo puedo convertirme en otra cosa. Existen 8 400 000 formas de vida. *Jalajā nava-lakṣāṇi sthāvarā lakṣa-viṁśatiḥ:* Existen 900 000 formas de vida en el agua y 2 000 000 de formas de árboles y otras plantas. Luego, *kṛmayo rudra-saṅkhyakāḥ pakṣiṇāṁ daśa-lakṣaṇam:* Existen 1 100 000 especies de insectos y reptiles, y 1 000 000 de especies de aves. Finalmente, *triṁsāl-lakṣāni paśavaḥ catur-lakṣāni mānuṣaḥ:* Existen 3 000 000 de variedades de mamíferos y 400 000 especies humanas. De modo que debemos pasar a través de 8 000 000 de diferentes formas de vida antes de llegar a la forma humana de vida.

Por lo tanto, Prahlāda Mahārāja dice,

kaumāra ācaret prājño
dharmān bhāgavatān iha
durlabhaṁ mānuṣaṁ janma
tad apy adhruvam arthadam

«Quien sea lo suficientemente inteligente debe usar la forma humana de cuerpo desde el mismo comienzo de la vida —en otras palabras, desde la temprana edad de la niñez— para practicar las actividades del servicio devocional. El cuerpo humano se logra muy rara vez, y aunque temporal como otros cuerpos, es significativo porque en la vida humana uno puede ejecutar servicio devocional. Incluso una pequeña cantidad de sincero servicio devocional puede otorgarle a uno la perfección completa» (*Bhāg.* 7.6.1). Este nacimiento humano es muy raro. Nosotros no deberíamos estar satisfechos simplemente con volvernos grandes hombres de negocios. Nosotros debemos conocer cuál es nuestra próxima vida, y qué es lo que seremos.

Existen diferentes clases de hombres. Algunos se denominan *karmīs*, algunos se llaman *jñānīs*, algunos se llaman *yogīs* y algunos se llaman *bhaktas*. Los *karmīs* están detrás de la felicidad material. Ellos quieren las mejores comodidades materiales en esta vida; y quieren ser elevados a los planetas celestiales después de la muerte. Los *jñānīs* también quieren felicidad, pero estando hartos con el estilo de vida materialista, quieren fundirse en la existencia del Brahman, el Absoluto. Los *yogīs* quieren poder místico. Y los *bhaktas*, los devotos, simplemente quieren el servicio al Señor. Pero a menos que uno entienda quién es el Señor, ¿cómo puede ofrecerle servicio? Por eso, cultivar el conocimiento acerca de Dios es la educación más elevada.

Existen diferentes clases de cultura, la cultura de los *karmīs*, la cultura de los *jñānīs*, la cultura de los *yogīs*, y la cultura de los *bhaktas*. En realidad, todas estas personas son llamadas *yogīs* si ejecutan su deber sinceramente. Se los llama *karma-yogīs*, *jñāna-yogīs*, *dhyana-yogīs* y *bhakti-yogīs*. Pero en el *Śrīmad-Bhāgavatam* (6.47) Kṛṣṇa dice:

yoginām api sarveṣāṁ
mad-gatenāntarātmanā
śraddhāvān bhajate yo māṁ
sa me yuktatamo mataḥ

¿Quién es el *yogī* de primera clase? Kṛṣṇa responde: «Aquel que siempre piensa en Mí». Esto significa que la persona consciente de Kṛṣṇa es el mejor *yogī*. Como ya mencionamos, existen diferentes tipos de *yogīs* (los *karma-yogīs*, los *jñāna-yogīs*, los *dhyana-yogīs* y los *bhakti-yogīs*), pero el mejor *yogī* es el que siempre piensa en Kṛṣṇa dentro de si mismo con fe y amor. Aquel que está prestando servicio al Señor, él es el *yogī* de primera clase.

Por eso les pedimos a todos que traten de comprender quienes son, lo que es Kṛṣṇa, cuál es su relación con Kṛṣṇa, cuál es su verdadera vida y cuál es la meta de la vida. A menos que cultivemos todo este conocimiento, estamos simplemente perdiendo nuestro tiempo, perdiendo nuestra valiosa forma de vida humana. Aunque todos moriremos —esto es un hecho— el que muere después de conocer estas cosas se beneficia. Su vida se vuelve exitosa.

El gato morirá, el perro morirá, todos morirán. Pero quien muere conociendo a Kṛṣṇa, oh, eso es una muerte exitosa. Como Kṛṣṇa dice en el *Bhagavad-gītā* (4.9):

janma karma ca me divyam
evaṁ yo vetti tattvataḥ
tyaktvā dehaṁ punar janma
naiti mām eti so 'rjuna

«Aquel que conoce la naturaleza trascendental de Mi aparición y actividades, ¡oh, Arjuna!, al abandonar este cuerpo no vuelve a nacer de nuevo en este mundo material, sino que alcanza Mi morada eterna».

Donde sea que vayamos alrededor del mundo, nuestro único pedido es «por favor traten de entender a Kṛṣṇa. Entonces su vida será exitosa». No importa cuál sea su ocupación. Usted tiene que hacer algo para vivir. Kṛṣṇa dice: *śarīra-yātrāpi ca te na prasiddhyed akarmaṇaḥ:* Si usted deja de trabajar, su vida se obstaculizará. Uno tiene que hacer algo por su subsistencia, pero al mismo tiempo uno tiene que cultivar conocimiento para perfeccionar su vida. La perfección de la vida es simple: tratar de entender a Kṛṣṇa. Esto es lo que establecemos alrededor del mundo. No es muy difícil. Si usted lee el *Bhagavad-gītā tal como es*, entenderá a Kṛṣṇa. Kṛṣṇa explica todo.

Para los neófitos Kṛṣṇa dice: *raso 'ham apsu kaunteya prabhāsmi śaśi-sūryayoḥ (Bg. 7.8):* «Mi querido Kaunteya, Yo soy el sabor del agua, Yo soy la luz del Sol y de la Luna». No hay necesidad de decir: «Yo no puedo ver a Dios». Aquí está Dios: el sabor del agua es Dios. Todos toman agua, y cuando uno la saborea, está percibiendo a Dios. Entonces, ¿por qué usted dice: «Yo no puedo ver a Dios?» Piense en Dios como Él indica, y luego gradualmente usted lo verá. Simplemente recuerde esta instrucción del *Bhagavad-gītā: raso 'ham apsu kaunteya prabhāsmi śaśi-sūryayoḥ:* «Yo soy el sabor del agua, yo soy la luz brillante del Sol y de la Luna». ¿Quién no ha visto la luz del Sol? ¿Quién no ha visto la luz de la Luna? ¿Quién no ha saboreado el agua? Entonces, ¿por qué usted dice: «Yo no he visto a Dios?» Si usted simplemente practica este *bhakti-yoga*, apenas pruebe el agua y se sienta satisfecho, usted pensará: «Oh, aquí está Kṛṣṇa». Usted recordará a Kṛṣṇa inmediatamente. Tan pronto como vea la luz del Sol, usted recordará: «Oh, aquí está Kṛṣṇa». Apenas vea la luz de la Luna, usted recordará: «Oh, aquí está Kṛṣṇa». Y *śabdaḥ khe:* Apenas escuche algún sonido en el cielo, usted recordará: «Aquí está Kṛṣṇa».

De este modo, usted recordará a Kṛṣṇa en cada etapa de su vida. Y si recuerda a Kṛṣṇa en cada etapa de su vida, usted llegará a ser el *yogī* más elevado. Y por sobre todo, si practica el canto de Hare Kṛṣṇa, Hare Kṛṣṇa, Kṛṣṇa Kṛṣṇa, Hare Hare/ Hare Rāma, Hare Rāma, Rāma Rāma, Hare Hare, usted recordará fácilmente a Kṛṣṇa. No hay impuestos. No hay pérdida en sus negocios. Si usted canta el *mantra* Hare Kṛṣṇa, si usted recuerda a Kṛṣṇa mientras toma agua, ¿qué es lo que pierde? ¿Por qué no lo intenta? Este es el verdadero cultivo de conocimiento. Si usted cultiva este conocimiento y al mismo tiempo continúa desempeñando sus ocupaciones, su vida será exitosa.

Muchas gracias.

Antiguas profecías cumplidas

Un hecho poco conocido es que un libro escrito hace más de cinco mil años atrás —el Śrīmad-Bhāgavatam— *predijo muchas tendencias y eventos corrientes con sorprendente precisión. Śrīla Prabhupāda cita profusamente este texto sánscrito en una conferencia dada en el templo Hare Kṛṣṇa de Los Ángeles durante el verano de 1974. Acerca de la sociedad actual, el duodécimo canto del* Śrīmad-Bhāgavatam *predice: «Los principios religiosos estarán determinados por una exhibición de fuerza y serán medidos por la reputación que una persona tenga para adquirir logros materiales». Y: «Los que no tengan dinero serán incapaces de obtener justicia, y cualquiera que pueda manejar inteligentemente las palabras será considerado un erudito».*

tataś cānudinaṁ dharmaḥ
satyaṁ śaucam kṣamā dayā
kālena balinā rājan
naṅkṣyaty āyur balaṁ smṛtiḥ

«Mi querido rey, cada día la religiosidad, la veracidad, la limpieza, el perdón, la misericordia, la duración de la vida, la fuerza corporal y la memoria disminuirán más y más por la poderosa fuerza del tiempo» (*Bhāg.* 12.2.1).

Esta descripción de Kali-yuga (la presente era de riña e hipocresía) se da en el duodécimo canto del *Śrīmad-Bhāgavatam*. El *Śrīmad-Bhāgavatam* fue escrito hace cinco mil años atrás, cuando Kali-yuga estaba a punto de comenzar, y muchas cosas que sucederían en el futuro fueron habladas allí. Por lo tanto aceptamos el *Śrīmad-Bhāgavatam* como *śāstra* (una Escritura revelada). El compilador del *śāstra* (el *śāstra-kāra*) debe ser una persona liberada para que pueda describir pasado, presente y futuro.

En el *Śrīmad-Bhāgavatam* usted encontrará muchas cosas que se anticiparon. Se menciona la aparición del Señor Buda y la aparición del Señor Kalki (el Señor Kalki aparecerá al final de *Kali-yuga*).

También se menciona la aparición del Señor Caitanya. Aunque el *Bhāgavatam* fue escrito hace cinco mil años, quien lo escribió conocía pasado, presente y futuro *(tri-kāla-jña)*, y debido a eso él pudo predecir todos estos eventos con una precisión perfecta.

Aquí, Śukadeva Gosvāmī describe los principales síntomas de esta era. Él dice: *tataś cānudinam:* Con el correr de esta era (Kali-yuga), *dharma*, los principios religiosos; *satyam*, la veracidad; *śaucam*, la limpieza; *kṣamā,* el perdón; *dayā*, la misericordia; *āyuḥ*, la duración de la vida; *balam*, la fuerza corporal; *smṛti*, la memoria. Estas ocho cosas disminuirán gradualmente hasta cero o casi a cero.

Por supuesto, existen otros *yugas* además de Kali-yuga. Durante el Satya-yuga que duró un millón ochocientos mil años, los seres humanos vivían por cien mil años. La duración de la era siguiente, Tretā-yuga, fue de un millón doscientos mil años, y la gente de esa era vivía por diez mil años. En otras palabras, la duración de la vida era diez veces menor. En la era siguiente, Dvāpara-yuga, la duración de la vida se redujo otra vez diez veces —la gente vivía por mil años— y la duración de la era de Dvāpara fue de ochocientos mil años. Luego, en la era siguiente, Kali-yuga, podemos vivir hasta un máximo de cien años. Tan solo vean: de cien años la duración de la vida ha disminuido a setenta años. Y eventualmente disminuirá hasta el punto en que si un hombre vive por veinte o treinta años se lo considerará un hombre muy viejo.

Otro síntoma de Kali-yuga predicho en el *Śrīmad-Bhāgavatam* es la disminución de la memoria *(smṛti)*. Nosotros vemos hoy en día que la gente no tiene una memoria muy aguda, ellos olvidan fácilmente. Ellos pueden escuchar algo diariamente, sin embargo lo olvidan. Similarmente la fuerza corporal *(balam)* disminuye. Todos ustedes pueden entender esto, porque ustedes saben que su padre o abuelo eran físicamente más fuertes que ustedes. Por eso, la fuerza corporal está disminuyendo, la memoria está disminuyendo y la duración de la vida está disminuyendo, y todo esto se predice en el *Śrīmad-Bhāgavatam*.

Otro síntoma de Kali-yuga es la disminución de la religiosidad. No existe prácticamente religión en esta era, casi disminuyó a cero. Nadie está interesado en religión. Las iglesias y los templos están cerrándose. El edificio en el que estamos fue una vez una iglesia, pero fue vendida porque nadie venía. Del mismo modo, estamos comprando una iglesia muy grande en Australia, y en Londres yo vi muchos cientos de iglesias vacías, nadie va a ellas. No solamente a las iglesias: en la India también, excepto unos pocos templos importantes, los templos pequeños comunes están cerrándose. Se convirtieron en la habitación de los perros. Por lo tanto *dharma*, religiosidad, está disminuyendo.

Veracidad, limpieza, y perdón también están disminuyendo. Antiguamente, si alguien hacía algo equivocado, el bando contrario lo perdonaba. Por ejemplo Arjuna fue torturado por sus enemigos, sin embargo, en la Batalla de Kurukṣetra él dijo: «Kṛṣṇa, permite que me vaya. Yo no quiero matarlos». Esto es perdón. Pero ahora incluso por un pequeño insulto la gente matará. Esto está sucediendo. Ahora tampoco existe la misericordia (*dayā*). Incluso si usted ve que alguien está siendo matado delante de usted, usted no intervendrá. Estas cosas ya están sucediendo. Por lo tanto, religión, veracidad, limpieza, perdón, misericordia, duración de la vida, fuerza corporal y memoria, estas ocho cosas disminuirán más, más y más. Cuando usted vea estos síntomas, debe saber que la era de Kali está avanzando.

Otro síntoma es: *vittam eva kalau nṝṇāṁ janmācāra-guṇodayaḥ:* «En Kali-yuga, las cualidades de un hombre y la posición social serán calculadas de acuerdo a su grado de riqueza» (*Bhāg.* 12.2.2). Antiguamente, la posición de un hombre era calculada de acuerdo a su entendimiento espiritual. Por ejemplo: un *brāhmaṇa* era honrado porque él sabía acerca de Brahman, era consciente del Espíritu Supremo. Pero ahora, en Kali-yuga, realmente no hay *brāhmaṇas*, porque la gente toma el título de *brahmaṇa* simplemente por *janma*, por su nacimiento. Previamente también existía el título por nacimiento, pero uno era conocido realmente de acuerdo a su comportamiento. Si un hombre nacía en una familia de *brāhmaṇas* o de *kṣatriyas* (administradores y militares) él tenía que comportarse como un *brāhmaṇa* o como un *kṣatriya*. Y el deber del rey era que nadie se presentara falsamente. En otras palabras, la respetabilidad le era otorgada a alguien de acuerdo con la cultura y la educación. Pero hoy en día: *vittam eva kalau nṝṇām:* Si usted obtiene dinero de un modo u otro, entonces todo está a su disposición. Usted puede ser un hombre de tercera clase, de cuarta clase o de décima clase, pero si consigue dinero de alguna forma u otra, entonces usted es muy respetado. De nada cuenta su cultura, educación o conocimiento. Esto es Kali-yuga.

Otro síntoma de Kali-yuga: *dharma-nyāya-vyavasthāyāṁ kāraṇaṁ balam eva hi.* «Principios religiosos y justicia estarán determinados por una demostración de fuerza» (*Bhāg.* 12.2.2). Si usted tiene alguna influencia, entonces todo se decidirá a su favor. Usted puede ser la persona más irreligiosa, pero si usted puede sobornar a un sacerdote él certificará que usted es religioso. De modo que el carácter será decidido por medio del dinero, no por verdadera cualificación. Lo siguiente es: *dām-patye 'bhirucir hetur māyaiva vyāvahārike:* «Los casamientos se realizarán de acuerdo a un afecto temporal. Y para ser un hombre de negocios exitoso, uno tendrá que engañar» (*Bhāg.* 12.2.3). La relación entre el esposo y la esposa dependerá en *abhiruci*, según se gusten el uno al otro. Si una chica gusta de un muchacho y un muchacho gusta de una chica, entonces ellos piensan: «Está bien, ahora casémonos». Nadie sabe cuál será el futuro de la chica y el muchacho. Por lo tanto nadie es feliz. Seis meses después del casamiento: divorcio. Esto se debe a que el casamiento estuvo basado simplemente en la atracción superficial, sin un entendimiento profundo.

Anteriormente, por lo menos en la India durante mi época, los casamientos no se realizaban basándose en la atracción mutua. No. Los padres decidían los casamientos. Yo me casé cuando era estudiante, pero yo no sabía quién sería mi esposa, mis padres arreglaron todo. Otro ejemplo es el Dr. Rajendra Prasada, el primer presidente de la India. En su biografía, él escribió que se casó a los ocho años de edad. Similarmente mi suegro se casó cuando tenía once años y mi suegra cuando tenía siete. El asunto es que, en la India, el matrimonio se realizaba solo después de que un cálculo astrológico de pasado, presente y futuro determinaba si la pareja sería feliz en su vida conyugal. Cuando el matrimonio es santificado de esa manera, el hombre y la mujer viven pacíficamente y practican la cultura espiritual. Cada uno ayuda al otro, de ese modo ellos viven muy felizmente y avanzan en la vida espiritual. Y finalmente ellos van de regreso a casa, de vuelta a Dios. Ese es el sistema. No que una chica adulta y un muchacho adulto se juntan, y si él gusta de ella y ella gusta de él, se casan, y luego él se va o ella se va. Esta clase de matrimonio no se aprobaba. Pero de esta Kali-yuga se dice: *dām-patye 'bhirucih:* El matrimonio se producirá simplemente debido a una atracción mutua, eso es todo. Gustar un momento significa no gustar al momento siguiente. Eso es un hecho. Por lo tanto, un matrimonio basado en la atracción mutua no tiene valor.

Los siguientes síntomas de esta era son: *strītve puṁstve ca hi ratir vipratve sūtram eva hi:* «Esposo y esposa se mantendrán juntos solo mientras exista la atracción sexual, y los *brāhmaṇas* (santos intelectuales) serán reconocidos solo por usar un cordón sagrado» (*Bhāg.* 12.2.3). A los *brāhmaṇas* se les ofrece un cordón sagrado. Ahora la gente piensa: «Ahora yo tengo un cordón sagrado, y por eso me convertí en un *brāhmaṇa*. Yo puedo actuar como un *caṇḍāla* (el que come perros), pero eso no importa». Esto es lo que está sucediendo. Uno no comprende que como *brāhmaṇa* se tiene mucha responsabilidad. Simplemente por tener un cordón sagrado de dos centavos uno piensa que se ha convertido en *brāhmaṇa*. Y *strītve puṁstve ca hi ratiḥ:* Un esposo y una esposa permanecerán juntos porque se gustan el uno al otro, pero apenas haya alguna dificultad en la vida sexual, su afecto disminuirá.

Otro síntoma de Kali-yuga es: *avṛttyā nyāya-daurbalyaṁ pāṇḍitye cāpalaṁ vacaḥ:* «Aquellos que no tienen dinero serán incapaces de obtener justicia y cualquiera que pueda jugar con las palabras inteligentemente será considerado un erudito» (*Bhāg.* 12.2.4). Si usted no tiene dinero, entonces nunca ganará un juicio en la corte. Esto es Kali-yuga. Hoy en día aun los jueces de la Corte Suprema aceptan soborno para favorecer un juicio. Pero si usted no tiene dinero, entonces no vaya a la corte. Y *pāṇḍitye cāpalaṁ vacaḥ*. Si un hombre puede hablar expertamente —no importa lo que diga ni que nadie lo entienda— entonces él es un *paṇḍita*. Él es un erudito (imitando galimatías): *«Aban gulakslena bugavad tugalad kulela gundulas»* De esta manera, si usted continúa hablando, nadie va a entenderlo (risas). Sin embargo la gente dirá: «Oh, vean cuán educado es» (risas). Esto realmente sucede. Existen tantos sinvergüenzas que escriben libros, pero si usted le pide a alguno de ellos que explique lo que entendió, él dirá: «Oh, es inexplicable». Estas cosas están sucediendo. Luego, el *Śrīmad-Bhāgavatam* dice:

anāḍhyataivāsādhutve
sādhutve dambha eva tu

svīkāra eva codvāhe
snānam eva prasādhanam

«Los pobres serán vistos como deshonestos, mientras que un hipócrita capaz de montar un espectáculo será considerado piadoso. El matrimonio estará basado en un acuerdo arbitrario, y simplemente por tomar un baño uno se considerará limpio y con el cuerpo decorado» (*Bhāg.* 12.2.5).

Primero *anāḍhyatā*: Si usted es un hombre pobre, entonces usted no es honrado. La gente pensará que un hombre no es honrado porque él no sabe cómo ganar dinero ni por derecha ni por izquierda. Y *svīkāra eva codvāhe:* Los casamientos se realizarán por común acuerdo. Esto es lo que estamos experimentando en su país, y en el mío también. El gobierno designa un juez, y cualquier muchacho y chica que deseen pueden dirigirse a él y casarse. Quizá tengan que pagar algo. «Sí, nosotros aceptamos casarnos», dicen ellos, y él certifica que están casados. Antiguamente, el padre y la madre acostumbraban a escoger al novio y a la novia consultando un astrólogo, quien podía ver el futuro. Hoy en día el matrimonio se produce por acuerdo común, *svīkāra*.

Otro síntoma es: *dūre vāry-ayanaṁ tīrthaṁ lāvaṇyaṁ keśa-dhāraṇam:* «El simple hecho de ir a algún río distante será considerado un peregrinaje apropiado, y el hombre pensará que es bello si tiene el cabello largo» (*Bhāg.* 12.2.6) ¡Tan solo vean cuán perfectamente el *Śrīmad-Bhāgavatam* predice el futuro! «En Kali-yuga, un hombre pensará que es muy bello por dejar crecer su cabello». Ustedes tienen una buena experiencia de esto en su país. ¿Quién pudo saber que la gente estaría interesada en dejar crecer su cabello? Sin embargo se afirma en el *Bhāgavatam: keśa-dhāraṇam. Keśa* significa «cabello largo» y *dhāraṇam* significa «mantener». Otro síntoma es *dūre vāry-ayanaṁ tīrtham:* La gente pensará que un lugar de peregrinaje debe estar alejado. Por ejemplo, el Ganges fluye a través de Calcuta, pero nadie quiere tomar baño en el Ganges de Calcuta; ellos a cambio van a Hardwar. Es el mismo Ganges. El Ganges viene desde Hardwar hasta la bahía de Bengala. Pero la gente a cambio sufrirá muchas molestias para llegar a Hardwar y tomar baño allí, porque se ha convertido en un *tīrtha*, un lugar de peregrinaje. Cada religión tiene un *tīrtha*. Los musulmanes tienen Meca y Medina, y los cristianos tienen la Gólgota. Así mismo los hindúes también piensan que ellos deben viajar muy lejos para encontrar un *tīrtha*. Pero realmente, *tīrthī-kurvanti tīrthāni:* un *tīrtha* es un lugar donde hay personas santas. Eso es un *tīrtha*. No donde simplemente uno se sumerge en el agua, a diez mil kilómetros de distancia, y luego regresa.

Los síntomas siguientes son:

udaraṁ-bharatā svārthaḥ
satyatve dhārṣṭyam eva hi
dākṣyaṁ kuṭumba-bharaṇaṁ
yaśo-'rthe dharma-sevanam

«El propósito de la vida consistirá simplemente en llenar su estómago, y la audacia será equivalente a la verdad conclusiva. Si un hombre puede incluso mantener a sus propios miembros familiares, será considerado como muy experto, y la religiosidad será medida de acuerdo a la reputación que una persona tenga a causa de sus logros materiales» (*Bhāg.* 12.2.6). De modo que, si de alguna forma uno puede comer muy suntuosamente, entonces él pensará que todos sus intereses están satisfechos. La gente estará muy hambrienta, sin nada para comer, por lo tanto si ellos pueden comer muy suntuosamente, eso satisfará todos sus deseos. El síntoma siguiente es: *satyatve dhārṣṭyam eva hi:* Cualquiera que sea experto en el juego de palabras será considerado muy veraz. Otro síntoma: *dākṣyaṁ kuṭumba-bharaṇam:* Uno será considerado muy experto si puede mantener a su familia, su esposa y sus niños. En otras palabras, esto será muy difícil. De hecho, ya se ha vuelto difícil. Mantener una esposa y dos niños ahora es una carga pesada. Por lo tanto nadie quiere casarse.

El verso siguiente describe lo que sucederá cuando toda la gente esté infectada de ese modo por el veneno de Kali-yuga:

evaṁ prajābhir duṣṭābhir
ākīrṇe kṣiti-maṇḍale
bhrama-viṭ-kṣatra-śūdrāṇāṁ
yo balī bhavitā nṛpaḥ

No importará si uno es un *brāhmaṇa* (un erudito o un intelectual puro) o un *kṣatriya* (un administrador o soldado), un *vaiśya* (un comerciante o un granjero), un *śūdra* (un trabajador) o un *caṇḍāla* (un comedor de perros). Si uno tiene el poder de acumular votos, él ocupará el puesto presidencial o de la realeza. Antiguamente, el sistema era que solo un *kṣatriya* podía ocupar el trono real, no un *brāhmaṇa*, un *vaiśya* o un *śūdra*. Pero ahora, en Kali-yuga, no existe tal cosa como un *kṣatriya* o un *brāhmaṇa*. Ahora tenemos democracia. Quien pueda obtener votos por derecha o por izquierda puede ocupar el puesto de líder. Él puede ser el sinvergüenza número uno, pero a él se le dará el supremo y exaltado puesto presidencial. El *Bhāgavatam* describe estos líderes en el verso siguiente:

prajā hi lubdhai rājanyair
nirghṛṇair dasyu-dharmabhiḥ
ācchinna-dāra-draviṇā
yāsyanti giri-kānanam

«Los ciudadanos serán tan explotados por los crueles rufianes disfrazados de líderes que abandonarán sus esposas y propiedades para huir a las montañas y a los bosques» (*Bhāg.*12.2.8). De modo que los hombres que consiguen un puesto en el gobierno mediante votos, son en su mayoría *lubdhai rājanyaiḥ*, líderes codiciosos. *Nirghṛṇair dasyu:* Su tarea es la de saquear al público y nosotros vemos realmente que todos los años los líderes del gobierno implementan fuertes impuestos, y que cualquier dinero que reciben es dividido entre ellos, mientras que la situación de los ciudadanos sigue siendo la misma. Todos los gobiernos hacen eso. Gradualmente toda la gente se sentirá tan hostigada que *ācchinna-dāra-draviṇāḥ:* Ellos querrán abandonar su vida familiar (su esposa y su dinero) e ir al bosque. Esto también lo hemos visto.

Por eso: *kaler doṣa-nidhe rājan:* Esta era es como un océano de faltas. Si usted fuese puesto en el océano Pacífico, usted no sabría cómo salvar su vida. Incluso si usted fuese un nadador muy experto, no sería capaz de cruzar el océano Pacífico. Similarmente, Kali-yuga se describe en el *Śrīmad-Bhāgavatam* como un océano de faltas. Está infectado con tantas anomalías que parece no haber manera de salir.

Pero existe una medicina: *kīrtanād eva kṛṣṇasya mukta-saṅgaḥ paraṁ vrajet* (*Bhāg.* 12.3.51). El *Bhāgavatam* explica que si usted canta los nombres de Kṛṣṇa —el *mantra* Hare Kṛṣṇa— será aliviado de la infección de este Kali-yuga.

Muchas gracias.

Civilización de mataderos

En junio de 1974, en la comunidad rural del movimiento Hare Kṛṣṇa cerca de Valencey, Francia, Śrīla Prabhupāda conversa con un grupo de discípulos íntimos. Él señala que el apetito de la civilización moderna por la carne y su extenso sistema de facilidades viciosas y barbáricas para matar, producen reacciones kármicas en la forma de guerras mundiales, a las cuales Śrīla Prabhupāda denomina «mataderos para la humanidad».

Yogeśvara dāsa: El otro día, Śrīla Prabhupāda, usted estaba diciendo que en India, por lo menos hasta hace poco, estaba prohibido comer vacas, y aquellos que comían carne comían solo los animales más bajos como perros y cabras.

Śrīla Prabhupāda: Sí, para los comedores de carne, eso es lo que recomienda la literatura védica: «Coma perros». Como en Corea, ellos comen perros; usted también puede comer perros. Pero no coma vacas hasta después de que mueran naturalmente. Nosotros no decimos: «No coman». Ustedes son muy adictos a comer vacas. Usted puede comérselas, porque después de que mueran tenemos que dárselas a alguien, a alguna entidad viviente. Generalmente, los cadáveres de las vacas les son dados a los buitres. Pero entonces, ¿por qué solo a los buitres? ¿Por qué no a la gente moderna «civilizada», que es como los buitres? (Risas).

Esta así llamada gente civilizada. ¿Cuál es la diferencia entre estos sinvergüenzas y los buitres? Los buitres también disfrutan matando y comiéndose luego el cuerpo muerto. «Mátalo y luego disfruta», la gente se ha vuelto como buitres. Y su civilización es una civilización de buitres. Comedores de animales, ellos son como los chacales, los buitres y los perros. La carne no es un alimento apropiado para los seres humanos. Aquí, en la cultura védica hay alimentos civilizados, alimentos para el ser humano: leche, frutas, vegetales, nueces, granos. Dejemos que aprendan. Ladrones incivilizados, buitres, *rākṣasas* (demonios), y ellos son líderes.

Por lo tanto yo digo que hoy en día los líderes son todos hombres de cuarta clase. Y debido a esto el mundo está en una condición caótica. Nosotros necesitamos educadores espirituales eruditos —hombres de primera clase— para que lideren. Mis discípulos están entrenados para volverse hombres de primera clase. Si la gente toma nuestro consejo, entonces todo estará bien. ¿Qué sentido tiene tener hombres de cuarta clase liderando una sociedad confusa y caótica?

Si yo hablo tan francamente, la gente se enojará mucho. Pero básicamente, sus líderes son todos de cuarta clase. Los hombres de primera clase son los grandes devotos del Señor, quienes pueden guiar a los administradores y a los ciudadanos a través de sus palabras y su ejemplo práctico. Los hombres de segunda clase son administradores, hombres militares, quienes supervisan el desempeño correcto del gobierno y la seguridad de los ciudadanos. Y los hombres de tercera clase son los granjeros, quienes cultivan y protegen a las vacas. Pero hoy en día, ¿quién protege a las vacas? Esta es la ocupación de los hombres de tercera clase. Por lo tanto todos son de cuarta clase o más bajos. *Śva-viḍ-varāhoṣṭra-kharaiḥ saṁstutaḥ puruṣaḥ paśuḥ* (*Bhāg.* 2.3.19): La gente vive como los animales —sin principios regulativos espirituales— y entre ellos eligen a los animales más grandes. Cualquiera puede hacer lo que guste, lo que piense, sin principios regulativos.

Pero la vida humana está destinada a seguir principios regulativos. Nosotros insistimos en que nuestros estudiantes sigan los principios regulativos, no comer carne, no tener relaciones sexuales ilícitas, no intoxicarse y no practicar juegos de azar, tan solo para hacer de ellos verdaderos seres humanos. Sin principios regulativos es vida animal. Vida animal.

En la forma humana de vida, luego de pasar a través de millones de vidas en las especies de plantas y animales, el alma espiritual obtiene la oportunidad de tomar el sistema de *yoga*, y *yoga* significa principios regulativos estrictos. *Indriya-saṁyamaḥ*, controlar los sentidos. Ese es el verdadero sistema de *yoga*. Pero hoy en día la mayoría de la gente, aunque pueda decir que practica *yoga*, está haciendo mal uso de él. Tal como los animales, ellos no pueden controlar sus sentidos. Como seres humanos, ellos tienen inteligencia superior, ellos deben aprender cómo controlar sus sentidos. Esto es vida humana. *Na yat-karna-pathopetaḥ:* Quien no ha escuchado el mensaje de Kṛṣṇa, la Suprema Personalidad de Dios —ni siquiera por un momento— es un animal. La masa general de gente, a menos que sea entrenada sistemáticamente mediante un nivel de vida más elevado en valores espirituales, no es mejor que los animales. Ellos están al nivel de los perros, los cerdos, los camellos y los asnos.

La educación universitaria moderna prácticamente lo prepara a uno a adquirir una mentalidad perruna al aceptar el servicio a un amo mayor. Tal como los perros, después de terminar su así llamada educación, las personas supuestamente educadas van de puerta en puerta con formularios pidiendo empleo. Nosotros tenemos esta experiencia en la India. Allí hay tantos hombres educados que están desempleados, porque han sido educados como perros. Ellos deben encontrar un amo, de otro modo no tienen capacidad para trabajar independientemente. Tal como un perro, a menos que encuentre un amo, es un perro callejero, vagando por las calles.

Bhagavān dāsa Gosvāmī: Tantos licenciados se gradúan ahora en la Universidad, que no existen suficientes empleos para ellos. Ellos tienen que trabajar como camioneros o taxistas.

Yogeśvara dāsa: Se supone que ellos deben ser la clase más educada, los *brāhmaṇas*.

Śrīla Prabhupāda: No, ellos no son *brāhmaṇas*. Quienes educan a cambio de dinero, ellos no son *brāhmaṇas*. Por ejemplo, nosotros estamos dando conferencias, educando a la gente. Nosotros no decimos: «Dennos un salario». Nosotros simplemente les pedimos: «Vengan, por favor». Por este motivo estamos cocinando y celebrando tantos festivales gratuitos. «Nosotros le daremos comida a usted. Nosotros le daremos un asiento confortable. Por favor, venga y escuche acerca de la autorrealización y de la conciencia de Dios». Nosotros no estamos pidiéndoles dinero: «Primero pague, luego puede venir a aprender el *Bhagavad-gītā*». Nunca decimos eso. Pero estos así llamados maestros antes que nada regatean un salario: «¿Qué salario voy a recibir?», esa es una preocupación de perros. Esa no es una preocupación de *brāhmaṇas*. Un *brāhmaṇa* nunca pedirá un salario. Un *brāhmaṇa* está ansioso de ver que la gente esté educada. «Acepte educación gratuita y edúquese; sea un ser humano», ese el interés del *brāhmaṇa*: ¿Se da cuenta? Yo no vine aquí para pedir dinero, sino para dar instrucción.

Bhagavān dāsa Gosvāmī: Hoy en día los sacerdotes tienen miedo de hablar muy severamente porque si lo hacen serán despedidos y no recibirán salario. Y los políticos también tienen miedo de decir lo que realmente piensan. Ellos tienen temor a no ser votados, a no obtener más dinero para poder mantenerse.

Śrīla Prabhupāda: Los sacerdotes están detrás del dinero. Ellos no son hombres de primera clase, son hombres de baja clase. Ese es el porqué de la caída del cristianismo. Los sacerdotes no pueden hablar en forma directa. Existe un mandamiento explícito: «No matarás». Pero debido a que la gente ya está matando, los sacerdotes tienen miedo de presentar el mandamiento directamente. Ahora ellos realizan casamientos entre hombres, qué decir de otras cosas. Los sacerdotes dan sermones sobre la base del casamiento entre hombres. ¡Tan solo vean cuán degradados están! Anteriormente ¿existía algún concepto de este tipo, al menos fuera de los Estados Unidos? Nadie pensaba que un hombre podría casarse con otro hombre. ¿Qué es esto? Y los sacerdotes están aprobándolo. ¿Sabe usted eso? Entonces, ¿cuál es el estándar de ellos?

Jyotirmayī-devī dāsī: Este sacerdote que nos visita le dijo a usted que él le pedía a todos sus feligreses que sigan las leyes de Dios. Usted le preguntó si él iba a hacer que siguiesen el quinto mandamiento, la ley que se opone a la matanza, incluyendo la matanza de animales, especialmente la matanza de vacas.

Śrīla Prabhupāda: Sí, esa es nuestra propuesta. «¿Por qué usted debería matar a la vaca? Protejan a las vacas». Usted puede tomar leche de vaca y utilizar esta leche para hacer muchas preparaciones nutritivas y deliciosas. Además de eso, en lo que respecta al comer carne, cada vaca morirá, entonces usted solo tiene que esperar un poco y tendrá muchas vacas muertas. Luego puede tomar todas las vacas muertas y comerlas. ¿Es esta una mala propuesta? Si usted dice: «Usted está impidiéndonos comer carne» —no, no se lo impedimos. Nosotros simplemente le pedimos: «No mate. Cuando la vaca muera, usted puede comérsela».

Yogeśvara dāsa: Usted señaló que la vaca es como una madre.

Śrīla Prabhupāda: Sí, ella nos da su leche.

Yogeśvara dāsa: Pero ahora, en occidente, la gente generalmente envía a sus padres a asilos de ancianos cuando estos se vuelven mayores. Por eso, si la gente no tiene compasión ni siquiera por sus propios padres, ¿cómo podremos educarlos para proteger a la vaca?

Śrīla Prabhupāda: Ellos no tienen que proteger a la vaca. Nosotros protegeremos a la vaca. Nosotros simplemente le pedimos: «No compren carne de los mataderos. Nosotros le daremos la vaca a usted después de que muera». ¿Dónde está la dificultad?

Satsvarūpa dāsa Gosvāmī: No será suficiente para cubrir la demanda, ellos comen mucha carne.

Śrīla Prabhupāda: «¿No será suficiente?». Matando a las vacas, ¿de dónde usted obtendrá más carne? El número total de vacas seguirá siendo el mismo. Simplemente espere a que mueran en forma natural. Esa es la única restricción. Ustedes ya tienen un número limitado de vacas. Ya sea que usted espere a que mueran o las mate a todas juntas, el número de vacas es el mismo. Por eso simplemente le pedimos: «No las mate. Espere a que mueran naturalmente y luego coma la carne». ¿Cuál es la dificultad? Y simplemente le pedimos: «Mientras estén vivas, tomemos la leche de vaca y preparemos alimentos deliciosos para toda la sociedad humana».

Yogeśvara dāsa: Si la gente no mata a las vacas, tendrán incluso más carne, porque de esa manera las vacas tendrán más tiempo para reproducirse. Si ellos no matan a las vacas, habrá incluso más vacas.

Śrīla Prabhupāda: Más vacas, sí. Ellos tendrán más vacas. Nosotros simplemente les pedimos: «No maten. No mantengan mataderos». Eso es muy pecaminoso. Eso ocasiona reacciones kármicas muy severas en la sociedad. Paren con esos mataderos. Nosotros no decimos: «Dejen de comer carne». Usted puede comer carne, pero no la obtenga de los mataderos, matando. Simplemente espere, y usted obtendrá los cadáveres.

Después de todo, ¿cuánto vivirán las vacas? Su edad máxima es veinte años, y hay muchas vacas que solo viven dieciocho, dieciséis o diez años. De modo que espere ese tiempo, y luego obtendrá regularmente vacas muertas para comer, ¿Cuál es la dificultad?

Durante los primeros años usted puede que no obtenga tanto como ahora. Durante ese período usted puede comer algunos perros y gatos (risas). Sí, en Corea comen perros. ¿Qué diferencia hay entre aquí y Corea? Usted también puede comer gatos mientras tanto. O cerdos. Coma cerdos. Nosotros no prohibimos la matanza de estos animales menos importantes. Nosotros ni lo aprobamos ni lo prohibimos. Pero especialmente pedimos protección a las vacas, porque lo ordena el Señor Kṛṣṇa. *Go-rakṣya:* «Protejan a las vacas». Ese es nuestro deber.

Y económicamente, también, es muy útil. Kṛṣṇa no ha recomendado esto porque sí. La orden de Kṛṣṇa tiene sentido. Las vacas en nuestras granjas Hare Kṛṣṇa dan más leche que otras vacas porque ellas confían: «Aquí no seremos matadas». No es como esos sinvergüenzas, esos así llamados cristianos que dicen: «ellas no tienen alma; ellas no tienen inteligencia». Ellas tienen inteligencia. En otros lugares ellas no dan tanta leche. Pero en nuestras granjas ellas están muy contentas. Tan pronto como los devotos las llaman, ellas vienen. Sí tal como amigos. Y ellas confían: «Nosotras no seremos matadas». Por eso están contentas, y dan tanta leche. Sí.

En Europa y en Estados Unidos las vacas son muy buenas, pero el sistema de matanza también es muy bueno. De modo que paren con eso. Usted simplemente dígales: «Ustedes obtendrán carne de vaca. Tan pronto como ella muera, se la proveeremos gratuitamente. Usted no tiene que pagar mucho. Usted puede obtener la carne gratis y luego comerla. ¿Por qué está matando? Pare con esos mataderos». ¿Qué hay de malo en esta propuesta?

Nosotros no queremos dejar de comerciar o de producir granos, vegetales y frutas. Sino que queremos parar con estos mataderos. Es muy, muy pecaminoso. Debido a esto es que existen tantas guerras por todo el mundo. Cada diez o quince años hay una gran guerra, un matadero en gran escala para la humanidad. Pero estos sinvergüenzas no ven que, por la ley del *karma*, cada acción debe tener su reacción.

Usted mata vacas inocentes y otros animales; la naturaleza se vengará de usted. Solo espere. Apenas llegue el momento, la naturaleza reunirá a todos esos sinvergüenzas y los matará. Los terminará. Ellos pelearán entre sí, protestantes y católicos, Rusia y

Estados Unidos, este y el otro. Ya está sucediendo. ¿Por qué? Esa es la ley de la naturaleza. Ojo por ojo. «Ustedes han matado. Ahora mátense entre ustedes».

Ellos están enviando animales al matadero, y ahora ellos crearán su propio matadero (Imitando disparos de fuego): ¡Pum! ¡Pum! ¡Mate!, ¡Mate! ¿Comprende? Tomemos Belfast como ejemplo. Los católicos romanos están matando a los protestantes, y los protestantes están matando a los católicos. Esa es la ley de la naturaleza. No es necesario que usted sea enviado al matadero común. Usted hará un matadero en su casa. Usted matará a su propio hijo, abortará. Esa es la ley de la naturaleza. ¿Quiénes son esos niños que están siendo matados? Son los comedores de carne. Ellos disfrutaron mientras tantos animales fueron muertos, y ahora están siendo matados por sus madres. La gente no sabe cómo actúa la naturaleza. Si usted mata, usted debe ser matado. Si mata a la vaca, que es su madre, entonces en alguna vida futura su madre lo matará. Sí. La madre se vuelve el niño, y el niño se vuelve la madre.

Māṁ sa khādatīti māṁsaḥ. La palabra sánscrita es *māṁsa*. *Mām* significa «yo», y *sa* significa «él». Yo maté a este animal; yo me lo como. Y en mi próxima vida él me matará y me comerá. Cuando el animal se sacrifica, debe recitarse este *mantra* al oído del animal: «Tú estás dando tu vida, por eso en tu próxima vida tendrás la oportunidad de convertirte en un ser humano. Y yo que ahora estoy matándote me volveré un animal, y tú me matarás». De manera que después de entender este *mantra*, ¿quién sería capaz de matar a un animal?

Bhagavān dāsa Gosvāmī: Mucha gente hoy en día comenta este tópico de la reencarnación, pero ellos no entienden lo profundo de sus connotaciones.

Śrīla Prabhupāda: ¿Cómo van a entender? Son todos tontos y sinvergüenzas, vestidos como caballeros. Eso es todo. *Tāvac ca śobhate mūrkho yāvat kiñcin na bhāṣate*. Un sinvergüenza, un tonto, tiene prestigio mientras no hable. Apenas hable, su naturaleza se revelará, se verá lo que él es. Por lo tanto, ese sacerdote que vino no se quedó por mucho tiempo. Él no quiso darse a conocer.

Bhagavān dāsa Gosvāmī: Poco inteligente.

Śrīla Prabhupāda: Ahora, nosotros debemos ocuparnos en trabajo de agricultura, producir alimentos y dar protección a las vacas. Y si producimos un excedente, podemos comerciarlo. Lo que debemos hacer es simple. Nuestra gente debe vivir pacíficamente en aldeas agrícolas, producir granos, frutas y vegetales, proteger a las vacas, y trabajar duro. Y si hay un excedente, podemos comenzar a abrir restaurantes. La gente de la conciencia de Kṛṣṇa nunca perderá nada al seguir las instrucciones de Kṛṣṇa. Ellos vivirán confortablemente, sin ninguna carencia material, y *tyaktvā dehaṁ punar janma naiti* (*Bg.* 4.9): Luego de abandonar este cuerpo, ellos irán directamente a Dios. Esta es nuestra manera de vivir.

De manera que abran restaurantes en cualquier parte de cualquier ciudad y hagan buenos *kacaurīs*, *śrīkhaṇḍa*, *purīs*, *halavā*, y tantas otras exquisiteces. Y la gente las comprará. Ellos vendrán y se sentarán. Yo he dado la fórmula: «Todas las preparaciones están listas, usted puede sentarse. Esto es lo que cobramos normalmente por cada comida. Ahora usted puede comer tanto como quiera. Puede tomar un bocadillo o dos, o tres o cuatro, tantas como quiera. Pero no desperdicie. No deje sobras». Supongan que un hombre come solo un bocadillo y otro hombre come cuatro bocadillos. Eso no significa que le cobraremos más. Le cobraremos lo mismo. Lo mismo. «Usted puede sentarse, y comer hasta quedar satisfecho». Hagamos que todos queden satisfechos. «Nosotros le proveeremos. Simplemente no desperdicien». Este es nuestro programa. No es como lo hacen en un hotel, que cada vez que traen algún plato viene inmediatamente la cuenta. No. «Usted puede sentarse y comer a su entera satisfacción. El precio es el mismo».

Bhagavān dāsa Gosvāmī: Yo creo que la gente se irá del restaurante con los bolsillos llenos de bocadillos (risas).

Śrīla Prabhupāda: Eso no lo permitiremos.

Bhagavān dāsa Gosvāmī: Usted nos dijo una vez que en la India, si una persona tiene una plantación de mangos y usted está hambriento, puede entrar y comer, pero no puede llevarse ninguno consigo.

Śrīla Prabhupāda: Sí, si usted tiene un jardín y alguien dice: «Yo quiero comer algunas frutas», usted le dirá: «Sí, venga. Tome todas las que quiera». Pero él no debería tomar más de las que puede comer. Cualquier cantidad de hombres pueden venir y comer hasta quedar satisfechos. Los granjeros ni siquiera le prohíben a los monos: «Está bien, déjenlos entrar. Después de todo, es la propiedad de Dios». Este es el sistema de la conciencia de Kṛṣṇa: si un animal, digamos un mono viene a su jardín para comer, no se lo prohíba. Él también es parte integral de Kṛṣṇa. Si usted se lo prohíbe, ¿dónde comerá?

Tengo otra historia; esta me la contó mi padre. El hermano mayor de mi padre tenía un negocio de telas. Antes de cerrar el negocio mi tío colocaba una vasija llena de arroz. Por supuesto, como en cualquier aldea, había ratas. Pero las ratas tomaban el arroz y ni siquiera mordían una sola tela. Las telas son muy caras. Incluso si una sola tela hubiese sido mordida por una rata, habría ocasionado una gran pérdida. De manera que, por el precio de un poco de arroz, él ahorraba muchos dólares de tela. Esta cultura de Kṛṣṇa es práctica. «Ellas también son partes integrales de Dios. Démosles de comer. Ellas no crearán ningún disturbio. Démosles de comer».

Todos tienen la obligación de alimentar a quien sea que esté hambriento, incluso si se trata de un tigre. Una vez, cierto instructor espiritual vivía en la selva. Sus discípulos sabían: «Los tigres nunca vendrán a perturbarnos, porque nuestro maestro tiene un poco de leche fuera del *āśrama*, de ese modo los tigres vienen, beben y se van».

El maestro solía decir: «¡Tú! ¡Tigre! ¡Puedes venir y tomar tu leche aquí!» (risas). Y ellos venían, tomaban la leche y se iban. Ellos nunca atacaban a ningún miembro del *āśrama*. El maestro decía: «Ellos son mi gente, no los lastimen».

Yo recuerdo haber visto en una feria internacional que un hombre había entrenado a un león. Y el hombre jugaba con ese león tal como uno juega con un perro. Esos animales pueden entender: «Este hombre me ama, él me da de comer, él es mi amigo». Ellos también aprecian.

Cuando Haridāsa Ṭhākura vivía en una cueva y cantaba Hare Kṛṣṇa, una gran serpiente que también vivía allí decidió irse. La serpiente sabía «él es una persona santa, no debe ser perturbado, yo me iré». Y del *Bhagavad-gītā* nosotros entendemos: *īśvaraḥ sarva-bhūtānāṁ hṛd-deśe (Bg.* 18.61*)*, Kṛṣṇa está en los corazones de todos, y Él está ordenando. Kṛṣṇa puede ordenar paz y armonía a los animales, a las serpientes, a todos (Śrīla Prabhupāda reflexiona haciendo una pausa).

La cultura védica ofrece tantos buenos y deliciosos alimentos, la mayoría hechos con productos lácteos. Pero esta supuesta gente civilizada no lo sabe. Ellos matan a las vacas y le dan la leche a los cerdos, y están orgullosos de su civilización como los chacales y los buitres. Realmente, este movimiento para la conciencia de Kṛṣṇa transformará a la gente incivilizada y llevará al mundo entero a la verdadera civilización.

La fórmula de la paz

Este artículo de Śrīla Prabhupāda fue publicado por primera vez en 1956 en Nueva Delhi, India, en De Vuelta al Supremo, *la revista que él fundó en 1944. Exhortando a sus lectores hindúes a «emplear todo en el servicio trascendental para el interés del Señor», él concluye que «solo esto puede traer la paz anhelada».*

En las Escrituras reveladas, al Señor Supremo se lo describe como *sac-cid-ānanda-vigraha (Bs.* 5.1*). Sat* quiere decir «eterno», *cit* significa «omnisciente», *ānanda* significa «bienaventurado» y *vigraha* significa «una personalidad específica». Por lo tanto, el Señor, o el Dios Supremo, quien no tiene igual, es una personalidad eterna, bienaventurada con completo conocimiento de su propia identidad. Esta es una breve descripción del Señor Supremo, nadie es igual o más grande que Él.

Las entidades vivientes, o *jīvas*, son muestras pequeñas del Señor Supremo, y por lo tanto en sus actividades encontramos el deseo de existencia eterna, el deseo de conocimiento completo y el deseo de encontrar la felicidad de diversas maneras. Estas tres cualidades de la entidad viviente son visibles en pequeña proporción en la sociedad humana, pero ellas incrementan y son disfrutadas cien veces más por los seres que residen en los planetas superiores: Bhūrloka, Svarloka, Janaloka, Tapoloka, Maharloka, Brahmaloka, etc.

Pero aun así, el nivel de disfrute en el planeta más elevado del mundo material, el cual es miles y miles de veces superior al que tenemos en esta Tierra, también se describe como insignificante comparado con la bienaventuranza espiritual que se disfruta en compañía del Señor Supremo. Su servicio amoroso en diferentes melosidades (relaciones) hace que incluso el disfrute de fundirse en la refulgencia impersonal sea tan insignificante como una gota de agua comparada con el océano.

Toda entidad viviente tiene la ambición de tener el nivel más elevado de disfrute en el mundo material, sin embargo, aquí uno nunca es feliz. Esta infelicidad existe en todos los planetas mencionados anteriormente, a pesar de que existe una larga duración de vida y elevados niveles de comodidad.

Esa es la ley de la naturaleza material. Uno puede incrementar la duración de la vida y el nivel de confort al máximo de su capacidad y sin embargo, debido a la ley de la naturaleza material, uno no será feliz. La razón es que el tipo de felicidad apropiada para nuestra constitución es diferente de la felicidad derivada de actividades materiales. La entidad viviente es una diminuta partícula de *sac-cid-ānanda-vigraha (Bs.* 5.1), y por lo tanto, necesariamente tiene la inclinación de disfrutar lo que es cualitativamente espiritual. Pero ella está tratando vanamente de obtener su disfrute espiritual en la ajena atmósfera de la naturaleza material.

Un pez que es sacado fuera del agua no puede ser feliz mediante ningún plan hecho para él en la tierra, él debe estar en un ambiente acuático. Del mismo modo, la diminuta entidad viviente *sac-cid-ānanda* no puede ser realmente feliz mediante ninguna cantidad de planeamiento material concebido por su cerebro ilusionado. Por lo tanto, a la entidad viviente le debe ser dado un tipo de felicidad diferente, una felicidad trascendental, que se denomina bienaventuranza espiritual. Nuestras ambiciones deben ser alcanzadas al disfrutar de bienaventuranza espiritual y no de la felicidad material.

La ambición por la bienaventuranza espiritual es buena, pero la manera de alcanzar esto no es simplemente negar la felicidad material. La negación teórica de las actividades materiales, como propuso Śrīpāda Śaṅkarācārya, puede que sean relevantes para un grupo insignificante de hombres, pero las actividades devocionales propuestas por Śrī Caitanya Mahāprabhu constituyen la mejor manera y la más segura para alcanzar la bienaventuranza espiritual. De hecho, ellas cambian la propia cara de la naturaleza material.

El anhelo por la felicidad material se denomina lujuria, y es seguro que, a largo plazo, las actividades lujuriosas encontrarán frustración. El cuerpo de una serpiente venenosa es muy frío. Pero si un hombre quiere disfrutar de la frescura del cuerpo de la serpiente colocándose la serpiente como guirnalda, entonces seguramente él será matado por la mordedura de la serpiente. Los sentidos materiales son como serpientes, e involucrarse en la supuesta felicidad material ciertamente mata la propia conciencia espiritual. Por lo tanto, un hombre sano debe estar ansioso por encontrar la verdadera fuente de felicidad.

Cierta vez, un hombre tonto que nunca había experimentado el gusto de la caña de azúcar, fue convidado por un amigo a probar su dulzura. Cuando el hombre preguntó acerca del aspecto de la caña de azúcar, el amigo le informó equivocadamente que la caña de azúcar se asemeja a la caña de bambú. El hombre tonto comenzó entonces a tratar de extraer jugo de caña de azúcar de una caña de bambú, pero naturalmente su intento se frustró.

Esa es la posición de la entidad viviente ilusionada en su búsqueda por la felicidad eterna dentro del mundo material, que no solo está repleto de miserias, sino que también es transitorio y fluctuante. En el *Bhagavad-gītā* se describe el mundo material como un lugar repleto de miserias. La ambición por la felicidad es buena, pero el intento de obtenerla a partir de la materia inerte mediante los mal llamados planes científicos, es una ilusión. Las personas atontadas no pueden comprender esto. El *Gītā* (16.13) describe cómo una persona dominada por la lujuria de la felicidad material piensa: «Hoy tengo toda esta riqueza, y ganaré más de acuerdo a mis planes. Ahora todo esto es mío, e incrementará en el futuro».

La civilización atea, o sin Dios, es una gran trama para la complacencia sensorial, y ahora todos están locos detrás del dinero para mantener la farsa. Todos están detrás del dinero porque ese es el medio con el cual se obtienen los objetos para la complacencia sensorial. Esperar la paz en tal atmósfera del pandemonio de la fiebre del oro, es un sueño utópico. Mientras haya un leve tinte de locura por la complacencia sensorial, la paz estará muy, muy distante. La razón es que, por naturaleza, todos somos sirvientes eternos del Señor Supremo, y por lo tanto no podemos disfrutar de nada para nuestro interés personal. Nosotros tenemos que emplear todo en el servicio trascendental para el interés del Señor. Solo esto puede traer la paz deseada. Una parte del cuerpo no puede satisfacerse a sí misma; solo puede servir al cuerpo completo y obtener satisfacción de tal servicio. Pero ahora todos están ocupados en tareas de auto interés, y nadie está preparado para servir al Señor. Esta es la causa básica de la existencia material.

Desde el más elevado administrador ejecutivo hasta el más bajo barrendero de la calle, todos trabajan con la idea de acumular dinero ilegalmente. Pero trabajar solo para el propio auto interés es ilegal y destructivo. Incluso el cultivo de realización espiritual por el mero interés propio es ilegal y destructivo.

Como resultado de toda la producción de dinero ilegal, no hay escasez de dinero en el mundo. Pero existe escasez de paz. Ya que toda nuestra energía humana ha sido encaminada hacia esta producción ilegal de dinero, la capacidad de producir dinero de la población total, ciertamente ha incrementado. Pero el resultado es que tal incremento de dinero irrestricto e ilegal ha creado una mala economía y nos ha permitido fabricar grandes y costosas armas que amenazan con la destrucción del propio resultado de tal producción de dinero.

En vez de disfrutar de paz, los líderes de los grandes países productores de dinero ahora están ideando grandes planes para salvarse a sí mismos de las modernas armas destructivas, y por lo tanto una gran cantidad de dinero es tirada al océano para experimentar con tales armas espantosas. Tales experimentos se realizan no solo a grandes costos monetarios, sino también al costo de muchas pobres vidas, involucrando en consecuencia a muchas naciones en la ley del *karma*. Esa es la ilusión de la naturaleza material. Como resultado del impulso por la complacencia sensorial, el dinero se gana con energía desperdiciada, y entonces se utiliza para la destrucción de la raza humana. La energía de la raza humana se desperdicia así por la ley de la naturaleza porque esa energía se desvía del servicio del Señor, quien es realmente el propietario de todas las energías.

La riqueza proviene de madre Lakṣmī, o la diosa de la fortuna. Como explica la literatura védica, la diosa de la fortuna tiene como propósito servir al Señor Nārāyaṇa, la fuente de todos los *naras*, o seres vivientes. Los *naras* también tienen como propósito servir a Nārāyaṇa, el Señor Supremo, bajo la guía de la diosa de la fortuna. El ser viviente no puede disfrutar de la diosa de la fortuna sin servir a Nārāyaṇa, o Kṛṣṇa. Y, por lo tanto, quienquiera que desee disfrutar de ella erróneamente será castigado por las leyes de la naturaleza, y ese mismo dinero será la causa de destrucción en vez de ser la causa de paz y prosperidad.

Tal dinero acumulado ilegalmente ahora está siendo arrebatado de los ciudadanos avaros mediante diferentes métodos de impuestos estatales para las diversas campañas de guerras nacionales e internacionales, las cuales derrochan el dinero de una manera excesiva. Los ciudadanos no están satisfechos solo con el dinero suficiente para mantener bien a sus familias y cultivar conocimiento espiritual, ambos esenciales en la vida humana. Ellos ahora quieren dinero en forma ilimitada para satisfacer sus insaciables deseos, y en proporción a sus deseos ilegales ahora su dinero es quitado por los agentes de la naturaleza ilusoria en la forma de médicos, abogados, recaudadores de impuestos, sociedades, instituciones, supuestos religiosos, así como también por el hambre, los terremotos, y muchas otras de tales calamidades.

Una persona avara que, bajo el dictado de la naturaleza ilusoria, no se decidió a comprar una copia de *De Vuelta al Supremo,* se gastó dos mil quinientos dólares en las medicinas que necesitaba para la semana, y luego murió. Algo parecido le ocurrió a un hombre que se negó a gastar un centavo para el servicio al Señor; gastó tres mil quinientos dólares en un pleito legal entre miembros de su familia. Así es la ley de la naturaleza. Por la ley de la naturaleza, si el dinero no se ofrece para el servicio del Señor será energía desperdiciada en luchar contra problemas legales, enfermedades, etcétera. La gente ignorante no tiene ojos para ver estas cosas, y por eso las leyes del Señor Supremo los engañan.

Las leyes de la naturaleza no nos permiten aceptar más dinero que el que se requiere para una manutención apropiada. Existe un amplio plan de la naturaleza para proveerle a cada entidad viviente su debida cantidad de alimentos y refugio, pero la lujuria insaciable del ser humano ha perturbado todo el arreglo del padre todopoderoso de todas las especies de vida.

Por arreglo del Señor Supremo, existe un océano de sal, porque la sal es necesaria para el ser viviente. De la misma manera, Dios ha dispuesto suficiente aire y luz, los cuales también son esenciales para la entidad viviente. Uno puede colectar cualquier cantidad de sal del mercado, pero no puede tomar más sal de la que uno necesita. Si uno usa más sal, arruina su comida, y si uno usa menos, sus comidas no tienen sabor. Por otro lado, si uno solo toma lo que necesita, la comida es sabrosa, y uno no se enferma. Por eso, la ambición de riquezas por más de lo que necesitamos es perjudicial, así como comer más sal de la que requerimos es perjudicial. Esa es la ley de la naturaleza.

VII
Perspectivas sobre ciencia y filosofía

Platón: bondad y gobierno

En 1972 y 1973, Śrīla Prabhupāda mantuvo una serie de charlas filosóficas con su secretario personal, Śyāmasundara, mientras viajaba alrededor del mundo. Estas sesiones fueron grabadas y publicadas para proveer una comprensión de la filosofía, la psicología y la ciencia occidentales, desde el punto de vista de las intemporales enseñanzas de la literatura védica de la India. En la siguiente conversación, las sorprendentes similitudes entre el Estado ideal de Platón y aquel que se describe en el Bhagavad-gītā, *sugieren que uno pregunte: «¿Pudo Platón haber tomado estas ideas de los antiguos* Vedas *de la India?».*

Śyāmasundara: Platón creía que la sociedad puede disfrutar de prosperidad y armonía solo si se ordena a la gente en categorías o clases de trabajo de acuerdo a sus habilidades naturales. Él pensaba que la gente debería descubrir sus habilidades naturales y usar esas habilidades al máximo de su capacidad, como administradores, como militares o como artesanos. Lo más importante es que el jefe de Estado no debería ser un hombre mediocre, un hombre promedio. Por el contrario, la sociedad debería estar dirigida por un hombre muy bueno y sabio, un «rey filósofo», o un grupo de hombres muy buenos y muy sabios.

Śrīla Prabhupāda: Esta idea parece haber sido tomada del *Bhagavad-gītā*, donde Kṛṣṇa dice que la sociedad ideal tiene cuatro divisiones: *brāhmaṇas* (intelectuales), *kṣatriyas* (guerreros y administradores), *vaiśyas* (comerciantes y granjeros) y *śūdras* (trabajadores). Estas divisiones surgen por la influencia de las modalidades de la naturaleza. Todos, tanto en la sociedad humana como en la sociedad animal, están influidos por las modalidades de la naturaleza material (*sattva-guṇa, rajo-guṇa* y *tamo-guṇa* o bondad, pasión e ignorancia). Clasificando a los hombres de acuerdo a esas cualidades, la sociedad puede volverse perfecta. Pero si ponemos a un hombre afectado por la modalidad de la ignorancia en un puesto filosófico o ponemos a un filósofo a trabajar como un trabajador común, resultará un desastre.

En el *Bhagavad-gītā*, Kṛṣṇa dice que a los *brāhmaṇas*, a los hombres más inteligentes, quienes se interesan en el conocimiento trascendental y en la filosofía, les deben ser dados los puestos más elevados, y bajo sus instrucciones deben trabajar los *kṣatriyas* (administradores). Los administradores deben ver que existan ley y orden y que todos estén ejecutando su deber. La división siguiente es la clase productiva, los *vaiśyas*, quienes se ocupan en trabajos de agricultura y en proteger a las vacas. Y finalmente están los *śūdras*, los trabajadores comunes que ayudan a las otras divisiones. Esto es civilización védica: gente llevando una vida simple, basada en la agricultura y en la protección de las vacas. Si usted tiene suficiente leche, granos, frutas y vegetales, puede vivir muy bien.

El *Śrīmad-Bhāgavatam* compara las cuatro divisiones de la sociedad con las diferentes partes del cuerpo: la cabeza, los brazos, el estómago y las piernas. Así como todas las partes del cuerpo cooperan para mantener el cuerpo apto, en el Estado ideal, todas las secciones de la sociedad cooperan bajo el liderazgo de los *brāhmaṇas*. Comparativamente, la cabeza es la parte más importante del cuerpo, porque es la que da las instrucciones a las otras partes del cuerpo. Similarmente, el Estado ideal funciona bajo las directivas de los *brāhmaṇas*, quienes personalmente no están interesados en asuntos políticos o en administración porque ellos tienen un deber más elevado. En el momento actual, este movimiento para la conciencia de Kṛṣṇa está entrenando *brāhmaṇas*. Si los administradores toman nuestro consejo y dirigen el Estado de una manera consciente de Kṛṣṇa, habrá una sociedad ideal alrededor de todo el mundo.

Śyāmasundara: ¿En qué difiere la sociedad moderna del ideal védico?

Śrīla Prabhupāda: Ahora existe industrialización en gran escala, lo cual significa explotación de un hombre por otro. Semejantes industrias eran desconocidas en la civilización védica; eran innecesarias. Además, la civilización moderna ha adoptado la matanza de animales para alimentarse, lo cual es barbárico. Ni siquiera es humano.

En la civilización védica, cuando una persona era incapaz de gobernar, era destronado. Por ejemplo, el rey Vena probó ser un rey inepto. Él simplemente estaba interesado en cazar. Por supuesto, a los *kṣatriyas* se les permite cazar, pero no de acuerdo a sus caprichos. A ellos no se les permite cazar muchos pájaros y bestias innecesariamente, como lo hacía el rey Vena y como lo hace la gente actualmente. En aquel momento, los inteligentes *brāhmaṇas* se opusieron y lo mataron inmediatamente por medio de una maldición. Antiguamente, los *brāhmaṇas* tenían tanto poder que ellos podían matar simplemente por medio de una maldición; las armas no eran necesarias.

En la actualidad, sin embargo, debido a que la cabeza del cuerpo social está perdida, este es un cuerpo muerto. La cabeza es muy importante, y nuestro movimiento para la conciencia de Kṛṣṇa está intentando crear algunos *brāhmaṇas* que formarán la cabeza de la sociedad. Entonces los administradores serán capaces de gobernar muy bien bajo las instrucciones de los filósofos y los teólogos, o sea bajo las instrucciones de la gente consciente de Dios. Un *brāhmaṇa* consciente de Dios nunca aconsejaba abrir mataderos. Pero ahora los sinvergüenzas que encabezan el gobierno permiten la matanza de animales. Cuando Mahārāja Parīkṣit vio a un hombre degradado tratando de matar a una vaca, sacó su espada y le dijo: «¿Quién eres tú? ¿Por qué tratas de matar a esta vaca?». Él era un verdadero rey. En la actualidad, los puestos presidenciales han sido tomados por hombres descualificados. Y aunque ellos puedan posar como muy religiosos son simplemente sinvergüenzas. ¿Por qué? Porque bajo sus narices son matadas miles de vacas, mientras ellos ganan un buen sueldo. Cualquier líder que sea enteramente religioso debería renunciar a su cargo en protesta a la matanza de vacas en su régimen. La gente está sufriendo debido a que no sabe que estos administradores son sinvergüenzas. Y la gente también es sinvergüenza, porque vota a sinvergüenzas más grandes. La idea de Platón es que el gobierno debería ser ideal, y el ideal es este: los filósofos santos deben estar al frente del Estado; los políticos deben gobernar de acuerdo al consejo de ellos; bajo la protección de los políticos, la clase productiva debe proveer las necesidades de la vida; y la clase trabajadora debe ayudar. Esta es la división científica de la sociedad de la que Kṛṣṇa habla en el *Bhagavad-gītā* (4.13): *cātur-varṇyaṁ mayā sṛṣṭaṁ guṇa-karma-vibhāgaśaḥ*. «De acuerdo con las tres modalidades de la naturaleza material y el trabajo asignado a ellas, las cuatro divisiones de la sociedad fueron creadas por Mí».

Śyāmasundara: Platón también observó divisiones sociales. Sin embargo, él habló de tres divisiones. Una clase consistía en los guardianes, hombres de sabiduría que gobernaban la sociedad. Otra clase consistía en los guerreros, que eran aguerridos y protegían al resto de la sociedad. Y la tercera clase consistía en los artesanos, que ejecutaban sus servicios obedientemente y trabajaban solamente para satisfacer sus apetitos.

Śrīla Prabhupāda: Sí, la sociedad humana también tiene esta división triple. El hombre de primera clase está en la modalidad de la bondad, el hombre de segunda clase en la modalidad de la pasión, y el hombre de tercera clase está en la modalidad de la ignorancia.

Śyāmasundara: El entendimiento de Platón del orden social estaba basado en su observación de que el hombre tiene una división triple de inteligencia, coraje y apetito. Él dijo que el alma tiene esas tres cualidades.

Śrīla Prabhupāda: Eso es un error. El alma no tiene ninguna cualidad material. El alma es pura, pero debido a su contacto con las diferentes cualidades de la naturaleza material, ella se «viste» con diferentes cuerpos. Este movimiento para la conciencia de Kṛṣṇa tiene como propósito remover este vestido material. Nuestra primera instrucción es «usted no es su cuerpo». Parece que en su entendimiento práctico Platón identificó el alma con el vestido corporal, y eso no es muestra de muy buena inteligencia.

Śyāmasundara: Platón creía que la posición del hombre es marginal, entre la materia y el espíritu, por lo tanto él también destacaba el desarrollo del cuerpo. Él pensaba que todos deberían educarse desde una edad muy temprana, y que parte de esa educación debería ser la gimnasia, con el propósito de mantener el cuerpo en buena forma.

Śrīla Prabhupāda: Esto significa que, en la práctica, Platón identificaba muy fuertemente el ser con el cuerpo. ¿Cuál es la idea de Platón acerca de la educación?

Śyāmasundara: La de despertar al estudiante a su posición natural, cualquiera que fuese su habilidad o talento naturales.

Śrīla Prabhupāda: Y, ¿cuál es esa posición natural?

Śyāmasundara: La posición de buena moral. En otras palabras, Platón pensaba que todos deberían estar educados para trabajar de cualquier manera que fuera la más apropiada para despertar su buena moral natural.

Śrīla Prabhupāda: Pero la buena moral no es suficiente, porque la simple moralidad no satisfará al alma. Uno tiene que ir más allá de la moralidad, a la conciencia de Kṛṣṇa. Por supuesto, en este mundo material la moralidad se toma como el principio más elevado, pero existe otra plataforma, la cual se denomina plataforma trascendental *(vāsudeva)*. Esa plataforma es la más elevada perfección del hombre, y esto se confirma en el *Śrīmad-Bhāgavatam*. Aun así, debido a que los filósofos occidentales no cuentan con información acerca de la plataforma *vāsudeva*, ellos consideran la modalidad material de la bondad como la perfección más elevada y el propósito de la moralidad. Pero en este mundo incluso la buena moral está infectada por las modalidades más bajas de la ignorancia y la pasión. Usted no puede encontrar bondad pura *(śuddha-sattva)* en este mundo material, porque la bondad pura está en la plataforma trascendental. Para llegar a la plataforma de bondad pura, la ideal, uno tiene que someterse a austeridades *(tapasā brahmacaryeṇa śamena ca damena ca (Bhāg.* 6.1.13*)*. Uno tiene que practicar celibato y controlar la mente y los sentidos. Si uno tiene dinero, debe distribuirlo como caridad. También se debe ser siempre muy limpio. De esta manera uno puede elevarse a la plataforma de la bondad pura.

Existe otro proceso para llegar a la plataforma de la bondad pura, y eso es la conciencia de Kṛṣṇa. Si uno se vuelve consciente de Kṛṣṇa, todas las buenas cualidades se desarrollan automáticamente en él. Automáticamente uno lleva una vida de celibato, controla su mente y sentidos, y tiene una disposición caritativa. En esta era de Kali la gente posiblemente no pueda ser entrenada para ocuparse en austeridades. Antiguamente un *brahmacārī* (estudiante célibe) seguía un entrenamiento austero. Aunque él pudiese pertenecer a una familia de la nobleza o a una familia educada, un *brahmacārī* era humilde y servía al maestro espiritual como un simple sirviente. Él hacía inmediatamente lo que el maestro espiritual le ordenaba. El *brahmacārī* pedía limosnas de puerta en puerta y se las llevaba al maestro espiritual, sin pedir nada para sí. Todo lo que ganaba se lo daba al maestro espiritual, porque el maestro espiritual no derrochaba el dinero gastándolo en la complacencia de los sentidos; él lo usaba para Kṛṣṇa. Eso es austeridad. El *brahmacārī* también observaba celibato, y debido a que él seguía las instrucciones del maestro espiritual, su mente y sentidos estaban controlados.

Hoy en día, sin embargo, esta austeridad es muy difícil de seguir, por eso Śrī Caitanya Mahāprabhu nos ha dado el proceso de tomar la conciencia de Kṛṣṇa directamente. En este caso, uno simplemente necesita cantar Hare Kṛṣṇa, Hare Kṛṣṇa, Kṛṣṇa Kṛṣṇa, Hare Hare/ Hare Rāma, Hare Rāma, Rāma Rāma, Hare Hare, y seguir los principios regulativos dados por el maestro espiritual. Entonces uno alcanza inmediatamente la plataforma de la bondad pura.

Śyāmasundara: Platón sostenía que el Estado debería entrenar a los ciudadanos a ser virtuosos. Su sistema de educación era así: durante los primeros años de vida, el niño debía jugar y fortalecer su cuerpo. Desde los tres hasta los seis, el niño debía aprender historias religiosas. Desde los siete hasta los diez, él debía aprender gimnasia; desde los diez hasta los trece, leer y escribir; desde los catorce hasta los dieciséis, poesía y música; de los dieciséis a los dieciocho, matemáticas. Y desde los dieciocho hasta los veinte, él debería someterse al entrenamiento militar. Desde los veinte hasta los treinta y cinco, aquellos que eran científicos y filósofos debían permanecer en la escuela y continuar estudiando, y los guerreros debían ocuparse en ejercicios militares.

Śrīla Prabhupāda: Este programa educativo, ¿es para todos, o hay diferentes tipos de educación para diferentes hombres?

Śyāmasundara: No, esto es para todos.

Śrīla Prabhupāda: Esto no es muy bueno. Si un niño es inteligente y tiene inclinación por la filosofía y la teología, ¿por qué debería ser forzado a ejecutar un entrenamiento militar?

Śyāmasundara: Bueno, Platón dijo que todos deberían tener dos años de entrenamiento militar.

Śrīla Prabhupāda: Pero ¿por qué alguien debería perder dos años? Nadie debería perder ni siquiera dos días. Esto es una tontería, son ideas imperfectas.

Śyāmasundara: Platón dijo que este tipo de educación revela a qué categoría pertenece una persona. Él tenía la idea correcta de que uno pertenece a una clase particular de acuerdo a su cualificación.

Śrīla Prabhupāda: Sí, eso también lo decimos nosotros, pero discordamos con que todos deban recibir el mismo entrenamiento. El maestro espiritual debe juzgar la tendencia o disposición del estudiante al comenzar su educación. Él debe ser capaz de ver si un niño es apto para el entrenamiento militar, la administración o la filosofía, y luego debe entrenar completamente al niño de acuerdo a su tendencia particular. Si uno está naturalmente inclinado al estudio filosófico, ¿por qué debería perder su tiempo en el área militar? Y si uno está inclinado naturalmente hacia el entrenamiento militar, ¿por qué debería perder tiempo con otras cosas? Arjuna pertenecía a una familia *kṣatriya* (guerrera). Él y sus hermanos nunca fueron entrenados como filósofos. Droṇācārya fue su maestro e instructor, y aunque él era un *brāhmaṇa,* él les enseñó el *Dhanur Veda* (la ciencia militar), no *brahma-vidyā*. *Brahma-vidyā* es la filosofía teísta. Nadie debe estar entrenado en todo; eso es una pérdida de tiempo. Si uno está inclinado hacia la producción, negocios o agricultura, debería ser entrenado en esas áreas. Si uno es filosófico, debería ser entrenado como filósofo. Si uno está inclinado militarmente, debería ser entrenado como guerrero. Y si uno tiene una habilidad común, él debería permanecer como *śūdra* o trabajador. Esto lo afirma Nārada Muni en el *Śrīmad-Bhāgavatam: yasya yal-lakṣaṇaṁ proktam*. Las cuatro clases de la sociedad son reconocidas por sus síntomas y cualificaciones. Nārada Muni dice también que uno debería ser escogido para ser entrenado de acuerdo a sus cualificaciones. Incluso si uno nace en una familia *brāhmaṇa*, debería ser considerado un *śūdra* si sus cualificaciones son las de un *śūdra*. Y si uno nace en una familia *śūdra*, debería ser considerado un *brāhmaṇa* si sus síntomas son brahmínicos. El maestro espiritual debe ser lo suficientemente experto como para reconocer las tendencias del estudiante y entrenarlo inmediatamente de acuerdo a ellas. Eso es educación perfecta.

Śyāmasundara: Platón creía que la tendencia natural del estudiante no aparecería hasta que él practicase todo.

Śrīla Prabhupāda: No, no es así; porque el alma es continua, por lo tanto todos tienen alguna tendencia desde su nacimiento previo. Yo pienso que Platón no comprendió esta continuidad del alma de un cuerpo a otro. De acuerdo con la cultura védica, inmediatamente después del nacimiento de un niño, los astrólogos deben calcular a qué categoría pertenece. La astrología puede ayudar si existe un astrólogo de primera clase. Tal astrólogo puede decir de dónde viene ese niño y cómo debería ser entrenado. El método de Platón para la educación era imperfecto porque estaba basado en la especulación.

Śyāmasundara: Platón observó que una combinación particular de las tres modalidades actúa en cada individuo.

Śrīla Prabhupāda: Entonces, ¿por qué dijo que todos deberían ser entrenados de la misma forma?

Śyāmasundara: Porque él afirmó que las habilidades naturales de una persona no se manifestarán a menos que le sea dada una oportunidad para intentar todo. Él vio que alguna gente escucha principalmente a su inteligencia, y dijo que ellos están gobernados por la cabeza. Él vio que alguna gente tiene una disposición agresiva, y dijo que tal tipo de gente iracunda está gobernada por el corazón, por la pasión. Y él vio que alguna gente, que es inferior, simplemente quiere alimentar sus apetitos. Él dijo que esa gente es animalesca, y que creía que están gobernados por el hígado.

Śrīla Prabhupāda: Esa no es una descripción perfecta. Todos tienen un hígado, un corazón, y todos los miembros corporales. El hecho de estar en la modalidad de la bondad, en la de la pasión o en la de la ignorancia depende del entrenamiento y de las cualidades que uno adquirió durante su vida previa. De acuerdo al proceso védico, uno recibe la clasificación en el momento de nacer. Los síntomas psicólogos y físicos se consideran, y generalmente la tendencia particular que tiene un niño se comprueba en el momento de nacer. Sin embargo, esta tendencia puede cambiar de acuerdo a las circunstancias, y si uno no cumple con su rol asignado, él puede ser transferido a otra clase. Uno puede haber tenido entrenamiento brahmínico en una vida previa, y puede que exhiba síntomas brahmínicos en esta vida, pero uno no debería pensar que debido a haber nacido en una familia *brāhmaṇa* él es automáticamente un *brāhmaṇa*. Una persona puede nacer en una familia *brāhmaṇa* y ser un *śūdra*. No es cuestión de nacimiento sino de cualificación.

Śyāmasundara: Platón también creía que uno debe cualificarse para su puesto. Su sistema de gobierno era muy democrático. Él pensó que todos deberían recibir la oportunidad de ocupar diferentes puestos.

Śrīla Prabhupāda: Realmente, nosotros somos los más democráticos porque estamos dándole a todos la oportunidad de volverse *brāhmaṇas* de primera clase. El movimiento para la conciencia de Kṛṣṇa está dándole la oportunidad de llegar a ser *brāhmaṇa* incluso al miembro más bajo de la sociedad, al volverse consciente de Kṛṣṇa. *Caṇḍālo 'pi dvija-śreṣṭho hari-bhakti-parāyaṇaḥ:* Aunque uno pueda haber nacido en una familia de *caṇḍālas* (comedores de perros), apenas se vuelve consciente de Dios, consciente de Kṛṣṇa, él puede ser elevado a la posición más alta. Kṛṣṇa dice que todos pueden ir de regreso a casa, de vuelta a Dios. *Samo 'haṁ sarva-bhūteṣu (Bg. 9.29):* «Yo soy igual con todos. Todos pueden regresar a Mí. No hay impedimento».

Śyāmasundara: ¿Cuál es el propósito de las órdenes sociales y del gobierno estatal?

Śrīla Prabhupāda: El propósito principal es hacer conscientes de Kṛṣṇa a todos. Esa es la perfección de la vida, y toda la estructura social debería estar moldeada teniendo esto como meta. Por supuesto, no todos pueden volverse completamente conscientes de Kṛṣṇa en una vida, así como no todos los estudiantes de una universidad pueden obtener el título de doctores en un solo intento. Pero la idea de perfección es la de pasar el examen final de doctorado, por lo tanto, los cursos de doctorado deben mantenerse. En forma similar, una institución como este movimiento para la conciencia de Kṛṣṇa debe mantenerse, así al menos alguna gente puede lograr la meta última y todos puedan aproximarse a ella, la conciencia de Kṛṣṇa.

Śyāmasundara: De manera que, ¿la meta del gobierno estatal es la de ayudar a todos a volverse conscientes de Kṛṣṇa?

Śrīla Prabhupāda: Sí, la conciencia de Kṛṣṇa es la meta más elevada. Por lo tanto, todos deberían ayudar a este movimiento y beneficiarse de él. No importa el trabajo que uno tenga, todos pueden venir al templo. Las instrucciones son para todos, y el *prasādam* se distribuye a todos. Por lo tanto, no hay dificultades. Todos pueden contribuir con este movimiento para la conciencia de Kṛṣṇa. Los *brāhmaṇas* pueden contribuir con su inteligencia, los *kṣatriyas* con su caridad, los *vaiśyas* con granos, leche, frutas y flores; y los *śūdras* con su servicio corporal. Por tal esfuerzo combinado, todos pueden alcanzar la misma meta, la conciencia de Kṛṣṇa, la perfección de la vida.

Los defectos del marxismo

En el siguiente diálogo, Śrīla Prabhupāda enfoca el intento frustrado de Marx para erradicar la codicia de la naturaleza humana y de la sociedad como un todo. «Una sociedad sin clases solo es posible cuando Kṛṣṇa está en el centro —dice Śrīla Prabhupāda—, el verdadero cambio ocurre cuando nosotros decimos, "Nada me pertenece, todo pertenece a Dios"... Por eso la conciencia de Kṛṣṇa es la revolución final».

Śyāmasundara: Karl Marx argumentó que los filósofos solo han interpretado al mundo; el asunto es cambiarlo. Su filosofía frecuentemente se denomina «materialismo dialéctico» porque proviene de la dialéctica de George Hegel: tesis, antítesis y síntesis. Cuando se aplica a una sociedad, su filosofía se conoce como comunismo. Su idea es que por muchas generaciones, la burguesía (los terratenientes) ha competido con el proletariado (la clase trabajadora), y que este conflicto terminará en la sociedad comunista. En otras palabras, los trabajadores derrocarán a la clase capitalista y establecerán una así llamada dictadura del proletariado, la cual finalmente se volverá una sociedad sin clases.

Śrīla Prabhupāda: Pero ¿cómo es posible una sociedad sin clases? Los hombres naturalmente encajan en diferentes clases. Su naturaleza es diferente a la mía, así que ¿cómo podemos ser colocados artificialmente al mismo nivel?

Śyāmasundara: Su idea es que la naturaleza humana, o las ideas, están moldeadas por los medios de producción. Por lo tanto, todos pueden ser entrenados para participar en la sociedad sin clases.

Śrīla Prabhupāda: Entonces, ¿se requiere entrenamiento?

Śyāmasundara: Sí.

Śrīla Prabhupāda: Y, ¿cuál será el centro de entrenamiento para esta sociedad sin clases? ¿Cuál será el lema?

Śyāmasundara: El lema es: «Cada uno de acuerdo a su habilidad, y cada uno de acuerdo a su necesidad». La idea es que todos contribuirían con algo, y todos obtendrían lo que necesitan.

Śrīla Prabhupāda: Pero la contribución de todos es diferente. Un científico contribuye con algo, y un filósofo contribuye con otra cosa. La vaca contribuye con leche, y el perro contribuye con el servicio de guardián. Incluso los árboles, los pájaros, los mamíferos, todos contribuyen con algo. De modo que, naturalmente, ya existe un arreglo recíproco entre las clases sociales. ¿Cómo puede haber una sociedad sin clases?

Śyāmasundara: Bueno, la idea de Marx es que los medios de producción serán de propiedad común. Nadie tendría una ventaja sobre otro, y entonces una persona no podría explotar a otra. Marx piensa en términos de ganancia.

Śrīla Prabhupāda: Primero debemos saber qué es realmente la ganancia. Por ejemplo, los hippies americanos ya tuvieron «ganancia». Ellos pertenecían a los mejores hogares, sus padres eran ricos, ellos tenían todo. Aun así no estaban satisfechos, ellos lo rechazaron. No, esta idea de una sociedad sin clases basada en la distribución de los beneficios es imperfecta. Además, los comunistas no han creado una sociedad sin clases. Nosotros hemos visto en Moscú como un hombre pobre lavaba las calles mientras su jefe estaba cómodamente sentado en su auto. ¿Dónde está la sociedad sin clases? Mientras exista la sociedad, deberá haber una clasificación más elevada y una más baja. Pero si el punto central de la sociedad es uno, entonces no importará si uno trabaja en una posición baja o en una más elevada. Por ejemplo, nuestro cuerpo tiene diferentes partes —la cabeza, las piernas, las manos— pero todas trabajan para el estómago.

Śyāmasundara: En realidad, los rusos tienen supuestamente la misma idea: ellos declaran que el trabajador común es tan glorioso como el científico o el administrador más elevado.

Śrīla Prabhupāda: Pero en Moscú hemos visto que no todos están satisfechos. Un muchacho que se aproximó a nosotros estaba muy afligido porque en Rusia, a los muchachos jóvenes no se les permite salir por la noche.

Śyāmasundara: Las autoridades rusas dirán que él tiene un entendimiento inadecuado de la filosofía marxista.

Śrīla Prabhupāda: El entendimiento inadecuado es inevitable. Ellos nunca serán capaces de crear una sociedad sin clases porque, como ya lo he explicado, la mentalidad de todos es diferente.

Śyāmasundara: Marx dice que si todos están ocupados de acuerdo a sus habilidades en un cierto tipo de producción, y todos trabajan para el interés central, entonces las ideas de todos serán uniformes.

Śrīla Prabhupāda: Por lo tanto debemos encontrar el verdadero interés central. En nuestra Asociación Internacional para la Conciencia de Krishna, todos tienen un interés central, Kṛṣṇa. Por lo tanto una persona está hablando, otra persona está mecanografiando, otra está yendo a la imprenta, o lavando los platos, y nadie está resentido, porque todos tienen la convicción de estar sirviendo a Kṛṣṇa.

Śyāmasundara: La idea de Marx es que el centro es el Estado.

Śrīla Prabhupāda: Pero el Estado no puede ser perfecto. Si el Estado ruso fuera perfecto, entonces ¿por qué Khrushchev fue apartado del poder? Él fue elegido primer ministro. ¿Por qué fue apartado del poder?

Śyāmasundara: Porque él no estaba satisfaciendo los objetivos de la gente.

Śrīla Prabhupāda: Bueno, entonces, ¿qué garantía existe de que el próximo presidente lo haga? No hay garantía. Lo mismo ocurrirá una y otra vez. Ya que el centro, Khrushchev, fue imperfecto, la gente reprobó su labor. Lo mismo ocurre también en países no comunistas. El gobierno cambia, el primer mandatario es depuesto, el presidente es enjuiciado. De modo que, ¿cuál es la verdadera diferencia entre el comunismo ruso y otros sistemas políticos? Lo que está sucediendo en otros países también está sucediendo en Rusia, solo que le dan un nombre diferente. Cuando hablamos con el profesor Kotovsky de la Universidad de Moscú, le dijimos que él tenía que rendirse: Ya sea que se rindiese a Kṛṣṇa o a Lenin, él debía rendirse. Él quedó sorprendido por esto.

Śyāmasundara: Estudiando historia, Marx concluyó que las características de cultura, estructura social e incluso los pensamientos de la gente están determinados por los medios de producción económica.

Śrīla Prabhupāda: ¿Cómo explica él el desorden social en países como los Estados Unidos, el cual es tan avanzado en producción económica?

Śyāmasundara: Él dice que el capitalismo es una forma decadente de producción económica porque depende de la explotación de una clase por otra.

Śrīla Prabhupāda: Pero también existe explotación en los países comunistas. Khrushchev fue alejado del poder porque él explotaba su posición. Él dio grandes puestos en el gobierno a su hijo y a su yerno.

Śyāmasundara: Él se desvió de la doctrina.

Śrīla Prabhupāda: Pero ya que cualquier líder puede desviarse, ¿cómo se alcanzará la perfección? Primero la persona en el centro debe ser perfecta, entonces sus órdenes serán correctas. En caso contrario, si los líderes son todos hombres imperfectos, ¿qué sentido tiene cambiar esto o aquello? La corrupción continuará.

Śyāmasundara: Posiblemente el líder perfecto sería alguien que hubiera practicado la filosofía de Marx sin desviación.

Śrīla Prabhupāda: ¡Pero la filosofía de Marx también es imperfecta! Su propuesta para una sociedad sin clases es impráctica. Debe existir una clase de hombres que administren el gobierno y una clase de hombres que barra las calles. ¿Cómo puede haber una sociedad sin clases? ¿Por qué un barrendero debería estar satisfecho viendo a otro en un puesto administrativo? Él pensará: «Él me está forzando a trabajar como un barrendero en la calle mientras está sentado confortablemente en un sillón». En nuestra Asociación Internacional, yo también estoy ocupando el puesto más elevado: Yo estoy sentado en un sillón, y ustedes me están ofreciendo guirnaldas y la mejor comida. ¿Por qué? Porque ustedes ven en mí a un hombre perfecto a quien pueden seguir. Esa mentalidad debe estar ahí. Todos en la sociedad deben ser capaces de decir: «Sí, él es un hombre perfecto. Dejen que se siente en un sillón, postrémonos todos y trabajemos como sirvientes». ¿Dónde está ese hombre perfecto en los países comunistas?

Śyāmasundara: Los rusos dicen que Lenin es un hombre perfecto.

Śrīla Prabhupāda: ¿Lenin? Pero nadie sigue a Lenin. La única perfección de Lenin fue que derrocó al gobierno del zar. ¿Qué otra perfección mostró él? La gente no es feliz simplemente leyendo los libros de Lenin. Yo estudié a la gente en Moscú. Ellos son infelices. El gobierno no puede forzarlos a estar contentos artificialmente. A menos que exista un hombre perfecto e ideal en el centro, no existe la posibilidad de una sociedad sin clases.

Śyāmasundara: Quizás ellos vean a los trabajadores y a los administradores de la misma manera en que los vemos nosotros, en el sentido absoluto. Siendo que todos están sirviendo al Estado, el barrendero es tan bueno como el administrador.

Śrīla Prabhupāda: Pero a menos que el Estado le dé perfecta satisfacción a la gente, siempre existirán distinciones entre las clases más elevadas y las más bajas. En el Estado ruso, este sentido de perfección en el centro está ausente.

Śyāmasundara: Su meta es la producción de bienes materiales para realizar el bienestar humano.

Śrīla Prabhupāda: Eso es inútil. La producción económica en Estados Unidos no tiene comparación en el mundo, aun así la gente no está satisfecha. La juventud está confusa. Es una tontería pensar que simplemente incrementando la producción todos quedarán satisfechos. Nadie estará satisfecho. El hombre no está destinado simplemente a comer. Él tiene necesidades mentales, necesidades intelectuales, necesidades espirituales. En India, mucha gente se sienta sola silenciosamente en la selva y practica *yoga*. Ellos no necesitan nada. ¿Cómo es que un incremento en la producción los satisfará? Si alguien dijese: «Si usted abandona esta práctica de *yoga*, yo le daré dos mil bolsas de arroz», ellos se reirán ante la propuesta. Es de animales pensar que simplemente incrementando la producción todos se sentirán satisfechos. La verdadera felicidad no depende de la producción ni del hambre, sino de la paz en la mente. Por ejemplo, si un niño llora pero la madre no sabe por qué lo hace, el niño no dejará de llorar simplemente al darle un poco de leche. A veces esto sucede realmente: la madre no puede entender por qué su niño está llorando, y aunque ella le da de mamar, él continúa llorando. Similarmente, la insatisfacción en la sociedad humana no es causada solamente por la baja producción económica. Eso es una tontería. Existen muchas causas de insatisfacción. El ejemplo práctico es Estados Unidos, donde existe suficiente producción de todo, sin embargo los jóvenes se están volviendo hippies. Ellos están insatisfechos, confundidos. No, tan solo por incrementar la producción económica la gente no se satisfará. El conocimiento de Marx es insuficiente. Él tuvo esa idea quizás porque venía de un país donde la gente estaba muriendo de hambre.

Śyāmasundara: Sí, ahora hemos visto que la producción de bienes materiales no hará que la gente sea feliz.

Śrīla Prabhupāda: Porque ellos no saben que la verdadera felicidad viene del entendimiento espiritual. Ese entendimiento se da en el *Bhagavad-gītā*: Dios es el disfrutador supremo, y Él es el propietario de todo. Nosotros realmente no somos los disfrutadores, somos todos trabajadores. Esas dos cosas deben estar ahí: un disfrutador y un trabajador. Por ejemplo, en nuestro cuerpo, el estómago es el disfrutador y todas las otras partes del cuerpo trabajan. Por eso este sistema es natural: siempre debe haber alguien que es el disfrutador y alguien que es el trabajador. También existe en el sistema capitalista. En Rusia siempre hay conflicto entre los administradores y los trabajadores. Los trabajadores dicen: «Si esta es una sociedad sin clases, ¿por qué ese hombre está sentado confortablemente y nos ordena trabajar?». Los rusos no fueron capaces de evitar este dilema, y no puede ser evitado. Debe haber una clase de hombres que sean los directores o disfrutadores y otra clase de hombres que sean los trabajadores. Por lo tanto, la única manera de tener una verdadera sociedad sin clases es encontrar el método por el cual tanto los administradores como los trabajadores sientan igual felicidad. Por ejemplo, si el estómago está hambriento y los ojos ven algo de comida, el cerebro dirá inmediatamente: «Oh, piernas, por favor, vayan allí» y «mano, levanta eso» y «ahora, por favor, llévalo a la boca». Inmediatamente la comida irá al estómago, y apenas el estómago esté satisfecho, los ojos estarán satisfechos, las piernas estarán satisfechas y la mano estará satisfecha.

Śyāmasundara: Marx usaba esto como un ejemplo perfecto de comunismo.

Śrīla Prabhupāda: Pero él ha negligenciado descubrir el verdadero estómago.

Śyāmasundara: El de él es el estómago material.

Śrīla Prabhupāda: Pero el estómago material está siempre hambriento; nunca puede satisfacerse. En el movimiento para la conciencia de Kṛṣṇa tenemos la sustancia que alimenta nuestros cerebros, nuestras mentes y nuestras almas. *Yasya prasādād bhagavat-prasādaḥ*. Si el maestro espiritual está satisfecho, entonces Kṛṣṇa está satisfecho, y si Kṛṣṇa está satisfecho entonces todos están satisfechos. Por lo tanto todos ustedes están tratando de satisfacer a su maestro espiritual. De modo similar, si los países comunistas pueden proponer un dictador que, estando satisfecho, automáticamente satisfaga a toda la gente, entonces aceptaremos esa sociedad sin clases. Pero esto es imposible. Una sociedad sin clases solo es posible cuando Kṛṣṇa está en el centro. Para la satisfacción de Kṛṣṇa, el intelectual puede trabajar a su propia manera, el administrador puede trabajar a su manera, el comerciante puede trabajar a su manera, y el trabajador puede trabajar a su manera. Eso es una verdadera sociedad sin clases.

Śyāmasundara: ¿En qué se diferencia esto de un país comunista, donde todas las clases de hombres contribuyen al mismo propósito central, el Estado?

Śrīla Prabhupāda: La diferencia es que si el Estado no es perfecto, nadie contribuirá voluntariamente con él. Ellos pueden ser forzados a contribuir, pero no contribuirán voluntariamente a menos que en el centro haya un Estado perfecto. Por ejemplo, las manos, las piernas y el cerebro trabajan en perfecta armonía para la satisfacción del estómago. ¿Por qué? Porque ellas saben sin duda que satisfaciendo al estómago todas compartirán la energía y también estarán satisfechas. Por lo tanto, a menos que la gente tenga este tipo de fe perfecta en el líder del país, no existe la posibilidad de una sociedad sin clases.

Śyāmasundara: Los comunistas sostienen que si el trabajador contribuye con el fondo común, él obtendrá satisfacción a cambio.

Śrīla Prabhupāda: Sí, pero si él ve que el centro es imperfecto, no trabajará entusiastamente porque no tendrá fe en que obtendrá completa satisfacción. Esa perfección del Estado nunca existirá, por lo tanto los trabajadores siempre estarán insatisfechos.

Śyāmasundara: Los propagandistas explotan esta insatisfacción diciéndole a la gente que es causada por los extranjeros.

Śrīla Prabhupāda: Pero si la gente estuviese verdaderamente satisfecha, ellos no podrían estar influidos por los intrusos. Si usted está satisfecho teniendo un maestro espiritual perfecto —que lo guía bien— ¿sería usted influido por intrusos?

Śyāmasundara: No.

Śrīla Prabhupāda: Debido a que el Estado comunista nunca será perfecto, no hay posibilidad de una sociedad sin clases.

Śyāmasundara: Marx examina la historia y ve que en los tiempos griegos, en los tiempos romanos, y en toda la Edad Media siempre se requirieron esclavos para producir.

Śrīla Prabhupāda: Los rusos también están creando esclavos: la clase trabajadora. José Stalin permaneció en el poder simplemente matando a sus enemigos. Él mató a tantos hombres que se lo considera el mayor criminal de la historia. Él ciertamente fue imperfecto, sin embargo, él mantuvo la posición de dictador, y la gente estaba forzada a obedecerlo.

Śyāmasundara: Sus seguidores lo denunciaron.

Śrīla Prabhupāda: Eso está bien, pero sus seguidores también deberían ser denunciados. El punto es que en cualquier sociedad debe haber un líder, debe haber directores y debe haber trabajadores, pero todos deberían estar tan satisfechos como para olvidar la diferencia.

Śyāmasundara: Sin envidia.

Śrīla Prabhupāda: Ah, sin envidia. Pero esa perfección no es posible en el mundo material. Por lo tanto, las teorías de Marx son inútiles.

Śyāmasundara: Pero por otro lado, los capitalistas también hacen esclavos a sus trabajadores.

Śrīla Prabhupāda: Dondequiera que haya actividad materialista, debe haber imperfección. Pero si ellos ponen a Kṛṣṇa en el centro, entonces todos los problemas serán resueltos.

Śyāmasundara: ¿Está diciendo usted que cualquier sistema de organización de los medios de producción está sujeto a estar plagado de explotación?

Śrīla Prabhupāda: ¡Sí, ciertamente, ciertamente! La mentalidad materialista significa explotación.

Śyāmasundara: Entonces, ¿cuál es la solución?

Śrīla Prabhupāda: Conciencia de Kṛṣṇa.

Śyāmasundara: ¿Cómo es eso?

Śrīla Prabhupāda: Tan solo ponga a Kṛṣṇa en el centro y trabaje para Él. Entonces todos estarán satisfechos. Como se afirma en el *Śrīmad-Bhāgavatam* (4.31.14):

yathā taror mūla-niṣecanena
tṛpyanti tat-skandha-bhujopaśākhāḥ
prāṇopahārāc ca yathendriyāṇāṁ
tathaiva sarvārhaṇam acyutejyā

Si usted simplemente riega la raíz de un árbol, todas las ramas, ramitas, hojas y flores serán nutridas. En forma similar, todos pueden estar satisfechos simplemente por *acyutejyā*. *Acyuta* significa Kṛṣṇa e *ijyā* significa adoración. Esta es la fórmula para una sociedad sin clases: Poner a Kṛṣṇa (Dios) en el centro y hacer todo para Él. No existen clases en nuestra Asociación Internacional para la Conciencia de Krishna. Ahora usted está escribiendo filosofía, pero si yo quiero que usted lave platos, usted lo hará inmediatamente porque usted sabe que cualquier cosa que usted hace, la hace para Kṛṣṇa y el maestro espiritual. En el mundo material diferentes clases de trabajo tienen diferentes valores, pero en la conciencia de Kṛṣṇa todo se hace en la plataforma absoluta. Ya sea que usted lave platos, escriba libros o adore a la Deidad, el valor es el mismo porque usted está sirviendo a Kṛṣṇa. Eso es una sociedad sin clases. Realmente, la sociedad perfecta sin clases es Vṛndāvana. En Vṛndāvana, algunos son vaqueritos, algunos son vacas, algunos son árboles, algunos son padres, algunos son madres, pero el centro es Kṛṣṇa, y todos están satisfechos simplemente amándolo. Cuando toda la gente se vuelva consciente de Kṛṣṇa y sepa cómo amarlo, entonces habrá una sociedad sin clases. De otro modo no es posible.

Śyāmasundara: La definición de Marx del comunismo es: «La propiedad común o pública de los medios de producción, y la abolición de la propiedad privada». En nuestra Asociación Internacional para la Conciencia de Krishna, ¿no tenemos la misma idea? Nosotros también decimos «Nada es mío». Nosotros también hemos abolido la propiedad privada.

Śrīla Prabhupāda: Mientras el comunista dice: «Nada es mío», él piensa que todo le pertenece al Estado. El Estado, sin embargo, es simplemente una extensión de lo «mío». Por ejemplo, si yo soy el jefe de una familia, yo podría decir: «Yo no quiero nada para mí mismo, sino que quiero muchas cosas para mis niños». Mahatma Gandhi, quien sacrificó tanto para sacar a los ingleses de la India, al mismo tiempo pensaba: «Yo soy un muy buen hombre, yo estoy haciendo un trabajo nacionalista». Por lo tanto, este mal llamado nacionalismo o el mal llamado comunismo es simplemente un egoísmo extendido. La cualidad sigue siendo la misma. El verdadero cambio ocurre cuando decimos: «Nada me pertenece, todo pertenece a Dios, Kṛṣṇa, por lo tanto yo debo usar todo en Su servicio». Eso es real.

Śyāmasundara: Marx dice que los capitalistas son parásitos viviendo a costa de los trabajadores.

Śrīla Prabhupāda: Pero los comunistas también están viviendo a costa de los trabajadores: los administradores están ganando grandes salarios, y los trabajadores comunes están insatisfechos. Verdaderamente, su sociedad atea está volviéndose más y más problemática. A menos que todos acepten a Dios como el único disfrutador, y a sí mismos simplemente como Sus sirvientes, siempre habrá conflicto. En un sentido más amplio, no hay diferencia entre los comunistas y los capitalistas, porque Dios no es aceptado como el supremo disfrutador y propietario en ninguno de los dos sistemas. Realmente ninguna propiedad pertenece a los comunistas ni a los capitalistas. Todo le pertenece a Dios.

Śyāmasundara: Marx condena a los capitalistas por lucrar. Él dice que lucrar es explotación y que los capitalistas están dedicados innecesariamente a la producción de artículos.

Śrīla Prabhupāda: Lucrar puede estar mal, pero esa tendencia disfrutadora siempre existe, tanto en un sistema comunista como en un sistema capitalista. En Bengala se dice que durante la estación del invierno los bichos no pueden salir debido al intenso frío. Debido a esto se secan al no poder chupar sangre. Pero apenas llega el verano, los bichos tienen la oportunidad de salir, entonces inmediatamente muerden a alguien y le chupan la sangre a su entera satisfacción. Nuestra mentalidad en este mundo material es la misma: explotar a otros para volvernos ricos. Ya sea que usted sea un comunista en el invierno o un capitalista en el verano, su tendencia es la de explotar a otros. A menos que exista un cambio en el corazón, esta explotación continuará.

Cierta vez, yo conocí a un trabajador de un molino quien había ganado algo de dinero. Luego, él se volvió el propietario del molino y tomó ventaja de su buena fortuna convirtiéndose en un capitalista. Henry Ford es otro ejemplo. Él era un mensajero, pero tuvo la oportunidad de volverse un capitalista. Existen muchos de tales casos. En mayor o menor grado la inclinación de explotar a otros y volverse rico siempre existe en la naturaleza humana. A menos que esta mentalidad cambie, no tiene sentido cambiar del capitalismo a una sociedad comunista. Vida material significa que todos están buscando alguna ganancia, alguna adoración, y alguna posición. Por medio de amenazas el Estado puede forzar a la gente a corregir esta tendencia, pero ¿por cuánto tiempo? ¿Pueden cambiar la mente de todos por la fuerza? No, es imposible. Por lo tanto, la propuesta de Marx no tiene sentido.

Śyāmasundara: Marx piensa que la mente de las personas puede ser cambiada por un condicionamiento forzado.

Śrīla Prabhupāda: Eso no es posible. Ni siquiera un niño puede ser convencido por la fuerza, que decir de un hombre educado y maduro. Nosotros tenemos el verdadero proceso para cambiar la mente de la gente: cantar el *mantra* Hare Kṛṣṇa. *Ceto-darpaṇa-mārjanam (Cc. Antya 20.12):* Este proceso limpia el corazón de los deseos materiales. Nosotros hemos visto que la gente en Moscú no es feliz. Ellos simplemente esperan otra revolución. Nosotros hablamos con un niño de la clase trabajadora que no estaba muy contento. Cuando una olla de arroz está hirviendo usted puede tomar un grano y apretarlo entre sus dedos, y si está caliente usted puede comprender que todo el arroz está hirviendo. Del mismo modo, nosotros podemos comprender la posición de la gente rusa mediante el ejemplo de ese niño. Nosotros también pudimos obtener más ideas al hablar con el profesor Kotovsky del Departamento de la India de la Universidad de Moscú. ¡Qué tonto fue! Él dijo que después de la muerte todo se termina. Si ese es su conocimiento, y si ese niño es una muestra de la ciudadanía, entonces la situación en Rusia es muy desoladora. Ellos pueden teorizar acerca de muchas cosas, pero no pudimos ni siquiera comprar suficientes comestibles en Moscú. No había vegetales, frutas o arroz, y la leche era de mala calidad. Si aquel caballero de Madras no hubiese contribuido con algo de legumbres y arroz, entonces prácticamente hablando hubiésemos pasado hambre. La dieta de los rusos parecía consistir solo de carne y licor.

Śyāmasundara: Los comunistas explotan esta idea de ganancia universal. El trabajador que produce más unidades en su fábrica es glorificado por el Estado o recibe un pequeño bono.

Śrīla Prabhupāda: ¿Por qué debería recibir un bono?

Śyāmasundara: Se lo dan como incentivo para que trabaje duro.

Śrīla Prabhupāda: Solo para justificar su tendencia a enseñorearse sobre otros y obtener una ganancia, sus superiores lo sobornan. Esta idea comunista rusa es muy buena, siempre y cuando los ciudadanos no quieran ninguna ganancia. Pero eso es imposible, porque todos quieren ganancia. El Estado no puede destruir esta tendencia, ni legalmente ni por la fuerza.

Śyāmasundara: Los comunistas tratan de centralizar todo —dinero, comunicaciones y transporte— en manos del Estado.

Śrīla Prabhupāda: Pero, ¿qué beneficio habrá en eso? Apenas toda la riqueza esté centralizada, los miembros del gobierno central se apoderarán de ella, como lo hizo Khrushchev. Todas estas ideas son inútiles mientras la tendencia a la explotación no se reforme. Los rusos han organizado su país de acuerdo a la teoría de Marx, sin embargo todos sus líderes se han vuelto engañadores. ¿Dónde tienen el plan para reformar esta tendencia engañadora?

Śyāmasundara: Su programa es cambiar primero la condición social, y luego según creen, la mentalidad corrupta cambiará automáticamente.

Śrīla Prabhupāda: Imposible. Tal represión causará simplemente una reacción en forma de otra revolución.

Śyāmasundara: ¿Usted está queriendo decir que la mentalidad de la gente debe ser cambiada primero, y luego habrá un cambio en la estructura social?

Śrīla Prabhupāda: Sí. Pero los líderes nunca serán capaces de entrenar a toda la gente a pensar que todo pertenece al Estado. Esta idea es simplemente una tontería utópica.

Śyāmasundara: Marx tiene otra frase: «La naturaleza humana no tiene realidad». Él dice que la naturaleza del hombre cambia a través de la historia de acuerdo con las condiciones materiales.

Śrīla Prabhupāda: Él no conoce la verdadera naturaleza humana. Es un hecho cierto que todo en esta creación cósmica o *jagat* está cambiando. Su cuerpo cambia diariamente. Todo está cambiando, así como las olas en el océano. Esta no es una filosofía muy avanzada. La teoría de Marx también está siendo cambiada; no puede durar. Pero el hombre tiene una naturaleza fundamental que nunca cambia: su naturaleza espiritual. Nosotros estamos enseñándole a la gente a llegar al plano de actuar de acuerdo a su naturaleza espiritual, la cual nunca cambiará. Actuar espiritualmente significa servir a Kṛṣṇa. Si tratamos de servir a Kṛṣṇa ahora continuaremos sirviendo a Kṛṣṇa cuando vayamos a Vaikuṇṭha, el mundo espiritual. Por lo tanto, el servicio amoroso al Señor Kṛṣṇa se denomina *nitya* o eterno. Como Kṛṣṇa dice en el *Bhagavad-gītā, nitya-yukta upāsate:* «Mis devotos puros Me adoran constantemente con devoción».

Los comunistas rechazan a Kṛṣṇa y lo reemplazan por el Estado. Entonces esperan que la gente piense: «Nada para mí; todo para el Estado». Pero la gente nunca aceptará esta idea. Es imposible; ¡dejemos que los sinvergüenzas lo intenten! Todo lo que ellos pueden hacer es tan solo forzar a la gente a trabajar como lo hizo Stalin. Apenas encontraba a alguien que le ofrecía oposición, le cortaba el cuello inmediatamente. La misma enfermedad todavía existe hoy en día, entonces ¿cómo puede tener éxito su programa?

Śyāmasundara: La idea de ellos es que la naturaleza humana no tiene realidad por sí misma. Es simplemente un producto del entorno material. De esa manera, poniendo a un hombre en la fábrica y haciendo que se identifique con el Estado y con algún logro científico, ellos creen que pueden transformarlo en una persona altruista.

Śrīla Prabhupāda: Pero debido a que él tiene envidia, la enfermedad básica, seguirá siendo egoísta. Cuando él vea que está trabajando tanto sin obtener ninguna ganancia, su entusiasmo se perderá inmediatamente. En Bengala existe un proverbio: «Como propietario yo puedo convertir la arena en oro, pero apenas deje de ser el propietario, el oro se convertirá en arena». La gente rusa está en esta posición. Ellos no son tan ricos como los europeos o los americanos, y debido a eso no son felices.

Śyāmasundara: En Rusia, uno de los métodos de las autoridades es hacerle creer a la gente que puede haber una guerra en cualquier momento. Entonces ellos piensan: «Debemos trabajar duro para proteger nuestro país».

Śrīla Prabhupāda: Si la gente no puede obtener ninguna ganancia de su trabajo, perderá eventualmente todo interés en el país. El hombre común pensará: «Trabajando o no, obtengo el mismo resultado. Yo no puedo alimentar y vestir adecuadamente a mi familia». Entonces él comenzará a perder su incentivo por trabajar. Un científico verá que a pesar de su alta posición, su esposa e hijos están vestidos como los trabajadores comunes.

Śyāmasundara: Marx dice que el trabajo industrial y científico es el tipo de actividad más elevada.

Śrīla Prabhupāda: Pero a menos que los científicos y los industriales reciban suficientes ingresos, ellos estarán poco dispuestos a trabajar para el Estado.

Śyāmasundara: La meta de los rusos es la producción de bienes materiales para el mejoramiento del bienestar humano.

Śrīla Prabhupāda: Su «bienestar humano» realmente significa: «Si usted no está de acuerdo conmigo yo le cortaré el cuello». Este es su «bienestar». Stalin tenía su idea de «bienestar humano», pero quienquiera que no concordara con su versión acerca de esto, era matado o encarcelado. Ellos pueden decir que unos pocos deben sufrir por el bien de muchos, pero hemos visto personalmente que Rusia no ha alcanzado ni felicidad general ni prosperidad. Por ejemplo, en Moscú ninguno de los grandes edificios ha sido construido recientemente. Son viejos y están destrozados, o apenas remozados. También, en los mercados la gente tenía que esperar largas filas para hacer las compras. Estos son los indicios de que las condiciones económicas son defectuosas.

Śyāmasundara: Marx consideró a la religión una ilusión que debe ser condenada.

Śrīla Prabhupāda: Las divisiones entre los diferentes tipos de fe religiosas puede que sean una ilusión, pero la filosofía de Marx también es una ilusión.

Śyāmasundara: ¿Quiere decir usted que no se está practicando?

Śrīla Prabhupāda: Durante los sesenta años de la revolución Rusa, su filosofía se ha desvirtuado. Por otro lado, el Señor Brahmā comenzó la religión védica hace muchísimos años atrás, y aunque los extranjeros han tratado de desbastarla durante los últimos dos mil años, todavía permanece intacta. La religión védica no es una ilusión, por lo menos no para la India.

Śyāmasundara: Esta es la afirmación más famosa de Marx acerca de la religión. Él dice: «Religión es el suspiro para la criatura oprimida, el corazón para el mundo descorazonado, así como es el espíritu de la situación desanimada. Es el opio de los pueblos».

Śrīla Prabhupāda: Él no sabe lo que es religión. Su definición es falsa. Los *Vedas* afirman que religión es el modo de actuar dado por Dios. Dios es un hecho, y Su ley también es un hecho. No es una ilusión. Kṛṣṇa da la definición de religión en el *Bhagavad-gītā* (18.66): *sarva-dharmān parityajya mām ekaṁ śaraṇaṁ vraja*. Rendirse a Dios, esto es religión.

Śyāmasundara: Marx cree que todo se produce por el esfuerzo económico y que la religión es una técnica inventada por la burguesía o los capitalistas para disuadir a las masas de la revolución, prometiéndoles una existencia mejor después de la muerte.

Śrīla Prabhupāda: Él mismo creó una filosofía que en el momento actual está imponiéndose por medio de la coerción y por la matanza.

Śyāmasundara: Y él prometió que en el futuro las cosas serían mejores. De modo que él es culpable de lo mismo por lo cual él condena a la religión.

Śrīla Prabhupāda: Como explicamos a menudo, religión es esa parte de nuestra naturaleza que es permanente, la cual no puede abandonarse. Nadie puede abandonar su religión. Y, ¿cuál es esa religión? Servicio. Marx desea servir a la humanidad haciendo prevalecer su filosofía. Por lo tanto esa es su religión. Todos están tratando de rendir algún servicio. El padre está tratando de servir a su familia, el jefe de Estado está tratando de servir a su país, y los filántropos están tratando de servir a toda la humanidad. Ya sea que usted sea Karl Marx, Stalin, Mahatma Gandhi, un hindú, un musulmán o un cristiano, usted debe servir. Debido a que ahora estamos rindiendo servicio a tanta gente y a tantas cosas, estamos confundidos. Por lo tanto, Kṛṣṇa nos aconseja abandonar todo este servicio y solo servirlo a Él:

sarva-dharmān parityajya
mām ekaṁ śaraṇaṁ vraja
ahaṁ tvāṁ sarva-pāpebhyo
mokṣayiṣyāmi mā śucaḥ

«Abandona todo tipo de servicio y solo ríndete a Mí. Yo te liberaré de todas las reacciones pecaminosas. No temas» (*Bg.* 18.66).

Śyāmasundara: Los comunistas —e incluso en cierta medida los capitalistas— creen que el servicio a la producción de bienes es el único servicio verdadero. Por lo tanto, ellos nos condenan porque nosotros no estamos produciendo algo tangible.

Śrīla Prabhupāda: ¿Cómo pueden condenarnos? Nosotros estamos sirviendo a la humanidad enseñando el conocimiento más elevado. Un juez de la Corte Suprema no produce ningún grano en el campo. Él se sienta en un sillón y gana 25 000 o 30 000 dólares. ¿Quiere decir eso que él no está rindiendo ningún servicio? Por supuesto que sí. La teoría de que uno no está rindiendo ningún servicio a menos que ejecute una tarea manual en la fábrica o en el campo simplemente beneficiaría al campesino y al trabajador. Es una filosofía de campesinos.

Hay una historia acerca de un rey y su primer ministro. Una vez los trabajadores asalariados del rey se quejaron: «Nosotros realmente estamos trabajando, y este ministro no hace nada, sin embargo usted le está pagando un gran salario. ¿Por qué?». El rey entonces llamó al primer ministro y también hizo traer un elefante. «Por favor, llévense este elefante y pésenlo», les dijo a sus trabajadores. Los trabajadores llevaron el elefante a todos los mercados, pero no pudieron encontrar una balanza tan grande como para pesar al animal. Cuando regresaron al palacio, el rey les preguntó: «¿Qué pasó?» Uno de los trabajadores respondió: «Señor, no pudimos encontrar una balanza tan grande como para pesar al elefante». Entonces el rey se dirigió a su primer ministro y le dijo: «¿Puedes llevarte a este elefante y pesarlo, por favor?». «Sí, señor», dijo el primer ministro, y se lo llevó. Él volvió a los pocos minutos y dijo: «Pesa 4 983 kilogramos». Todos los trabajadores quedaron sorprendidos. «¿Cómo pesó tan rápido al elefante?», preguntó uno de ellos. «¿Encontró una balanza tan grande?». El ministro respondió: «No. Es imposible pesar un elefante en una balanza. Yo fui al río, puse al elefante en un bote y marqué el nivel del agua. Luego de sacar al elefante fuera del agua, coloqué pesas en el bote hasta que alcanzó la misma marca. Entonces obtuve el peso del elefante». El rey dijo a sus trabajadores: «¿Ven ahora la diferencia?». Quien tiene inteligencia, tiene fuerza; los tontos y sinvergüenzas no. Marx y sus seguidores son simplemente tontos y sinvergüenzas. Nosotros no tomamos consejo de ellos; nosotros tomamos consejo de Kṛṣṇa o de Su representante.

Śyāmasundara: Entonces, ¿la religión no es simplemente una fuerza policial para mantener a la gente en ilusión?

Śrīla Prabhupāda: No. Religión significa servir al espíritu. Eso es religión. Todos están rindiendo servicio, pero nadie sabe dónde su servicio será más exitoso. Por lo tanto, Kṛṣṇa dice: «Sírveme y servirás a la sociedad espiritual». Eso es verdadera religión. Los marxistas quieren construir una supuesta sociedad perfecta sin religión, sin embargo hasta hoy en día, debido a que la India tiene una base religiosa, la gente de todo el mundo adora la India.

Śyāmasundara: Marx dice que Dios no creó al hombre; sino que el hombre creó a Dios.

Śrīla Prabhupāda: Eso es una tontería mayúscula. Por lo que él dice, yo puedo decir que él es un sinvergüenza y un tonto. Uno no puede entender que alguien es un tonto a menos que hable. Un tonto puede vestirse muy bien y sentarse como un caballero entre los caballeros, pero nosotros podemos distinguir a los tontos de los hombres eruditos cuando hablan.

Śyāmasundara: El seguidor de Marx fue Nikolai Lenin. Él fortaleció todas las ideas de Marx y agregó algunas propias. Él creía que la revolución es un hecho fundamental en la historia. Él dijo que la historia se mueve de a saltos, y que progresa hacia el vuelco comunista. Él quiso que Rusia se dirigiese hacia la dictadura del proletariado, a la cual denominó el estado final del desarrollo histórico.

Śrīla Prabhupāda: No. Nosotros podemos decir con seguridad —y ellos pueden anotarlo cuidadosamente— que después de la Revolución Bolchevique habrá muchas otras revoluciones, porque mientras la gente viva en el plano mental solamente habrá revolución. Nuestra propuesta es la de abandonar todas las invenciones mentales y llegar a la plataforma espiritual. Si uno se ubica en la plataforma espiritual, no habrá más revolución. Como dijo Dhruva Mahārāja: *nātaḥ paraṁ parama vedmi na yatra nādaḥ:* «Ahora que estoy viendo a Dios, estoy completamente satisfecho. Ahora se acabaron todos los tipos de procesos teóricos». Conciencia de Dios es la revolución final. En este mundo material habrá revoluciones repetidas a menos que la gente tome la conciencia de Kṛṣṇa.

Śyāmasundara: La revolución Hare Kṛṣṇa.

Śrīla Prabhupāda: El precepto védico es que la gente está buscando conocimiento, y que cuando uno comprende la Verdad Absoluta, comprende todo. *Yasmin vijñāte sarvam evaṁ vijñātaṁ bhavati (Muṇḍaka Upaniṣad* 1.3*)*. La gente está tratando de alcanzar un objetivo, pero ellos no saben que el objetivo final es Kṛṣṇa. Ellos simplemente tratan de hacer ajustes con muchas revoluciones materialistas. Ellos no tienen conocimiento de que son seres espirituales y que a menos que regresen al mundo espiritual y se asocien con el Espíritu Supremo, Dios, no tiene sentido hablar de felicidad. Nosotros somos como peces fuera del agua. Así como un pez no puede ser feliz a menos que esté en el agua, no podemos ser felices estando apartados del mundo espiritual. Nosotros somos partes integrales del Espíritu Supremo, Kṛṣṇa, pero hemos abandonado Su asociación y hemos caído del mundo espiritual debido a nuestro deseo de disfrutar de este mundo material. De modo que, a menos que volvamos a despertar la comprensión de nuestra posición espiritual y regresemos a casa, al mundo espiritual, nunca podremos ser felices. Nosotros podemos seguir teorizando durante muchas vidas, pero solo veremos una revolución tras otra. El viejo orden cambia, dejando su lugar al nuevo. En otras palabras, la historia se repite.

Śyāmasundara: Marx dice que siempre hay dos propiedades contrarias en la naturaleza material, y que la pulsación interna de las fuerzas opuestas hace que la historia salte de una revolución a otra. Él dice que la revolución comunista es la revolución final porque es la solución perfecta para todas las contradicciones sociales y políticas.

Śrīla Prabhupāda: Si la idea comunista es espiritualizada, entonces se volverá perfecta. Mientras la idea comunista siga siendo materialista, no podrá ser la revolución final. Ellos creen que el Estado es el propietario de todo. Pero el Estado no es el propietario; el verdadero propietario es Dios. Cuando ellos lleguen a esta conclusión, entonces la idea comunista será perfecta. Nosotros también tenemos una filosofía comunista. Ellos dicen que todo debe ser hecho para el Estado, pero en nuestra sociedad para la conciencia de Kṛṣṇa estamos realmente practicando el comunismo perfecto haciendo todo para Kṛṣṇa. Nosotros sabemos que Kṛṣṇa es el disfrutador supremo del resultado de todo trabajo *(bhoktāraṁ yajña-tapasām [Bg.* 5.29*])*. La filosofía comunista como se practica ahora es ambigua, pero puede volverse perfecta si aceptan la conclusión del *Bhagavad-gītā*, que Kṛṣṇa es el propietario supremo, el disfrutador supremo y el amigo supremo de todos. Entonces la gente será feliz. Ahora ellos no creen en el Estado, pero si la gente acepta a Kṛṣṇa como su amigo, ellos tendrán confianza perfecta en Él, así como Arjuna estaba perfectamente confiado en Kṛṣṇa en la Batalla de Kurukṣetra. La gran victoria de Arjuna y sus asociados en la Batalla de Kurukṣetra mostraron que su confianza en Kṛṣṇa estaba justificada:

yatra yogeśvaraḥ kṛṣṇo
yatra pārtho dhanur-dharaḥ
tatra śrīr vijayo bhūtir
dhruvā nītir matir mama

«Dondequiera que esté Kṛṣṇa, el amo de todos los místicos, y dondequiera que esté Arjuna, el arquero supremo, también habrá opulencia, victoria, poder extraordinario, y moralidad. Esa es mi opinión» (*Bg.* 18.78). Si Kṛṣṇa está en el centro de la sociedad, entonces la gente estará perfectamente segura y prosperará. La idea comunista es bienvenida, siempre y cuando ellos estén preparados para reemplazar el mal llamado Estado por Dios. Eso es religión.

Alma y psicoanálisis

Al presentar una perspectiva védica en psicología, Śrīla Prabhupāda comenta el tema con su discípulo Śyāmasundara, en la siguiente conversación grabada en Calcuta, el 5 de octubre de 1971. Śrīla Prabhupāda dice: «Por especular si pudo o no haber habido un trauma en la niñez, uno nunca será capaz de descubrir la enfermedad original... Él (Freud) no conocía el principio básico del entendimiento espiritual, que es que no somos estos cuerpos... Nosotros somos diferentes de estos cuerpos, y estamos transmigrando de un cuerpo a otro».

Śyāmasundara: La idea de Sigmund Freud era que muchos de los problemas psicológicos se producen por las experiencias traumáticas en la niñez o en la infancia. Su método de cura era hacer que el paciente tratase de recordar y analizar estos eventos dolorosos.

Śrīla Prabhupāda: Pero él no sabía que uno debe volverse otra vez un infante. Después de esta vida, uno será colocado en otro vientre, y las mismas experiencias traumáticas ocurrirán otra vez. Por lo tanto el deber del maestro espiritual y de los padres es salvar al niño de nacer nuevamente. La oportunidad de esta forma humana de vida es para que podamos entender las horribles experiencias del nacimiento, la muerte, la vejez y las enfermedades, y actuar de tal manera que no seamos forzados a pasar por las mismas cosas otra vez. Si no fuera así, después de la muerte tendremos que nacer en un vientre y sufrir las miserias repetidamente.

Śyāmasundara: Freud trató a mucha gente que sufría de neurosis. Por ejemplo, supongan que un hombre es sexualmente impotente. Al recordar su niñez, puede que recuerde alguna experiencia dolorosa con su padre o madre que hace que sea rechazado por las mujeres. De este modo él puede resolver el conflicto y llevar una vida sexual normal.

Śrīla Prabhupāda: Sin embargo, incluso en la supuesta condición normal, el placer derivado de la relación sexual es simplemente frustrante e insignificante. Para los hombres comunes apegados al modo de vida materialista, el único placer es la relación sexual. Pero los *śāstras* (las Escrituras védicas) dicen: *yan maithunādi-gṛhamedhi-sukhaṁ hi tuccham (Bhāg. 7.9.45):* el placer que se obtiene de la relación sexual se considera de décima clase. Debido a que no tienen idea del placer de la conciencia de Kṛṣṇa, los materialistas consideran la vida sexual como el placer más elevado. Y ¿cómo es que lo experimentan? Nosotros tenemos una picazón, y cuando nos rascamos, sentimos algún placer. Pero los efectos posteriores del placer sexual son abominables. La madre tiene que soportar dolores debido a su trabajo de parto, y el padre tiene que tomar la responsabilidad de criar a los niños y educarlos. Por supuesto, si uno es irresponsable como los gatos y los perros, eso es otra cosa. Pero para quienes realmente son caballeros, ¿no es penoso tener niños y criarlos? Ciertamente. Por lo tanto todos evitan tener niños por métodos anticonceptivos. Pero mucho mejor es seguir la afirmación de los *śāstras*: Simplemente trate de tolerar la picazón y evite semejante dolor. Esto es verdadera psicología. Esa picazón puede tolerarse si uno practica la conciencia de Kṛṣṇa. Entonces uno no estará muy atraído a la vida sexual.

Śyāmasundara: La filosofía de Freud es que la gente padece de neurosis o desórdenes en toda la personalidad —diversos conflictos y ansiedades— y que todos ellos se originan en el impulso sexual.

Śrīla Prabhupāda: Eso lo admitimos. Un ser viviente corporificado debe tener hambre, y debe tener un impulso sexual. Nosotros vemos que estos impulsos existen incluso en los animales.

Śyāmasundara: Freud decía que el yo trata de contener estos impulsos primitivos, y que todas las ansiedades surgen de este conflicto.

Śrīla Prabhupāda: Nuestra explicación es la siguiente: La vida materialista sin duda es muy penosa. Apenas uno adquiere un cuerpo material debe sufrir siempre las tres clases de miserias: las miserias ocasionadas por otros seres vivientes, las miserias ocasionadas por los elementos, y las miserias ocasionadas por su propio cuerpo y mente. Todo el problema consiste en cómo detener estas miserias y alcanzar la felicidad permanente. A menos que uno pare con este estilo de vida materialista, con sus triples miserias y los repetidos nacimientos y muertes, no hay posibilidad de felicidad.

Toda la civilización védica estaba basada en cómo curar esta enfermedad materialista. Si nosotros podemos curar esta enfermedad, sus síntomas desaparecerán automáticamente. Freud simplemente trataba con los síntomas de la enfermedad básica. Cuando usted tiene una enfermedad, a veces tiene dolores de cabeza, a veces le duelen las piernas, a veces usted tiene un dolor en el estómago, etc. Pero si su enfermedad se cura, entonces todos sus síntomas desaparecerán. Este es nuestro programa.

Śyāmasundara: En su teoría de psicoanálisis, Freud afirma que por recordar y analizar los traumas emocionales de nuestra niñez, podemos aliviar la tensión que ahora estamos sintiendo.

Śrīla Prabhupāda: ¿Cuál es la garantía de que uno no recibirá un trauma otra vez? Puede que él cure los resultados de un trauma, pero no existe garantía de que el paciente no recibirá otro. Por lo tanto el tratamiento de Freud es inútil. Nuestro programa es una cura total: no más traumas de ningún tipo. Si uno está situado en verdadera conciencia de Kṛṣṇa, uno puede enfrentar los más severos tipos de adversidades y permanecer completamente tranquilo. En nuestro movimiento para la conciencia de Kṛṣṇa estamos dando esta habilidad a la gente. Freud trata de curar las reacciones de una clase de trauma, pero surgirán otros traumas, uno tras otro. Así es como trabaja la naturaleza material. Si usted resuelve un problema, surge otro problema inmediatamente. Y si usted resuelve ese, viene otro. Mientras usted esté bajo el control de la naturaleza material, estos traumas repetidos vendrán. Pero si usted se vuelve consciente de Kṛṣṇa, no existen más traumas.

Śyāmasundara: La idea de Freud es que el instinto básico en la personalidad humana es el impulso sexual, o libido, y que si las expresiones de sexualidad de un niño son inhibidas, entonces su personalidad se altera.

Śrīla Prabhupāda: Todos tienen apetito sexual: esta tendencia es innata. Pero nuestro sistema de *brahmacarya* restringe la vida sexual de un niño desde los primeros estados de su desarrollo y desvía su atención a la conciencia de Kṛṣṇa. Como resultado existe muy poca posibilidad de que sufra tales desórdenes en la personalidad. En la época védica, los líderes de la sociedad sabían que si una persona se ocupaba en la vida sexual irrestrictamente, entonces la duración de su existencia en el mundo material se prolongaría. Él tendría que aceptar un cuerpo material vida tras vida. Por lo tanto, los *śāstras* ordenan que uno puede tener relaciones sexuales solo si está casado. De otro modo es ilícito. En nuestra Asociación para la Conciencia de Kṛṣṇa, nosotros prohibimos las relaciones sexuales ilícitas, pero no las autorizadas. En el *Bhagavad-gītā* (7.11) Kṛṣṇa dice: *dharmāviruddho bhūteṣu kamo 'smi bharatarṣabha*: «Yo soy la vida sexual que no está en contra de los principios religiosos». Esto significa que la vida sexual deber ser regulada. Todos tienen la tendencia a tener relaciones sexuales irrestrictas —y en los países occidentales realmente están teniéndolas— pero de acuerdo con el sistema védico, debe haber restricciones. Y no solo la vida sexual debe estar restringida sino también el comer carne, los juegos de azar y el beber. En nuestra Asociación para la Conciencia de Kṛṣṇa hemos eliminado todas esas cosas, y nuestros estudiantes occidentales se están volviendo devotos puros de Kṛṣṇa. La gente en general, sin embargo, debe por lo menos restringir estas actividades pecaminosas, como se explica en los *śāstras* védicos.

El sistema védico de *varṇāśrama-dharma* (cuatro órdenes sociales y cuatro órdenes espirituales) es tan científico que todo se ajusta automáticamente. La vida se vuelve muy pacífica y todos pueden progresar en la conciencia de Kṛṣṇa. Si el sistema védico es seguido por la sociedad humana, no existirán más disturbios mentales.

Śyāmasundara: Freud dice que la energía sexual no solo se expresa en el relaciones sexuales, sino que se asocia a una amplia variedad de sensaciones corporales disfrutables tales como el placer de la boca de comer y sorber.

Śrīla Prabhupāda: Esto se confirma en los *śāstras: yan maithunādi-gṛhamedhi-sukham (Bhāg. 7.9.45)*. El único placer en este mundo material es la vida sexual. La palabra *ādi* indica que el principio básico es *maithuna*, las relaciones sexuales. Todo el sistema de la vida materialista gira alrededor de este placer sexual. Pero este placer es como una gota de agua en el desierto. El desierto requiere de un océano de agua. Si usted encuentra una gota de agua en el desierto, usted puede decir con certeza: «Aquí hay algo de agua».

Pero ¿de qué sirve? Similarmente, existe ciertamente algún placer en la vida sexual, pero ¿qué valor tiene tal placer? Comparado con el ilimitado placer de la conciencia de Kṛṣṇa, es como una gota de agua en el desierto. Todos buscan un placer ilimitado, pero nadie está satisfecho. Ellos tienen relaciones sexuales de diversas maneras, y las muchachas jóvenes que caminan por la calle están casi desnudas. Toda la sociedad se degradó. Ahora la población femenina incrementó por todas partes, y toda mujer o muchacha trata de atraer al hombre. Los hombres se aprovechan de la situación. Hay un proverbio bengalí que dice: «Cuando la leche se consigue en el mercado, ¿qué sentido tiene tener una vaca?». Por eso los hombres declinan a mantener una esposa porque la vida sexual es muy barata. Ellos abandonan sus familias. Y cuanto los hombres más estén atraídos a las mujeres, más incrementará la población femenina del mundo.

Śyāmasundara: ¿Cómo resulta eso en más mujeres?

Śrīla Prabhupāda: Cuando los hombres tienen más relaciones sexuales, ellos pierden el poder de engendrar un varón. Si la mujer es sexualmente más potente, nace una niña, y cuando el hombre es más poderoso, nace un niño. Esta es la ciencia *āyur*-védica. Por ejemplo en el estado de Punjab en India, hay menos mujeres porque los hombres son muy robustos y fuertes. Cuando las mujeres están fácilmente disponibles, los hombres se vuelven débiles y engendran niñas. A veces ellos se vuelven impotentes. Si la vida sexual no se restringe, sobrevienen muchos desastres. Ahora estamos viéndolos realmente: impotencia, parejas solteras, incremento de la población femenina. Pero nadie sabe por qué suceden estas cosas o como la psicología humana puede ser controlada para evitarlas. Por eso ellos deben recurrir al perfecto sistema de la civilización védica.

Śyāmasundara: Freud dice que mientras el niño crece, comienza a aprender que al abandonar la complacencia sensorial inmediata, él puede obtener posteriormente un beneficio mayor.

Śrīla Prabhupāda: Pero incluso este supuesto beneficio es ilusorio, porque sigue basado en el principio del placer material. La única manera de abandonar enteramente estos placeres bajos es adoptar la conciencia de Kṛṣṇa. Como Kṛṣṇa dice en el *Bhagavad-gītā*

(2.59): *paraṁ dṛṣṭvā nivartate:* «Al experimentar un gusto superior, él fija su conciencia». Y como dijo Yāmunācārya: «Desde que he estado ocupado en el servicio amoroso trascendental a Kṛṣṇa, obteniendo siempre nuevo placer en él, siempre que pienso en el placer sexual, escupo en el pensamiento, y mis labios se fruncen de disgusto». Eso es la conciencia de Kṛṣṇa. Nuestra prescripción es que, en el comienzo de la vida, el niño debe ser educado a ser autocontrolado *(brahmacarya)*, y cuando él pasa los veinte años de edad, puede casarse. En el comienzo debe aprender cómo controlar sus sentidos. Si a un niño se le enseña cómo volverse santo, su semen se eleva al cerebro, y él es capaz de comprender los valores espirituales. Perder semen disminuye la inteligencia. Así que desde el comienzo, si él es un *brahmacārī*, y no desperdicia su semen, entonces él se volverá inteligente y fuerte y crecerá completamente.

Por falta de esta educación, el crecimiento cerebral y corporal de todos está impedido. Después de que el muchacho ha sido entrenado como un *brahmacārī*, si él todavía quiere disfrutar de la vida sexual, puede casarse. Pero debido a que él tiene completa fuerza corporal y cerebral, inmediatamente engendrará un niño. Y debido a que él ha sido entrenado desde la niñez a renunciar al disfrute materialista, cuando él tenga cincuenta años de edad puede retirarse de la vida de casado. En ese momento, naturalmente, su primer niño nacido tendrá veinticinco años, y él puede tomar la responsabilidad de casarse. La vida de casado es simplemente una licencia para la vida sexual, eso es todo. La vida sexual no es necesaria, pero al que no puede controlarse se le permite casarse y tener vida sexual. Este es el verdadero programa que salvará a la sociedad. Por especular si algún trauma pudo haber ocurrido o no en la niñez, uno nunca descubrirá la enfermedad original. El impulso sexual, como así también el impulso a intoxicarse y a comer carne, están presentes desde el mismo comienzo de la vida. Por lo tanto uno debe controlarse. De otro modo uno se enredará.

Śyāmasundara: El sistema occidental de criar niños parece artificial porque los padres o bien los reprimen muy severamente o no los restringen en absoluto.

Śrīla Prabhupāda: Eso no es bueno. El sistema védico consiste en darle al niño la dirección para que se vuelva consciente de Kṛṣṇa. Debe haber algo de represión pero nosotros usamos la represión de otro modo. Nosotros decimos que el niño debe levantarse temprano por la mañana, debe adorar a la Deidad en el templo, y cantar Hare Kṛṣṇa. Al comienzo, puede que sea necesario forzarlo. De otro modo, el niño no se habituará. Pero la idea es desviar su atención hacia las actividades de la conciencia de Kṛṣṇa. Entonces, cuando él comprenda que no es su cuerpo, todas las dificultades desaparecerán. En cuanto uno incrementa su conciencia de Kṛṣṇa, se vuelve negligente a todas estas cosas materiales. Por lo tanto la conciencia de Kṛṣṇa es el remedio primario, la panacea para todas las enfermedades.

Śyāmasundara: Freud dividió la personalidad en tres departamentos: el ego, el superego y el ello. El ello es el instinto irracional para el disfrute. El ego es la imagen que uno tiene de su propio cuerpo y es el instrumento de auto conservación. El superego representa las restricciones morales de parientes y otras autoridades.

Śrīla Prabhupāda: Es verdad que todos tienen algún egoísmo falso, o *ahaṅkāra.* Por ejemplo Freud pensaba que era austríaco. Eso es ego falso, o identificarse a sí mismo con el lugar de nacimiento. Nosotros estamos dándoles a todos la información de que esta identificación con el cuerpo material es ignorancia. Es solo debido a la ignorancia que yo pienso que soy americano, hindú o musulmán. Esto es egoísmo de calidad inferior. El egoísmo superior es: «Yo soy Brahman. Yo soy un eterno sirviente de Kṛṣṇa». Si a un niño se le enseña este egoísmo superior desde el comienzo, entonces automáticamente su falso egoísmo se detiene.

Śyāmasundara: Freud dice que el ego trata de preservar al individuo organizando y controlando las demandas irracionales del ello. En otras palabras, si el ello ve algo, por ejemplo comida, automáticamente demanda comerlo, y el ego controla ese deseo para preservar el individuo. El superego refuerza este control. De manera que estos tres sistemas están siempre en conflicto en la personalidad.

Śrīla Prabhupāda: Pero el principio básico es falso, ya que Freud no tiene idea de que el alma existe más allá del cuerpo. Él solo considera el cuerpo. Por lo tanto, él es un gran tonto. De acuerdo a la filosofía *bhāgavata*, cualquiera que esté en el concepto corporal de vida —cualquiera que identifique este cuerpo compuesto de moco, bilis y aire consigo mismo, como su propio yo— no es mejor que un asno.

Śyāmasundara: ¿Entonces esas interacciones del ello, el ego y el superego son todas interacciones corporales?

Śrīla Prabhupāda: Sí, son todas interacciones corporales sutiles. La mente es el primer elemento del cuerpo sutil. Los sentidos burdos son controlados por la mente, la cual a su vez es controlada por la inteligencia. Y la inteligencia es controlada por el ego. Entonces si el ego es falso, todo es falso. Si yo me identifico falsamente con mi cuerpo debido al ego falso, entonces cualquier cosa basada en esta idea falsa también es falsa. Esto se denomina *māyā* o ilusión. Toda la educación védica tiene como objetivo apartarlo a uno de esta falsa plataforma y ubicarlo en la verdadera plataforma de conocimiento espiritual llamada *brahma-jñāna.* Cuando uno llega a saber que uno es un alma espiritual, inmediatamente se vuelve feliz. Todos sus problemas se deben a la identidad falsa, y apenas el individuo comprende su verdadera identidad, el fuego ardiente de la existencia material se extingue automáticamente. Estos filósofos solo le describen a uno el fuego ardiente, pero nosotros estamos tratando de sacarlo completamente de la prisión ardiente del mundo material. Ellos pueden intentar hacerlo feliz dentro del fuego, pero ¿cómo pueden lograrlo? Uno debe ser salvado del fuego. Solo así será feliz. Este es el mensaje de Caitanya Mahāprabhu, y este es el mensaje de Kṛṣṇa en el *Bhagavad-gītā.* Freud identifica el cuerpo con el alma. Él no conoce el principio básico de la comprensión espiritual, el cual es que no somos nuestros cuerpos. Nosotros somos diferentes de nuestros cuerpos y estamos transmigrando de un cuerpo a otro. Sin este conocimiento, todas sus teorías están basadas en un malentendido.

No solo Freud sino todos en este mundo material están en ilusión. En Bengala, un psiquiatra del servicio civil una vez fue llamado para dar pruebas en un caso en el cual el asesino alegaba estar loco. El funcionario civil lo revisó para saber si él realmente estaba loco o si estaba sufriendo las consecuencias de una tensión intensa. En el tribunal, él dijo: «Yo he examinado a muchas personas, y he concluido que todos están locos en alguna medida. En este caso, si el acusado está alegando estar loco, entonces ustedes pueden absolverlo si quieren, pero por lo que yo sé, todos están más o menos locos». Y esta es también nuestra conclusión. Quienquiera que se identifique con su cuerpo material debe estar loco, porque su vida está basada en un error.

Śyāmasundara: Freud también investigó el problema de la ansiedad, la cual él dijo se producía cuando los impulsos del ello amenazan dominar el ego racional y el superego moral.

Śrīla Prabhupāda: La ansiedad continuará mientras uno esté en la condición material. Nadie puede estar libre de la ansiedad en la vida condicionada.

Śyāmasundara: ¿Se debe a que nuestros deseos siempre se frustran?

Śrīla Prabhupāda: Sí, sus deseos deben frustrarse porque usted desea algo que no es permanente. Supongan que yo quiero vivir para siempre, pero debido a que he aceptado un cuerpo material, no existe la posibilidad de vivir para siempre. Por lo tanto siempre estoy con ansiedad, ya que la muerte vendrá. Yo le tengo miedo a la muerte, a la destrucción del cuerpo. Esta es la causa de toda ansiedad: aceptar algo temporal como permanente.

Śyāmasundara: Freud dice que la ansiedad se desarrolla cuando el superego reprime los deseos primitivos del yo para proteger al ego. ¿Es saludable esta represión de los instintos?

Śrīla Prabhupāda: Sí. Para nosotros represión significa refrenarse de hacer algo que, a largo plazo, va en contra del propio bienestar. Por ejemplo, suponga que usted sufre de diabetes y el doctor le recomienda lo siguiente: «No coma ninguna comida dulce». Si usted desea comer dulces, debe reprimir ese deseo. Similarmente, en nuestro sistema de *brahmacarya* también existe represión. Un *brahmacārī* no debe sentarse con una mujer joven, ni siquiera mirarla. Él puede desear ver una mujer joven, pero debe reprimir ese deseo. Esto se denomina *tapasya* o represión voluntaria.

Śyāmasundara: Pero, ¿no se les da salida a estos deseos de alguna u otra forma? Por ejemplo, en vez de mirar una mujer hermosa, miramos la hermosa forma de Kṛṣṇa.

Śrīla Prabhupāda: Sí, ese es nuestro proceso: *paraṁ dṛṣṭvā nivartate (Bg.* 2.59*)*. Si usted tiene una mejor ocupación, usted puede abandonar una ocupación inferior. Cuando usted queda cautivado viendo la hermosa forma de Kṛṣṇa, naturalmente usted ya no tiene más deseos de ver la hermosa forma de una joven mujer.

Śyāmasundara: ¿Cuál es el efecto de las experiencias en la niñez en el desarrollo posterior de uno?

Śrīla Prabhupāda: Los niños imitan a quien se asocia con ellos. Todos ustedes conocen la película Tarzán. Él fue criado por los monos, y él tomó los hábitos de los monos. Si usted mantiene a los niños en buena asociación, su desarrollo psicólogo será muy bueno, se volverán como semidioses. Pero si usted les da mala asociación, ellos se volverán demonios. Los niños son una pizarra en blanco. Usted puede moldearlos como quiera, ellos están ansiosos por aprender.

Śyāmasundara: Entonces la personalidad de los niños ¿no se desarrolla de acuerdo a un padrón fijo?

Śrīla Prabhupāda: No. Usted puede moldearlos de cualquier manera, como una masa blanda. Según usted los ponga en el molde, ellos saldrán como *bharats, capātīs* o *kacaurīs* (diferentes tipos de panes hindúes). Por lo tanto, si usted les da a los niños buena asociación, se desarrollarán bien, y si usted les da mala asociación, se desarrollarán mal. Ellos no tienen una psicología independiente.

Śyāmasundara: Realmente Freud tenía, por el contrario, una visión pesimista de la naturaleza humana: él creía que todos nosotros estamos llenos de impulsos irracionales y caóticos que no pueden ser eliminados.

Śrīla Prabhupāda: Esto no solo es pesimismo, sino la evidencia de su escaso acopio de conocimiento. Él no tenía conocimiento perfecto, ni fue entrenado por un hombre perfecto. Por lo tanto ninguna de sus teorías tiene sentido.

Śyāmasundara: Él concluyó que era imposible ser feliz en este mundo material, pero que uno puede aliviar un poco sus conflictos a través del psicoanálisis. Él pensaba que uno puede tratar de hacer el sendero lo más agradable posible, pero siempre será problemático.

Śrīla Prabhupāda: Es verdad que uno no puede ser feliz en este mundo material. Pero si uno se eleva espiritualmente —si su conciencia cambia a conciencia de Kṛṣṇa— entonces será feliz.

Evolución real y ficticia

Los Ángeles, junio de 1972: Śrīla Prabhupāda afirma que la teoría de la evolución de Darwin no es conclusiva ni lógica. Pero la de Darwin no es la única teoría evolutiva. Los Vedas explican que el progreso del alma está dirigido por un progreso evolutivo. «Nosotros aceptamos la evolución —dice Śrīla Prabhupāda—, pero no que las formas de las especies estén cambiando. Los cuerpos ya existen, pero el alma evoluciona cambiando de cuerpos y transmigrando de un cuerpo a otro... El error de los evolucionistas es que ellos no tienen información acerca del alma».

Devoto: Darwin trató de mostrar cómo el origen de las especies vivientes podría ser explicado mediante la acción mecánica y casual de las fuerzas naturales. Mediante el proceso que denominó «selección natural», todas las formas de vida complejas y más elevadas evolucionaron gradualmente a partir de las más primitivas y rudimentarias. En una determinada población animal. Por ejemplo, algunos individuos tendrán rasgos que hacen que ellos se adapten mejor a su ambiente; estos individuos más aptos sobrevivirán transfiriendo sus rasgos favorables a sus crías. Los que no son aptos serán gradualmente eliminados en forma natural. De ese modo, un clima frío favorecerá los que tienen, digamos, pelo largo o complexión obesa, entonces las especies evolucionarán gradualmente en esa dirección.

Śrīla Prabhupāda: La pregunta es que si en el desarrollo del cuerpo existe algún plan para que un tipo particular de cuerpo —con, como usted dijo, complexión obesa o pelo largo— deba existir bajo ciertas condiciones naturales, ¿quién hizo ese plan? Esa es la pregunta.

Devoto: Nadie. Los evolucionistas modernos apoyan sus teorías básicamente en la existencia de variaciones casuales.

Śrīla Prabhupāda: Eso es una tontería. No existe tal cosa como casualidad. Si ellos dicen «casualidad», entonces son unos tontos.

Nuestra pregunta sigue vigente. ¿Quién ha creado las diferentes circunstancias para que existan diferentes clases de animales?

Devoto: Por ejemplo, una rana puede poner miles de huevos, pero de entre todos ellos solo unos pocos sobrevivirán. Aquellos que lo hacen son más aptos que el resto. Si el ambiente no seleccionase favorablemente a los más aptos, entonces habría demasiadas ranas.

Śrīla Prabhupāda: Sí, las ranas y muchos otros animales ponen huevos de a cientos. Una serpiente engendra muchas serpientes por vez, y si le fuese permitido existir a todas, habría muchos problemas. Por lo tanto, las serpientes grandes se devoran a las serpientes pequeñas. Esa es la ley de la naturaleza. Pero detrás de la ley de la naturaleza hay un cerebro. Esa es nuestra propuesta. La ley de la naturaleza no es ciega, porque detrás de ella hay un cerebro, y ese cerebro es Dios. Nosotros aprendemos esto del *Bhagavad-gītā* (9.10): *mayādhyakṣeṇa prakṛtiḥ sūyate sa-carācaram*. Todo lo que ocurre en la naturaleza material está siendo ordenado por el Señor Supremo, quien mantiene todo en orden. La serpiente pone huevos en gran cantidad, y si muchos de ellos no fueran destruidos, el mundo estaría inundado de serpientes. Similarmente, los tigres machos matan a los cachorros. La teoría económica de Malthus afirma que dondequiera que haya superpoblación, debe haber un brote de guerra, epidemia, hambruna, o algo para contenerla. Estas actividades naturales no ocurren por casualidad sino que son planeadas. Quien diga que ocurren por casualidad no tiene suficiente conocimiento.

Devoto: Pero Darwin tiene una gran cantidad de evidencias.

Śrīla Prabhupāda: ¿Evidencias? Esto está bien. Nosotros también tenemos evidencias. Las evidencias deben existir. Pero apenas hay una evidencia, no debería hablarse de «casualidad».

Devoto: Por ejemplo, de entre millones de ranas, puede que una esté mejor adaptada a vivir en el agua.

Śrīla Prabhupāda: ¡Pero eso no es por casualidad! ¡Eso es debido a un plan! Él no sabe eso. Apenas alguien dice «casualidad», eso significa que su conocimiento es imperfecto. Un hombre dice casualidad cuando él no tiene una explicación. Es una evasiva. De modo que la conclusión es que él no tiene conocimiento perfecto y por lo tanto es incapaz de dar algún conocimiento. Él está engañando, eso es todo.

Devoto: Bueno, Darwin ve un «plan» o «diseño» en un sentido, pero...

Śrīla Prabhupāda: Si él ve un plan o diseño, entonces ¿de quién es? Apenas usted reconoce un diseño, usted debe reconocer un diseñador. Si usted ve un plan entonces usted debe aceptar un organizador. Eso él no lo sabe.

Devoto: Pero el «plan» es solo el trabajo involuntario de la naturaleza.

Śrīla Prabhupāda: Tonterías. Existe un plan. El Sol sale diariamente de acuerdo a un cálculo exacto. Él no sigue nuestro cálculo; sino que nosotros calculamos basados en el Sol. Experimentando que en tal y tal estación el Sol aparece a tal y tal hora, nosotros aprendemos que, de acuerdo a la estación, el Sol aparece exactamente al minuto, al segundo. No es por capricho o por casualidad sino debido a un plan minucioso.

Devoto: ¿Pero no se puede decir que es solo mecánico?

Śrīla Prabhupāda: Entonces, ¿quién lo hizo mecánico? Si algo es mecánico, entonces tiene que haber un técnico, un cerebro que haya hecho la máquina. Aquí hay algo mecánico (Śrīla Prabhupāda señala una máquina telegráfica): ¿Quién la hizo? Esta máquina no apareció por sí misma. Está hecha de hierro, y el hierro no se moldeó por sí solo para convertirse en una máquina; hay un cerebro que hizo posible la máquina. Todo en la naturaleza tiene un plan o diseño, y detrás de ese plan hay un cerebro, un cerebro muy grande.

Devoto: Darwin trató de hacer que la aparición y desaparición de las formas vivientes parezca tan natural e involuntaria que Dios quedase fuera de escena. La teoría de la evolución hace parecer que la combinación de ingredientes materiales creó vida y luego varias especies evolucionaron naturalmente una a partir de la otra.

Śrīla Prabhupāda: Eso es una tontería. Combinación significa Dios. Dios está combinando. La combinación no sucede automáticamente. Suponga que yo estoy cocinando. Hay muchos ingredientes listos para cocinar pero ellos no se mezclan por sí solos. Yo soy el cocinero, y al cocinar yo combino mantequilla, especies, arroz, lentejas, etc.; de esta manera se preparan platos sabrosos. Similarmente, la combinación de ingredientes en la naturaleza requiere de Dios. De otro modo ¿cómo llega el momento en que ocurre la combinación? Usted coloca todos los ingredientes en la cocina y en una hora vuelve y dice: «Eh, ¿dónde está mi comida?». Es una tontería. ¿Quién cocinará su comida? Usted tendrá hambre. Pero ayudados por un ser viviente, cocinaremos y podremos comer. Esta es nuestra experiencia. Si existe combinación, entonces ¿quién está combinando? Ellos son tontos por no saber cómo ocurre la combinación.

Devoto: Los científicos dicen ahora que la vida surgió de cuatro elementos básicos: carbono, hidrógeno, nitrógeno y oxígeno.

Śrīla Prabhupāda: Si el principio básico son los elementos químicos, ¿quién los hizo? Esa pregunta debe formularse.

Devoto: ¿No es posible que la ciencia descubra algún día la fuente de esos elementos químicos?

Śrīla Prabhupāda: No es cuestión de descubrir; la respuesta ya es conocida, aunque puede que usted no la conozca. Nosotros la conocemos. El *Vedānta* dice: *janmādy asya yataḥ:* la fuente original de todo es Brahman, Kṛṣṇa *(Bhāg.* 1.1.1*)*. Kṛṣṇa dice: *ahaṁ sarvasya prabhavo mattaḥ sarvaṁ pravartate:* «Yo soy el origen de todo» (*Bg.* 10.8*)*. Nosotros sabemos que hay un gran cerebro haciéndolo todo. Nosotros lo sabemos. Puede que los científicos no lo sepan, esa es su locura.

Devoto: Ellos podrían decir lo mismo acerca de nosotros.

Śrīla Prabhupāda: No, ellos no pueden decir lo mismo acerca de nosotros. Nosotros aceptamos a Kṛṣṇa, pero no ciegamente. Nuestros predecesores, los grandes *ācāryas* y los escolásticos eruditos, han aceptado a Kṛṣṇa como el origen de todo, nosotros no estamos siguiendo ciegamente. Nosotros decimos que Kṛṣṇa es el origen de todo, pero ¿qué pueden decir los científicos? Apenas uno dice «casualidad», eso significa que no tiene conocimiento. Nosotros no decimos «casualidad». Nosotros tenemos una causa original, pero ellos dicen «casualidad». Por lo tanto, ellos no tienen conocimiento.

Devoto: Ellos tratan de detectar el origen por medio de excavaciones. Y han encontrado que a través de los años las formas animales están evolucionando gradualmente hacia formas más complejas y especializadas, de invertebrados a peces, luego a anfibios, luego a reptiles e insectos, a mamíferos y pájaros, y finalmente a humanos. En ese proceso florecieron muchas especies, como los dinosaurios, luego desaparecieron para siempre, se extinguieron. Eventualmente, aparecieron criaturas primitivas semejantes al mono, y de ellas gradualmente se desarrolló el hombre.

Śrīla Prabhupāda: ¿Es la teoría de que el cuerpo humano proviene de los monos?

Devoto: Humanos y monos están relacionados. Ellos vienen del mismo...

Śrīla Prabhupāda: ¿Relacionados? Todo está relacionado; eso es otra cosa. Pero si el cuerpo del mono da origen a un cuerpo humano, entonces ¿por qué después de que el cuerpo humano se desarrolla, las especies de monos no dejan de existir?

Devoto: Los humanos y los monos son ramas del mismo árbol.

Śrīla Prabhupāda: Sí, y ambos existen ahora. Similarmente, decimos que existían seres humanos en el momento en que los evolucionistas dicen que comenzó la vida.

Devoto: Ellos no encuentran evidencia de eso.

Śrīla Prabhupāda: ¿Por qué no hay evidencia?

Devoto: En el suelo. Excavando. No encuentran evidencia en el suelo.

Śrīla Prabhupāda: ¿El suelo es la única evidencia? ¿No hay otra evidencia?

Devoto: La única evidencia que ellos aceptan es el testimonio de sus sentidos.

Śrīla Prabhupāda: Pero ellos sin embargo no pueden probar que no hubo ser «humano» en el momento en que ellos dicen que se originó la vida. Ellos no pueden probar eso.

Devoto: Parece que en ciertos estratos de la tierra hay restos de los hombres mono...

Śrīla Prabhupāda: Hombres mono o monos hombre todavía existen hoy, juntamente con los seres humanos. Si una cosa ha sido desarrollada por la transformación de otra cosa, entonces tal cosa original no debería existir más. Cuando de este modo una causa ha producido su efecto, la causa deja de existir. Pero en este caso vemos que la causa todavía está presente, ya que todavía existen monos y simios.

Devoto: Pero los monos no dieron origen al hombre, ambos provienen del mismo antecesor común. Esa es su explicación.

Śrīla Prabhupāda: Nosotros decimos que todo viene de Dios, el mismo antecesor, el mismo padre. El padre original es Kṛṣṇa. Como Kṛṣṇa dice en el *Bhagavad-gītā* (14.4): *sarva-yoniṣu kaunteya:* «De todas las formas que existen»... *ahaṁ bīja-pradaḥ pitā:* «Yo soy el padre que aporta la simiente». De modo que, ¿cuál es su objeción a esto?

Devoto: Bueno, si yo examino las capas de la tierra, no encuentro evidencia en las capas más profundas...

Śrīla Prabhupāda: Usted está tapado con las capas de tierra, eso es todo. Ese es el límite de su conocimiento. Pero eso no es conocimiento; existen muchas otras evidencias.

Devoto: Pero seguramente, si los hombres hubiesen vivido millones de años atrás, habrían dejado evidencias, evidencias tangibles detrás de ellos. Yo podría ver sus remanentes.

Śrīla Prabhupāda: Yo digo que en la sociedad humana los cuerpos son quemados después de la muerte, incinerados. ¿De dónde obtendrá los huesos su excavador?

Devoto: Bueno, eso es posible pero...

Śrīla Prabhupāda: De acuerdo con nuestro sistema védico, el cuerpo se quema a cenizas después de la muerte. ¿De dónde entonces obtendrían los huesos esos sinvergüenzas? Los animales no son quemados, sus huesos permanecen. Pero los seres humanos son quemados, por lo tanto, ellos no pueden encontrar sus huesos.

Devoto: Yo solo digo que parece que mediante una capa de depósitos tras otra, esas formas biológicas tienden a progresar desde las formas simples y primitivas a formas más y más complejas y especializadas, hasta que, finalmente, aparece el hombre civilizado.

Śrīla Prabhupāda: Pero en el momento actual existen tanto las formas simples como las complejas. Una no se desarrolló a partir de la otra. Por ejemplo mi cuerpo de niño se ha convertido en mi cuerpo adulto, y el cuerpo de niño no existe más. De modo que si las especies más elevadas y complejas se desarrollaron a partir de las especies más bajas y más simples, entonces no deberíamos ver especies simples. Pero todas las especies existen ahora simultáneamente.

Cuando yo veo todas las 8 400 000 especies de vida existiendo, ¿qué sentido tiene hablar de desarrollo? Cada especie existe ahora, y existió hace mucho tiempo atrás. Puede que usted no lo haya visto, pero usted no tiene una fuente de conocimiento apropiada. Puede que usted la haya perdido. Eso es otra cosa.

Devoto: Pero toda la evidencia muestra lo contrario. Hace quinientos millones de años atrás no había animales terrestres, había solo acuáticos.

Śrīla Prabhupāda: Eso no tiene sentido. ¡Usted no puede conocer la historia de hace quinientos millones de años atrás! ¿Dónde está la historia de hace quinientos millones de años atrás? Usted simplemente está imaginando. Usted dice «evidencia histórica», pero ¿dónde está su evidencia? Usted no puede dar un registro histórico de más de tres mil años, y usted habla de quinientos millones de años. Nada de eso tiene sentido.

Devoto: Si yo excavo profundo en el suelo, capa por capa...

Śrīla Prabhupāda: ¿Por medio de la tierra usted calcula quinientos millones de años? Podrían ser diez años. Usted no puede dar la historia de la sociedad humana pasados tres mil años, de modo que, ¿cómo puede hablar de cuatrocientos o quinientos millones de años atrás? ¿Dónde estaba usted entonces? ¿Estaba aquí como para poder decir que todas estas especies no estaban allí? Esto es imaginación. De esta manera todos pueden imaginar y decir alguna tontería.

Nosotros aceptamos la evolución, pero no que las formas de las especies estén cambiando. Los cuerpos ya existen, pero el alma evoluciona cambiando de cuerpos y transmigrando de un cuerpo a otro. Yo he evolucionado desde mi cuerpo de niño a mi cuerpo de adulto, y ahora mi cuerpo infantil no existe más. Pero existen muchos otros niños. En forma similar, todas las especies están existiendo ahora simultáneamente, y todas ellas existían en el pasado. Por ejemplo, si usted viaja en un tren, usted encuentra primera clase, segunda clase, tercera clase; todas existen. Si usted paga un precio más alto y entra en el coche de primera clase, usted no puede decir: «Ahora se creó la primera clase». Siempre existe. El defecto de los evolucionistas es que no tienen información acerca del alma. El alma evoluciona, transmigra, de un lugar a otro, simplemente cambia de lugar. El *Paḍma Purāṇa* dice que existen 8 400 000 especies de vida, y que el alma evoluciona a través de ellas. Nosotros aceptamos este proceso evolutivo: el alma evoluciona desde los seres acuáticos a las plantas, a los insectos, a los pájaros, a los animales, y luego a las formas humanas. Pero todas esas formas ya existen. Ellas no cambian. No es que una se extingue y otra sobrevive. Todas ellas existen simultáneamente.

Devoto: Pero Darwin dice que hay muchas especies, como los dinosaurios, que se extinguieron.

Śrīla Prabhupāda: ¿Qué es lo que él vio? Él no es tan poderoso como para ver por todas partes o todo. Su poder de visión es limitado y por medio de ese poder limitado él no puede concluir que una especie está extinguida. Eso no es posible. Ningún científico aceptará eso. Después de todo, todos los sentidos por medio de los cuales uno obtiene conocimiento son limitados, por lo tanto ¿cómo puede usted decir que esto se terminó o se extinguió? Usted no puede verlo. Usted no puede descubrirlo. La circunferencia de la Tierra tiene veinticinco mil millas; ¿ha investigado usted todas las capas de rocas y de tierra por todo el planeta? ¿Ha excavado usted todos esos lugares?

Devoto: No.

Śrīla Prabhupāda: Por lo tanto nuestro primer cargo contra Darwin es este: Él dice que no había seres humanos millones de años atrás. Eso no es un hecho. Nosotros ahora vemos seres humanos existiendo simultáneamente con otras especies, y debería concluirse que esta situación siempre existió. La vida humana siempre ha existido. Darwin no puede decir que no hubo vida humana.

Devoto: Nosotros no vemos que existan dinosaurios.

Śrīla Prabhupāda: Usted no ve porque no tiene poder para ver. Sus sentidos son muy limitados, de modo que lo que usted vea o deje de ver no puede ser autoritativo. Por eso mucha gente, la mayoría de la gente, dice: «Yo no veo a Dios». ¿Aceptaremos entonces que Dios no existe? ¿Somos locos por ser devotos de Dios?

Devoto: No, pero los dinosaurios...

Śrīla Prabhupāda: Por el hecho de que los dinosaurios hayan desaparecido no puede llegar a una conclusión. ¿Qué dice de las otras especies?

Devoto: Muchas, muchas otras también se extinguieron.

Śrīla Prabhupāda: Digamos que yo acepto que muchas se extinguieron, ya que el proceso evolutivo significa que mientras una especie anterior gradualmente cambia a una especie posterior, la anterior desaparece, se extingue. Pero vemos que todavía existen muchos monos. El hombre evolucionó de los simios, pero los simios no desaparecieron. Los monos están aquí, y los hombres también.

Devoto: Pero yo todavía no estoy convencido. Si hacemos investigaciones geológicas por todo el mundo, no solo aquí y allá, sino en muchas partes del mundo, y en cada caso encontramos lo mismo...

Śrīla Prabhupāda: Pero yo digo que no ha estudiado todo el mundo. ¿Fueron estudiados por Darwin todos los continentes de este planeta? ¿Se sumergió en las profundidades del océano y excavó allí todas las capas de tierra? No. Por lo tanto, su conocimiento es imperfecto. Este es el mundo relativo; y aquí todos hablan con conocimiento relativo. Por lo tanto, deberíamos aceptar el conocimiento de una persona que no esté dentro de esta relatividad.

Devoto: Realmente, Darwin descubrió su teoría basándose en lo que observó en su viaje de 1835 a las Islas Galápagos, cerca de la costa de Sudamérica. Allí él encontró especies que no existían en otra parte.

Śrīla Prabhupāda: Eso significa que él no ha visto todas las especies. No ha viajado por todo el universo. Él ha visto una isla, pero no vio la creación completa. De manera que, ¿cómo puede determinar qué especies existen y cuáles no? Él ha estudiado una parte de esta Tierra, pero existen muchos millones de planetas. Él no los ha visto a todos; no ha excavado en las profundidades de todos los planetas. De modo que, ¿cómo puede concluir, «esto es la naturaleza»? Él no ha visto todo, ni es posible para ningún ser humano verlo todo.

Devoto: Remitámonos a este planeta.

Śrīla Prabhupāda: No, ¿por qué? La naturaleza no es solo este planeta.

Devoto: Porque usted dijo que millones y millones de años atrás sobre este planeta había seres vivientes de formas complejas.

Śrīla Prabhupāda: Nosotros no hablamos acerca de este planeta, sino acerca de todos. Usted se refiere a la naturaleza. La naturaleza no está limitada o confinada a este planeta. Usted no puede decir eso. La naturaleza, la naturaleza material incluye millones de universos, y en cada uno y todos los universos existen millones de planetas. Si usted ha estudiado solo este planeta, su conocimiento es insuficiente.

Devoto: Pero usted dijo antes que millones de años atrás en este planeta había caballos, elefantes, hombres civilizados...

Śrīla Prabhupāda: Si, sí.

Devoto: Pero de cientos de fuentes diferentes no existe evidencia.

Śrīla Prabhupāda: Yo digo que ahora existen hombres, caballos, serpientes, insectos, árboles. ¿Por qué no millones de años atrás?

Devoto: Porque no hay evidencia.

Śrīla Prabhupāda: ¡Eso no significa!... Usted limita su estudio a un planeta. Eso no es conocimiento completo.

Devoto: Yo solo quiero encontrar por el momento...

Śrīla Prabhupāda: ¿Por qué por el momento? Si usted no es perfecto en su conocimiento, entonces ¿por qué yo debería aceptar su teoría? Ese es mi punto.

Devoto: Bueno, si usted dice que millones de años atrás había formas de vida complejas en este planeta...

Śrīla Prabhupāda: Ya sea en este planeta o en otro planeta, ese no es el punto. El punto es que todas las especies existen y siguen existiendo por arreglo de la naturaleza. Nosotros aprendemos de los textos védicos que existen 8 400 000 especies establecidas. Ellas pueden estar en su barrio o en mi barrio, el número y los tipos son fijos. Pero si usted simplemente estudia su barrio, eso no es conocimiento perfecto. Nosotros aceptamos la evolución. Pero su teoría evolutiva no es perfecta. Nuestra teoría de la evolución es perfecta. De los *Vedas* sabemos que existen 8 400 000 formas de cuerpos provistos por la naturaleza, pero el alma es la misma en todos, a pesar de los diferentes tipos de cuerpos. No existe cambio para el alma, y por lo tanto el *Bhagavad-gītā* (5.18) dice que un sabio, un *paṇḍita*, no ve las especies o la clase, él ve unidad, igualdad. *Paṇḍitāḥ sama-darśinaḥ (Bg.* 5.18*)*. Quien mira con profundidad ve el alma, y no encuentra diferencias entre todas estas especies.

Devoto: De manera que, Darwin y los otros científicos materiales que no tenían información acerca del alma...

Śrīla Prabhupāda: Ellos están perdidos.

Devoto: Ellos dicen que todas las cosas vivas tienden a evolucionar de las más bajas a las más elevadas. En la historia de la Tierra...

Śrīla Prabhupāda: Eso puede aceptarse. Por ejemplo, en un edificio de departamentos existen diferentes clases de departamentos: departamentos de primera clase, departamentos de segunda clase, departamentos de tercera clase. De acuerdo con su deseo y aptitud para pagar el alquiler, a usted le es permitido mudarse a mejores departamentos. Pero los diferentes departamentos ya existen. No evolucionan. Los residentes evolucionan mudándose a nuevos departamentos según su deseo.

Devoto: Según su deseo.

Śrīla Prabhupāda: Sí. De acuerdo a nuestra mentalidad en el momento de la muerte, nosotros obtenemos otro «departamento», otro cuerpo. Pero el «departamento» ya existe, no es que yo esté creando el «departamento».

Y los tipos de «departamentos» están fijos en 8 400 000. Así como el hotelero: él tiene experiencia de que sus clientes vienen y piden diferentes comodidades. Por eso él dispone de toda clase de comodidades para complacer a sus clientes. Análogamente, esta es la creación de Dios. Él sabe dónde puede llegar una entidad viviente con el pensamiento, así que él ha hecho todas las entidades vivientes de acuerdo a ello. Cuando Dios piensa: «Vamos, ven aquí», la naturaleza otorga. *Prakṛteḥ kriyamāṇāni guṇaiḥ karmāṇi* (*Bg.* 3.27): La naturaleza da facilidades. Dios, Kṛṣṇa, está sentado en el corazón de la entidad viviente como Paramātmā, y él sabe: «Él quiere esto». Por lo tanto El Señor ordena a la naturaleza: «Dale este departamento», y la naturaleza concede: «Sí, ven aquí, aquí está tu departamento». Esta es la verdadera explicación.

Devoto: Yo entiendo y acepto eso. Pero todavía estoy perplejo por el hecho de que no hay evidencia geológica de que en épocas anteriores había formas más complejas en este planeta.

Śrīla Prabhupāda: ¿Por qué usted toma la evidencia geológica como decisiva? ¿Es decisiva acaso? La ciencia progresa. Usted no puede decir que es decisiva.

Devoto: Pero yo excavé por todas partes del mundo, y cada vez...

Śrīla Prabhupāda: No. Usted no ha excavado por todas partes del mundo.

Devoto: Bueno, en siete continentes.

Śrīla Prabhupāda: Siete continentes no es todo el mundo. Usted dice que ha excavado todo el mundo, pero nosotros decimos que no, ni siquiera una porción insignificante. Por eso, su conocimiento es limitado. El Dr. Rana examinó su pozo de un metro de ancho, y ahora dice que conoce el océano.

El conocimiento experimental siempre es imperfecto, porque uno experimenta con sentidos imperfectos. Por lo tanto, el conocimiento científico debe ser imperfecto. Nuestra fuente de conocimiento es diferente. Nosotros no dependemos del conocimiento experimental.

Ahora usted no ve dinosaurios, ni yo he visto todas las 8 400 000 diferentes formas de vida. Pero mi fuente de conocimiento es diferente. Usted es un experimentador con sentidos imperfectos. Yo he tomado conocimiento de la persona perfecta, quien ha visto todo, quien conoce todo. Por lo tanto, mi conocimiento es perfecto.

Digamos que, por ejemplo, yo recibo conocimiento de mi madre: «Este es tu padre». Pero usted está tratando de encontrar a su padre por sí mismo. Usted no se dirige a su madre para preguntarle; usted solo investiga e investiga. Por lo tanto, no importa cuánto investigue usted, su conocimiento siempre será imperfecto.

Devoto: Y su conocimiento dice que millones de años atrás había formas de vida más elevadas en este planeta.

Śrīla Prabhupāda: Oh, sí, porque nuestra información védica dice que el primer ser creado es el más inteligente, la persona más intelectual dentro del universo: el Señor Brahmā, el ingeniero cósmico. Entonces ¿cómo podemos aceptar su teoría de que el intelecto se desarrolla por evolución? Nosotros hemos recibido nuestro conocimiento védico de Brahmā, quien es tan perfecto.

El Dr. Rana estudió su pozo de un metro, su pequeño depósito de agua. El océano Atlántico también es un depósito de agua, pero existe una gran diferencia. El Dr. Rana no puede informarnos acerca del océano Atlántico. Pero nosotros tomamos conocimiento de quien ha hecho el océano Atlántico. Nuestro conocimiento es perfecto.

Devoto: Pero, ¿no habría evidencia en el suelo, algunos restos?

Śrīla Prabhupāda: Nuestra evidencia es inteligencia, no piedras y huesos. Nuestra evidencia es inteligencia. Nosotros obtenemos información védica por sucesión discipular desde el más inteligente. Desciende por *śruti*, recepción auditiva. Vyāsadeva escuchó de Nārada, Nārada escuchó de Brahmā, millones y millones de años atrás. Millones y millones de nuestros años pasaron y ni siquiera es un día de Brahmā. Por lo tanto millones, billones y trillones de años no nos sorprenden, porque eso ni siquiera es un día de Brahmā. Pero Brahmā nació de Kṛṣṇa, y esta filosofía inteligente existió en nuestro universo desde el día en que Brahmā nació. Brahmā fue primero educado por Dios, y su conocimiento ha descendido hasta nosotros en la literatura védica. Nosotros obtenemos esa inteligente información en los *Vedas*.

Pero esos supuestos científicos y filósofos que no siguen este sistema de conocimiento descendente, que no aceptan el conocimiento así recibido de autoridades superiores —ellos no pueden tener ningún conocimiento perfecto, no importa qué trabajo de investigación realicen con sus sentidos burdos. Cualquier cosa que digan, la tomamos como imperfecta.

Nuestro método es diferente al de ellos. Ellos están buscando huesos muertos, nosotros estamos buscando cerebros vivos. Este punto debe señalarse. Ellos tratan con huesos muertos y nosotros tratamos con cerebros vivos. Entonces, ¿qué método debería ser considerado como el mejor?

Apéndices

La conciencia de Kṛṣṇa en el hogar

Según lo expresado en este libro, queda claro cuán importante es para todo el mundo la práctica de la conciencia de Kṛṣṇa, el servicio devocional al Señor Kṛṣṇa. Por supuesto que vivir en la asociación de los devotos de Kṛṣṇa en un templo, o *āśrama*, facilita la práctica del servicio devocional. Pero si usted es determinado, puede seguir en su propia casa las enseñanzas de la conciencia de Kṛṣṇa y así convertir su hogar en un templo.

Tanto la vida espiritual, como la vida material, constan de actividades prácticas. La diferencia es que, mientras que las actividades materiales las realizamos para nuestro propio beneficio o para el de aquellos a quienes consideramos nuestros, las actividades espirituales que realizamos son para el beneficio del Señor Kṛṣṇa, bajo la guía de las Escrituras y del maestro espiritual *(guru)*. La clave es aceptar la guía de las Escrituras y del *guru*. Kṛṣṇa declara en el *Bhagavad-gītā* que una persona no puede conseguir la felicidad ni el destino supremo de la vida —ir de vuelta a casa, de vuelta al Señor Kṛṣṇa— si no sigue los preceptos de las Escrituras. ¿Cómo seguir dichas reglas ocupándose en el servicio práctico al Señor? Eso es explicado por un maestro espiritual genuino. Sin seguir las instrucciones de un maestro espiritual que se encuentre en una cadena autorizada de sucesión discipular proveniente del propio Señor Kṛṣṇa, no podemos progresar en la vida espiritual. Las prácticas aquí descritas conforman el intemporal proceso del *bhakti-yoga*, enseñado por el máximo maestro espiritual y representante de la conciencia de Kṛṣṇa de nuestro tiempo: Su Divina Gracia A.C. Bhaktivedanta Swami Prabhupāda, fundador *ācārya* de la Asociación Internacional para la Conciencia de Krishna (ISKCON).

El propósito del conocimiento espiritual es acercarnos a Dios, Kṛṣṇa. Kṛṣṇa dice en el *Bhagavad-gītā* (18.55): *bhaktyā māṁ abhijānāti:* «Yo solo puedo ser conocido mediante el servicio devocional». El conocimiento de la ciencia de la devoción nos guía para actuar de manera apropiada.

El conocimiento espiritual nos conduce a satisfacer los deseos de Kṛṣṇa a través de ocupaciones prácticas en Su servicio amoroso. Sin una aplicación práctica, el conocimiento teórico tiene poco valor. El conocimiento espiritual está hecho para orientarnos en todos los aspectos de la vida. Por lo tanto, deberíamos esforzarnos en organizar nuestras vidas de tal manera que podamos seguir lo más posible las enseñanzas de Kṛṣṇa. Deberíamos tratar de hacer lo mejor, hacer más que solo lo indispensable. Entonces podremos elevarnos al estado trascendental de la conciencia de Kṛṣṇa, aunque vivamos lejos del templo.

Cantar Hare Kṛṣṇa

El principio básico en el servicio devocional es el canto del *mahā-mantra* Hare Kṛṣṇa (*mahā* significa «grande» y *mantra* significa «sonido que libera a la mente de la ignorancia»):

Hare Kṛṣṇa, Hare Kṛṣṇa, Kṛṣṇa Kṛṣṇa, Hare Hare
Hare Rāma, Hare Rāma, Rāma Rāma, Hare Hare

Usted puede cantar estos santos nombres del Señor en cualquier parte y en cualquier momento, pero lo mejor es reservar algún momento específico del día para cantar regularmente. Las primeras horas de la mañana son ideales.

El canto puede hacerse de dos maneras: cantando el *mantra* sonoramente, lo cual se denomina *kīrtana* (en general se ejecuta en grupo), o repitiendo el *mantra* para uno mismo, lo cual se llama *japa* (que literalmente significa «hablar de modo suave»). Concéntrese en escuchar el sonido de los santos nombres. Mientras cante, pronuncie los nombres clara y diferenciadamente, dirigiéndose a Kṛṣṇa en actitud de rezo. Cuando su mente divague, tráigala de nuevo al sonido de los nombres del Señor. El canto es una oración al Señor Kṛṣṇa que significa: «¡Oh, energía del Señor (Hare)!, ¡oh, Señor todo atractivo (Kṛṣṇa)!, ¡oh, supremo disfrutador (Rāma)!, por favor, ocúpame en Tu servicio». Cuanto más atento y sincero sea en el canto de estos nombres de Dios, más progresará en la vida espiritual.

Ya que Dios es todopoderoso y todo misericordioso, Él —afectuosamente— ha hecho que cantar Sus nombres nos resulte algo muy fácil de hacer, y también ha investido en ellos todos Sus poderes. Por lo tanto, los nombres de Dios y el propio Dios son idénticos. Esto significa que cuando cantamos los santos nombres, Kṛṣṇa y Rāma, nos asociamos directamente con Dios y nos purificamos. Por eso siempre deberíamos intentar cantar con devoción y reverencia. La literatura védica afirma que el Señor Kṛṣṇa está bailando personalmente en la lengua de quien canta Sus santos nombres.

Cuando cante solo, es mejor que lo haga en rosarios de *japa*, o meditación (disponibles en las direcciones dadas al final de este libro). Esto no solo lo ayudará a fijar su atención en el santo nombre, sino que también le ayudará a contar la cantidad de veces que canta el *mantra* diariamente. Cada rosario tiene 108 cuentas pequeñas y una grande, la principal. Comience con la cuenta más próxima a la principal y muévala con suavidad entre los dedos pulgar y mayor de su mano derecha, mientras recita el *mantra* completo. Entonces pase a la siguiente cuenta y repita el proceso. De esta manera, cante en cada una de las 108 cuentas hasta que llegue otra vez a la principal. A esto se le llama «ronda de *japa*». Luego, sin cantar en la cuenta principal, gire el rosario de tal manera que la última cuenta en la que cantó sea la primera de su segunda ronda.

Los devotos iniciados hacen, ante el maestro espiritual, el voto de cantar por lo menos 16 rondas del *mahā-mantra* Hare Kṛṣṇa todos los días. Pero incluso si usted solo puede cantar una ronda por día, el principio es que una vez que se proponga a sí mismo cantar esa ronda, debería tratar de completarla sin falta cada día. Cuando sienta que puede cantar más, en ese caso, incremente el número mínimo de rondas que canta cada día, pero no cante menos que eso. Usted puede cantar más rondas que las que ha fijado, pero debería mantener fijo un número mínimo cada día. Tenga en cuenta que la *japa* es sagrada y por esta razón nunca debería tocar el suelo ni ser puesta en lugares sucios. Para mantener sus cuentas limpias, es mejor llevarlas en una bolsita especial para *japa*, también disponibles en nuestros centros.

Además de cantar *japa*, puede cantar los santos nombres del Señor en *kīrtana*. Puede ejecutar *kīrtana* en forma individual, pero en general se realiza con otras personas. Un *kīrtana* melodioso, con familiares o amigos, seguramente alegrará a todos. Los devotos de ISKCON usan melodías e instrumentos tradicionales de India, especialmente en el templo; pero usted puede cantar con cualquier melodía y usar cualquier instrumento musical para acompañar su canto. Como dijo el Señor Caitanya: «No hay reglas estrictas para cantar Hare Kṛṣṇa». Tal vez le interese saber que en nuestros centros disponemos de grabaciones de *kīrtana* para el público.

Instalando el altar

Usted encontrará que la *japa* y el *kīrtana* son más efectivos cuando se cantan frente al altar. El Señor Kṛṣṇa y Sus devotos puros son tan amables que nos permiten adorarlos incluso a través de sus imágenes. Es como enviar por correo una carta: usted no logrará que una carta llegue a su destino colocándola en cualquier caja en la calle; debe usar el buzón autorizado por el gobierno. Similarmente, no podemos imaginarnos una forma de Dios y adorarla, sino que debemos adorar la imagen autorizada de Dios. Kṛṣṇa aceptará nuestra adoración a través de tal retrato.

Instalar un altar en casa significa recibir al Señor y a Sus devotos puros como los más honorables huéspedes que usted haya tenido. ¿Dónde debería instalar el altar? Bueno, ¿dónde ofrecería usted asiento a un invitado? Un lugar ideal estaría limpio, bien iluminado, libre de disturbios hogareños. Su invitado, por supuesto, necesitará una silla confortable; pero para el cuadro de Kṛṣṇa, un estante en la pared o la repisa de una chimenea, una mesa esquinera o el estante superior de una biblioteca, será suficiente.

Por otro lado, usted no recibiría a un huésped en casa y luego lo ignoraría; va a tener que sentarse en algún lugar también, donde pueda estar cómodamente cerca de él y disfrutar de su compañía. Por eso, instale su altar en un lugar accesible.

¿Qué necesita para armar su altar? Esto es lo esencial:

1. Un cuadro de Śrīla Prabhupāda.
2. Un cuadro del Señor Caitanya y Sus asociados.
3. Un cuadro de Śrī Śrī Rādhā Kṛṣṇa.

Además, puede que precise algún pequeño mantel, vasitos para el agua (uno para cada cuadro), candelabros con velas, un plato exclusivo para ofrecer alimentos, una campanilla, incienso, un portaincienso y flores frescas, que pueden ser ofrecidas en floreros o simplemente ser colocadas delante de cada cuadro. Si le interesa una adoración más elaborada, consulte en nuestros centros, personalmente o por carta.

La primer persona a quien adoramos en el altar es el maestro espiritual. El maestro espiritual no es Dios. Solo Dios es Dios. Pero porque el maestro espiritual es Su sirviente más querido, Dios lo ha apoderado, y por consiguiente merece el mismo respeto que le es dado a Dios. Él vincula al discípulo con Dios y le enseña el proceso del *bhakti-yoga*. Él es el embajador de Dios en el mundo material. Cuando un presidente envía un embajador a un país extranjero, el embajador recibe el mismo respeto que el presidente, y las palabras del embajador son tan autoritativas como las del presidente. Similarmente, deberíamos respetar al maestro espiritual como a Dios y respetar sus palabras como respetaríamos las de Él.

Hay dos tipos principales de *gurus*: el *guru* instructor y el *guru* iniciador. Cualquiera que tome el proceso del *bhakti-yoga* como resultado de contactarse con ISKCON, tiene una inmensa deuda de gratitud con Śrīla Prabhupāda. Antes de que Śrīla Prabhupāda dejara la India, en 1965, para difundir la conciencia de Kṛṣṇa en todas partes, casi nadie en el Occidente sabía nada acerca de la práctica del servicio devocional puro al Señor Kṛṣṇa. Por lo tanto, cualquiera que haya aprendido el proceso a través de sus libros y publicaciones, sus cintas o el contacto con sus seguidores, debería honrar a Śrīla Prabhupāda. Como fundador y guía espiritual de la Asociación Internacional para la Conciencia de Krishna, él es el *guru* instructor de todos nosotros.

A medida que usted progrese en el *bhakti-yoga*, puede que con el tiempo quiera recibir iniciación. Antes de abandonar este mundo, en 1977, Śrīla Prabhupāda autorizó un sistema por el cual algunos devotos avanzados y aptos continuarían su trabajo iniciando discípulos, de acuerdo con sus instrucciones. Actualmente, en ISKCON hay varios maestros espirituales. Para saber cómo contactarse con ellos y obtener guía espiritual, pregúntele a un devoto del templo más cercano, o escriba una carta al presidente de uno de los centros de ISKCON de la lista que figura al final de este libro.

El segundo cuadro en su altar debería ser el del Pañca-tattva, o sea, el Señor Caitanya y sus cuatro asociados principales. El Señor Caitanya es la encarnación de Dios para esta era. Él es Kṛṣṇa Mismo, que descendió en la forma de Su propio devoto para enseñarnos cómo rendirnos a Él, específicamente mediante el canto de Sus santos nombres y la ejecución del proceso del *bhakti-yoga*. El Señor Caitanya es la encarnación más misericordiosa, pues Él hace que el amor por Dios sea fácil de obtener por medio del canto del *mantra* Hare Kṛṣṇa.

Y, por supuesto, su altar debería tener un cuadro de la Suprema Personalidad de Dios, el Señor Śrī Kṛṣṇa, con su consorte eterna, Śrīmatī Rādhārāṇī. Śrīmatī Rādhārāṇī es la potencia espiritual de Kṛṣṇa. Ella es el servicio devocional personificado y los devotos siempre se refugian en Ella para aprender cómo servir a Kṛṣṇa.

Puede disponer los cuadros formando un triángulo, con el de Śrīla Prabhupāda a la izquierda, el del Señor Caitanya y Sus asociados a la derecha y el de Rādhā y Kṛṣṇa (que en lo posible debería ser un poco más grande que los otros) en una plataforma un poco más elevada, en el centro y atrás. O puede colgar el cuadro de Rādhā y Kṛṣṇa en la pared, arriba.

Limpie el altar cuidadosamente todas las mañanas. La limpieza es esencial en la adoración a la Deidad. Recuerde, usted no dejaría de limpiar el cuarto de un invitado importante y, al instalar un altar, está invitando a Kṛṣṇa y a Sus devotos puros a que residan en su hogar como los huéspedes más exaltados. Si tiene vasitos, enjuáguelos y llénelos con agua fresca todos los días. Luego, colóquelos convenientemente cerca de los cuadros. Debe cambiar las flores de los floreros apenas estén marchitas, o a diario si las ofrece al pie de los cuadros. Por lo menos una vez al día debe ofrecer incienso y, si le es posible, coloque velas encendidas cerca de los cuadros cuando cante frente al altar.

Por favor, intente llevar a cabo las cosas que hemos sugerido hasta ahora. Es muy simple, de verdad: Si trata de amar a Dios, gradualmente se dará cuenta de cuánto Él lo ama a usted. Esa es la esencia del *bhakti-yoga*.

Prasādam: cómo comer espiritualmente

Mediante Sus inmensas energías trascendentales, Kṛṣṇa de hecho puede convertir materia en espíritu. Si ponemos al fuego una barra de hierro, muy pronto la barra se pondrá al rojo vivo y actuará tal como si fuera fuego. De la misma manera, los alimentos preparados y ofrecidos a Kṛṣṇa con amor y devoción se espiritualizan completamente. Tales alimentos son llamados Kṛṣṇa-*prasādam*, que significa «la misericordia del Señor Kṛṣṇa».

Comer *prasādam* es una práctica fundamental del *bhakti-yoga*. En otras formas de *yoga* uno debe reprimir los sentidos artificialmente, pero en el *bhakti-yogī* puede ocupar sus sentidos en diversas actividades espirituales placenteras, tales como saborear deliciosos alimentos ofrecidos al Señor Kṛṣṇa. De esta manera, los sentidos se espiritualizan gradualmente y le dan al devoto más y más placer trascendental por estar dedicados al servicio devocional. Tal placer espiritual supera ampliamente cualquier clase de experiencia material.

El Señor Caitanya dijo del *prasādam*: «Ya todos han probado antes estos alimentos. No obstante, ahora que han sido preparados para Kṛṣṇa y ofrecidos a Él con devoción, estos alimentos han adquirido sabores extraordinarios y fragancias poco comunes. Tan solo saboréenlos y vean la diferencia en la práctica. Aparte del sabor, incluso la fragancia complace la mente y lo hace a uno olvidar cualquier otra fragancia. Por lo tanto, debería entenderse que el néctar espiritual de los labios de Kṛṣṇa debe haber tocado estos alimentos comunes y otorgado a ellos todas Sus cualidades trascendentales».

Comer únicamente alimentos ofrecidos a Kṛṣṇa es la perfección del vegetarianismo. En sí mismo, ser vegetariano no es suficiente; después de todo, incluso los caballos y los monos son vegetarianos. Pero más allá del vegetarianismo, en una dieta de *prasādam*, nuestro comer se transforma en una ayuda para alcanzar la meta de la vida humana: redespertar la relación original del alma con Dios. En el *Bhagavad-gītā*, el Señor Kṛṣṇa dice que a menos que uno solamente coma alimentos que hayan sido ofrecidos a Él en sacrificio, uno sufrirá las reacciones del *karma*.

Cómo preparar y ofrecer prasādam

Mientras camina por los pasillos del supermercado seleccionando los alimentos que ofrecerá a Kṛṣṇa, necesita saber qué se puede ofrecer y qué no. El Señor Kṛṣṇa dice en el *Bhagavad-gītā*: «Si alguien Me ofrece con amor y devoción una hoja, una flor, una fruta o agua, Yo la aceptaré». De este verso se entiende que podemos ofrecer a Kṛṣṇa alimentos preparados con productos lácteos, vegetales, frutas, nueces y granos (puede escribir a nuestros centros y pedir alguno de los libros de cocina Hare Kṛṣṇa). La carne, el pescado y los huevos no son apropiados para ser ofrecidos. Algunos vegetales tampoco son convenientes: el ajo, la cebolla, por ejemplo, que están en la modalidad de la oscuridad (el hing, o asafétida, es un sabroso sustituto de estos y puede encontrarse en nuestros centros). Tampoco se pueden ofrecer a Kṛṣṇa café o té que contengan cafeína. Si le gustan estas bebidas, compre café descafeinado y té de hierbas.

Cuando salga de compras, sea consciente de que puede encontrar carne, pescado o huevos mezclados con otros alimentos; así que asegúrese de leer con cuidado las etiquetas. Por ejemplo, algunas marcas de yogur utilizan gelatina, sustancia hecha a partir de cuernos, pezuñas y huesos de animales de matadero. También tenga en cuenta que el queso que compre no contenga cuajo, una enzima extraída del tejido estomacal de terneros provenientes de los mataderos. La mayoría de los quesos duros contiene cuajo, por eso, tome la precaución de verificar que el queso que usted compre no lo tenga.

También evite los alimentos cocinados por no devotos. De acuerdo con las leyes sutiles de la naturaleza, el cocinero actúa sobre el alimento de manera no solo física sino también mental. Alimentos así se vuelven un agente de influencias sutiles sobre su conciencia. El principio es el mismo que con una pintura: esta no es simplemente un conjunto de trazos sobre una tela, sino una expresión del estado mental del artista, que causa un efecto en el ánimo de quien la ve. Así que si usted come alimentos cocinados por no devotos (empleados trabajando en un restaurante o en una fábrica, por ejemplo), seguramente absorberá una dosis de materialismo y *karma*. Por estas razones y tanto como sea posible, use solo ingredientes frescos y naturales.

Al preparar alimentos, la limpieza es el principio más importante. Nada impuro debe ofrecérsele a Dios; de modo que mantenga muy limpia su cocina. Lave siempre sus manos con cuidado antes de entrar a la cocina. No pruebe los alimentos mientras los esté preparando, ya que no está cocinando para usted, sino para el placer de Kṛṣṇa. Coloque porciones del alimento en una vajilla destinada especialmente para este propósito; a excepción del Señor, nadie debería comer directamente de estos platos. La manera más fácil de ofrecer los alimentos es simplemente orar: «Mi querido Señor Kṛṣṇa, por favor, acepta estos alimentos», y cantar cada una de las siguientes oraciones 3 veces, mientras se hace sonar una campanilla:

1. Oración a Śrīla Prabhupāda:

nama oṁ viṣṇu-pādāya kṛṣṇa-preṣṭhāya bhū-tale
śrīmate bhaktivedānta-svāmin iti nāmine
namas te sārasvate deve gaura-vāṇī-pracāriṇe
nirviśeṣa-śūnyavādi-pāścātya-deśa-tāriṇe

«Ofrezco respetuosas reverencias a Su Divina Gracia A.C. Bhaktivedanta Swami Prabhupāda, quien es muy querido por el Señor Kṛṣṇa por haberse refugiado a Sus pies de loto. Nuestras respetuosas reverencias son para ti, ¡oh, maestro espiritual!, sirviente de Bhaktisiddhānta Sarasvatī Gosvāmī. Tú estás predicando bondadosamente el mensaje del Señor Caitanyadeva y lo estás difundiendo en los países occidentales, que están llenos de impersonalismo y nihilismo».

2. Oración al Señor Caitanya:

namo mahā-vadānyāya
kṛṣṇa-prema-pradāya te
kṛṣṇāya kṛṣṇa-caitanya-
nāmne gaura-tviṣe namaḥ

«¡Oh, encarnación más generosa! Tú eres Kṛṣṇa Mismo apareciendo como Śrī Kṛṣṇa Caitanya Mahāprabhu. Has asumido el color dorado de Śrīmatī Rādhārāṇī y estás distribuyendo profusamente amor puro por Kṛṣṇa. Te ofrecemos respetuosas reverencias».

3. Oración al Señor Kṛṣṇa:

namo brahmaṇya-devāya
go-brāhmaṇa-hitāya ca
jagad-dhitāya kṛṣṇāya
govindāya namo namaḥ

«Ofrezco respetuosas reverencias al Señor Kṛṣṇa, quien es la Deidad adorable de todos los *brāhmaṇas*, el bienqueriente de las vacas y de los *brāhmaṇas* y el benefactor del mundo entero. Ofrezco repetidas reverencias a la Suprema Personalidad de Dios, conocido como Kṛṣṇa y Govinda».

Recuerde que el verdadero propósito de preparar y ofrecer alimentos al Señor es mostrar su devoción y gratitud hacia Él. Kṛṣṇa acepta su devoción, no la ofrenda física en sí. Dios es completo en Sí Mismo —Él no necesita nada— pero debido a Su inmensa bondad, permite que le ofrezcamos alimentos para que podamos desarrollar amor por Él.

Después de ofrecer los alimentos al Señor, espere por lo menos cinco minutos para que Él pruebe las preparaciones. Luego, retire los alimentos de la vajilla especial, colóquelos en los recipientes donde los preparó y lave los platos y utensilios que utilizó para la ofrenda. Ahora usted y cualquier invitado podrán tomar el *prasādam*. Mientras coma, trate de apreciar el valor espiritual de los alimentos. Recuerde que porque Kṛṣṇa los ha aceptado, no son diferentes de Él, y por lo tanto, usted se purificará al comerlos.

Todo lo que ofrezca en su altar se convertirá en *prasādam*, la misericordia del Señor: las flores, el incienso, el agua, los alimentos; todo lo que ofrezca para el placer del Señor se espiritualizará. El Señor entra en las ofrendas y por eso los remanentes no son diferentes de Él. Así que no solo debería respetar profundamente las cosas que ha ofrecido, sino que también debería distribuirlas a otros. La distribución de *prasādam* es una parte esencial en la adoración de la Deidad.

La vida cotidiana: los cuatro principios regulativos

Quienquiera que sea serio en progresar en la conciencia de Kṛṣṇa, debe tratar de evitar las cuatro actividades pecaminosas siguientes:

1. Consumo de carne, huevos y pescado: Estos alimentos están saturados con las modalidades de la pasión y la ignorancia, y por eso no pueden ser ofrecidos al Señor. Una persona que coma estos alimentos participa en una conspiración de violencia contra animales indefensos, y así detiene su progreso espiritual.
2. Juegos de azar: El juego de azar invariablemente provoca ansiedad, promoviendo en uno la avaricia, la envidia y la ira.
3. Ingestión de drogas: Las drogas, el alcohol y el tabaco, así como cualquier bebida o alimento que contengan cafeína, oscurecen la mente, sobrestimulan los sentidos y hacen imposible entender o seguir los principios regulativos del *bhakti-yoga*.
4. Vida sexual ilícita: Se refiere a la vida sexual extramatrimonial, o en el matrimonio sin el propósito de procrear. La vida sexual con el único fin de alcanzar placer, lo obliga a uno a identificarse con el cuerpo y lo aleja de la conciencia de Kṛṣṇa. Las Escrituras enseñan que el sexo es la fuerza más poderosa que nos ata a este mundo material. Quienquiera que sea serio en relación con el avance en la conciencia de Kṛṣṇa debe minimizar su vida sexual o suprimirla completamente.

Ocupación en el servicio devocional práctico

Todo el mundo debe realizar algún tipo de trabajo, pero si tan solo se trabaja para uno mismo, hay que aceptar las reacciones kármicas de ese trabajo. Como dice el Señor Kṛṣṇa en el *Bhagavad-gītā* (3.9): «El trabajo hecho como sacrificio en honor a Viṣṇu (Kṛṣṇa) debe realizarse. De otra manera, el trabajo lo ata a uno al mundo material».

No necesita cambiar de ocupación, a menos que esté ocupado en un trabajo pecaminoso, como el de carnicero o la venta de bebidas alcohólicas. Si es un escritor, escriba para Kṛṣṇa; si es un artista, puede crear para Kṛṣṇa; si es una secretaria, mecanografíe para Kṛṣṇa. También puede ayudar directamente al templo en su tiempo libre, y podría sacrificar algunos de los frutos de su trabajo contribuyendo con una porción de su ganancia para ayudar a mantener el templo y propagar la conciencia de Kṛṣṇa. Algunos devotos que viven fuera del templo compran nuestra literatura y la distribuyen a sus amigos y compañeros, o se ocupan en diversos servicios en el templo. Hay también un amplio número de devotos que se reúnen en la casa de alguno de ellos para cantar, adorar y estudiar. Escriba a su templo local o al secretario de la Asociación para saber sobre alguno de tales programas.

Principios devocionales adicionales

Hay muchas más prácticas devocionales que lo pueden ayudar a volverse consciente de Kṛṣṇa. Aquí hay dos vitales:

Estudio de la literatura Hare Kṛṣṇa: El fundador *ācārya* de ISKCON, Śrīla Prabhupāda, dedicó mucho tiempo a escribir libros tales como el *Śrīmad Bhāgavatam*. Escuchar las palabras —o leer los escritos— de un maestro espiritual genuino, es una práctica espiritual esencial. Entonces trate de reservar todos los días algo de tiempo para leer los libros de Śrīla Prabhupāda. En nuestros centros, tenemos libros y discos compactos disponibles.

Asociación con devotos: Śrīla Prabhupāda estableció el movimiento Hare Kṛṣṇa para brindarle a la gente en general la oportunidad de asociarse con devotos del Señor. Esta es la mejor manera de desarrollar fe en el proceso de Conciencia de Kṛṣṇa y entusiasmarse en el servicio devocional. A la inversa, el mantener íntima asociación con no devotos, hace que el avance espiritual de uno sea más lento. Por eso, trate de visitar el centro Hare Kṛṣṇa más cercano siempre que le sea posible.

Finalizando

La belleza de la Conciencia de Kṛṣṇa es que usted puede adoptar tantos principios como le sea posible. Kṛṣṇa promete en el *Bhagavad-gītā* (2.40): «En este esfuerzo no hay pérdida ni disminución alguna, y un pequeño adelanto en esta senda puede protegerlo a uno del peligro más temible de todos».

Entonces, ubique a Kṛṣṇa en el centro de su vida. Le garantizamos que notará el beneficio.

¡Hare Kṛṣṇa!

El autor

Su Divina Gracia A.C. Bhaktivedanta Swami Prabhupāda

Nació en 1896, en Calcuta, India. Él conoció a su maestro espiritual Śrīla Bhaktisidhānta Sarasvatī Ṭhākura, en Calcuta en 1922. Śrīla Bhaktisidhānta Sarasvatī Gosvāmī, el erudito y devoto más destacado de su época, había fundado el Gaudīya Maṭha (un instituto védico con 74 centros en toda la India). A él le agradó este educado joven y lo convenció para que dedicara su vida a la enseñanza del conocimiento védico. Śrīla Prabhupāda se volvió su seguidor, y once años después, en 1933, en Allahabad se convirtió en su discípulo formalmente iniciado.

En su primer encuentro, en 1922, Śrīla Bhaktisidhānta Sarasvatī Ṭhākura le pidió a Śrīla Prabhupāda que difundiera el conocimiento védico en el idioma inglés. En los años siguientes, Śrīla Prabhupāda escribió un comentario sobre el *Bhagavad-gītā*, el texto védico más importante, y ayudó a la Gaudīya Maṭha en sus labores. En 1944, sin ninguna ayuda, él comenzó una revista quincenal en inglés llamada *Back to Godhead* (publicada en español como *De Vuelta al Supremo*). Él la redactaba y pasaba a máquina los manuscritos, revisaba las pruebas e incluso distribuía gratuitamente los ejemplares de la misma, y hacía grandes esfuerzos por mantener la publicación.

La Sociedad Gauḍīya Vaiṣṇava reconociendo la erudición filosófica y la devoción de Śrīla Prabhupāda, lo honró en 1947 con el título de Bhaktivedanta. En 1950, a la edad de 54 años, Śrīla Prabhupāda se retiró de la vida familiar. Cuatro años después adoptó la orden de retiro (*vānaprastha*), para consagrarle más tiempo a sus estudios y escritos, y poco después viajó a la sagrada ciudad de Vṛndāvana. Allí vivió en un pequeño cuarto del histórico templo de Rādhā Dāmodara y durante varios años se dedicó a escribir y a estudiar profundamente. En 1959 adoptó la orden de la vida de renuncia (*sannyāsa*). En Rādhā Dāmodara, Śrīla Prabhupāda escribió *Viaje fácil a otros planetas*, y comenzó la obra maestra de su vida: una traducción y comentario del *Śrīmad-Bhāgavatam,* —la crema de las escrituras védicas—, una colección de libros que consta de dieciocho mil versos.

Después de publicar tres volúmenes del *Bhāgavatam*, Śrīla Prabhupāda fue a los Estados Unidos en 1965, a cumplir con la misión dada por su maestro espiritual. Desde ese entonces escribió unos ochenta volúmenes de traducciones, comentarios y estudios resumidos autoritativos de las obras clásicas, filosóficas y religiosas de la India. Cuando Śrīla Prabhupāda arribó por vez primera a la ciudad de Nueva York, en un buque de carga, se encontraba prácticamente sin un centavo. Pero después de casi un año de grandes dificultades, fundó la Asociación Internacional para la Conciencia de Krishna, en julio de 1966. Hasta antes de su muy lamentable partida, acaecida el 14 de noviembre de 1977, él dirigió la Asociación y la vio crecer y convertirse en una confederación mundial con más de 100 *āśramas*, escuelas, templos, institutos y comunidades agrícolas.

En 1975 se inauguró en Vṛndāvana, India, el magnífico templo Kṛṣṇa-Balārama y la Casa Internacional de Huéspedes. En 1978 se inauguró en la playa Juhu, en Bombay, un complejo cultural de dos hectáreas formado por un templo, un moderno teatro, una casa de huéspedes y un restaurante vegetariano. Quizá el proyecto más osado de Śrīla Prabhupāda es una ciudad de 50 000 residentes planeada para Māyāpur, Bengala Occidental. Śrīdhāma Māyāpur será un modelo ideal de una vida védica, que se menciona en los *Vedas*, y la cual tiene como objetivo satisfacer las necesidades materiales de la sociedad y brindarle la perfección espiritual. Śrīla Prabhupāda le dio además a occidente el sistema védico de educación primaria y secundaria. El *gurukula* («la escuela del maestro espiritual») comenzó en 1972 y actualmente cuenta con cientos de estudiantes y muchos centros alrededor del mundo.

Sin embargo, la contribución más significativa de Śrīla Prabhupāda la constituyen sus libros. La comunidad académica los respeta por su autoridad, profundidad y claridad, y los ha convertido en libros regulares de texto en numerosos cursos universitarios. Además, las traducciones de los libros de Śrīla Prabhupāda aparecen en más de 35 idiomas. El Bhaktivedanta Book Trust, establecido en 1972 principalmente para publicar sus obras, se ha convertido así en el mayor distribuidor de libros en el mundo entero, en el campo de la religión y la filosofía de la India. Entre sus proyectos más importantes estuvo la publicación del *Śrī Caitanya-caritāmṛta*, una obra bengalí clásica. Śrīla Prabhupāda hizo la traducción y el comentario de sus dieciocho volúmenes en apenas dieciocho meses. A pesar de su avanzada edad, Śrīla Prabhupāda viajó alrededor del mundo catorce veces en sólo doce años, en giras de conferencias que lo llevaron a seis continentes. Pese a un itinerario tan vigoroso, Śrīla Prabhupāda continuaba escribiendo prolíficamente. Sus escritos constituyen una memorable biblioteca de la filosofía, la religión y la cultura védica.

ASOCIACIÓN INTERNACIONAL PARA LA CONCIENCIA DE KRISHNA

Dirigirse a:

ARGENTINA

Buenos Aires: ISKCON Argentina: Ciudad de La Paz 394, Colegiales/ Palermo, Capital (1426). Tel.: +54 (11) 4-555-5654. Email: iskconargentina@gmail.com - mahaharidas@yahoo.es «Naturaleza Divina» (Restaurante, Boutique, Instituto y Centro de Yoga). Email: nat.div@gmail.com

Buenos Aires: Restaurante «Krishna»: Malabia 1833, Capital. Tel.: +54 (11) 4833-4618.

Córdoba: Nandagopal Das. Tel.: +54 (351) 480-8692. E-mail: nandadas@yahoo.com

Córdoba: Flia. Sánchez: Tel.: +54 (351) 481-7786. E-mail: paramakaruna@yahoo.com

Mendoza: Restaurante Vegetariano «Govinda». Av. San Martín 948, (5501). Godoy Cruz (frente Hospital Español). Tel.: +54 (261) 424-3799. Web: www.govindavegetarian.com Email: info@govindavegetarian.com

Mendoza: Pizzería Vegetariana «Gopal». Pedernera 873, San José-Guaymallén. Tel.: +54 (261) 445 6993. E-mail: kesavarama@hotmail.com

Mendoza: Granja Nava Gundica Dham. Severo del Castillo 7736 y Callejón Romera 700 mts. al oeste. Los Corralitos, Guaymallén. Tel.: +54 (0261) 482 1203. Email: baladevabbs@hotmail.com

BOLIVIA

Cochabamba: Los Sauces 1122, Tiquipaya. Tel.: 00 591 (44) 70610864.

La Paz: Nicolás Acosta 280, San Pedro. Tel.: 00 591 (22) 72083566.

COLOMBIA

Bogotá: Centro NITAI. Cel: + 0057 3102197952 / 3113836910. Email: Kanupriyadas@hotmail.com

Cali: Casa de Krsna: Corregimiento la Buitrera Km 3, Callejón puesto de salud, Villa garuda. Tels: + 00572 3259797. Cel: + 0057 3153933885.

Cali: Centro Bhaktivedanta. Cel: + 0057 3175232855. Email: angiradd@yahoo.com.

Medellín: Centro Jaydharma. Cel: + 0057 3148898708. Email: javierapatino@yahoo.com

Pereira: Centro New Mayapur Dham. Cel: + 0057 3174776792 / 3176752799. Email: madhusudanirupa.jps@hotmail.com

CHILE

Santiago: José Miguel Carrera 330 (Metro Los Héroes) - Santiago Centro. Tels.: +56 (2) 697 9264/ 699 0025. Web: www.harekrishna.cl / www.iskcon.cl/ E-mail: contacto@iskcon.cl.

ECUADOR

Guayaquil: 6 de Marzo 226 y Víctor Manuel Rendón. Tel.: +593 (4) 308412 ó 309420. E-mail: gurumanl@ecua.net.ec

Ayampe: Com. Rural «Nueva Mayapur» (contactar en Guayaquil).

Cuenca: Comunidad Rural «Giridharidesh», Chordeleg. C.P. 01.05.1811.

EL SALVADOR

Santa Tecla, La Libertad: 8a. Avenida Norte # 2-4. Tel.: (503) 22882900.

ESPAÑA

Barcelona: Centro Cultural - Pça. Reial 12, entl. 2ª 08002 Barcelona. Tel.: +34 933 025 194. Web: www.krishnabcn.com E-mail: templobcn@gmail.com

Brihuega, Guadalajara: Nueva Vrajamandala - Finca Sta. Clara 19400 Brihuega, Guadalajara. Tel.: +34 949 280 436.

Churriana, Málaga: Centro Cultural - Ctra. de Álora 3, int. 29140 Churriana, Málaga. Tel.: +34 952 621 038. Web: www.harekrishnamalaga.com

Madrid: Centro Cultural - c/Espíritu Santo 19, bajo izq. 28004 Madrid. Tel.: +34 915 213 096.

Tenerife: c. Gran Bretaña 2, C.C. Palmeras del Sur, locales 23-27, 38670 San Eugenio - Adeje, Santa Cruz de Tenerife. Tel.: +34 922 715 384. E-mail: harekrishnats@gmail.com

ESTADOS UNIDOS DE NORTEAMÉRICA

Los Ángeles, California: 3764 Watseka Ave., 90034 Los Ángeles. Tel.: +1 (310) 836-2676.

Miami, Florida: 3220 Virginia St., 33133 Miami. Tel.: +1 (305) 442-7218.

Nueva York, Nueva York: 305 Schermerhorn St., 11217 Brooklyn. Tel.: +1 (718) 855-6714.

MÉXICO

Guadalajara: Pedro Moreno 1791, Sector Juárez, Jalisco.

León, Guanajuato: Justo Sierra 343, Zona Centro C.P 37000.

México D.F.: Gob. Tiburcio Montiel 45, Colonia San Miguel, Chapultepec C.P. 11850. Tel.: +52 (55) 5272-5944. Web: www.krishnamexico.com

Monterrey: Información para conferencias y eventos: +52 (88) 8340-5950.

Monterrey: Abasolo 916-B, Barrio antiguo Monterrey. Tel.: +52 0181 8312 1444. CP 64000. Email: monterrerharekrishna@gmail.com

Saltillo, Coahuila: Boulevar Saltillo 520, Colonia Buenos Aires. Tel.: +52 (844) 417-8752.

Tulancingo, Hidalgo: Francisco Villa 25, Col. Huapalcalco. Tel.: +52 (775) 753-4072.

PANAMÁ

Panamá City: Villa Zaita, Las Cumbres, Casa Nº 10. Frente a INPSA. Tel.: +507 231-6561. E-mail: iskconpa1@pa.inter.net

PARAGUAY

Asunción: Dr. Hassler 5660, Villa Morra. Tel.: +595(21) 608-231. E-mail: johngilbakian@hotmail.com

PERÚ

Arequipa: Santa Catalina 120, Cercado. Tel.: +51 (54) 256875. Cel.: 980170988.

Cuzco: Restaurante «Govinda». Sathy 584, Cusco. Tel.: 084-790687/ 084-439298 / 084-221227.

Cuzco (Machupicchu): Restaurante «Govinda». Aguas Calientes. Tel.: +51 (84) 685-899.

Chiclayo: Restaurante «Govinda». Calle Vicente de la Vega 982. Tel.: +51 (74) 286159 - 223391. Cel.: 074 979509454.

Huánuco: Jr. General Prado 608. Tel.: +51 (62) 513868.

Lima: Pasaje Solea 101, Santa Maria-Chosica (Carretera Central Km. 32, frente a la curva que baja a La Cantuta). Tel.: +51 (1) 360-0765/ 693-5041/ 360-0886

Lima: Avenida Garcilazo de la Vega 1670-1680. Tel.: +51 (1) 4319920.

Lima: Restaurante «Govinda». Schell 634, Miraflores. Tel.: +51 (1) 4458487 - 4469147.

Puno: Restaurante «Govinda». Esq. Arequipa y Deustua. Tel.: +51 (54) 365-800.

URUGUAY

Montevideo: Centro de Bhakti-Yoga: Guayabo 1542, esq. Tacuarembó. Web: www.rodcastro/centrobhakti-yoga. Email: centro.bhakti.yoga@gmail.com

VENEZUELA

Caracas: Avenida de los Próceres y Calle la Marquesa del Toro. Quinta Hare Krishna, San Bernardino. Tel.: +58 (212)55 01 818.

Una cordial invitación

Visite nuestros *aśramas*
(comunidades espirituales)

Lo invitamos a conocer y participar de las actividades que realizan los integrantes de la Asociación Internacional para la Conciencia de Krishna (ISKCON), en sus distintas sedes alrededor del mundo.

- Prácticas de *bhakti-yoga* (servicio devocional)
- Estudio de la filosofía de los *Vedas*
- Alimentación lacto-vegetariana
- *Kīrtanas*, canto congregacional
- Música, *mantras* y meditación.

Todos los domingos charlas acerca del *Bhagavad-gītā tal como es*, música devocional y un suntuoso banquete vegetariano totalmente gratuito... y usted está cordialmente invitado a venir a disfrutar con nosotros.

The Bhaktivedanta Book Trust

Argentina. 20 de junio 1545
(5501) - Godoy Cruz, Mendoza.
Tel.: +54 (261) 428 0246.
bbtargen@yahoo.com.ar

México. Prolongación Josefa Ortíz
de Domínguez No. 407.
Cuerámaro, Guanajuato.
Tel: +52 (429) 694 00 05.
kelivilasa_ids@yahoo.com.mx

España. Av. Alcudia 2 bis,
1 F (03720) - Benissa, Alicante.
Tel.: +34 965 732 738.
hanuman.das.bbt@gmail.com

Perú. Pasaje Punta de Los
Ingleses 198. Urbanización Luis
Germán Astete - La Perla, Callao.
cesarserpa@yahoo.es